Cinquenta anos depois

Francisco Cândido Xavier

Cinquenta anos depois

Episódios da História do Cristianismo no Século II

Pelo Espírito
Emmanuel

Copyright © 1940 *by*
FEDERAÇÃO ESPÍRITA BRASILEIRA – FEB

34ª edição – 17ª impressão – 3 mil exemplares – 5/2025

ISBN 978-85-7328-698-4

Todos os direitos reservados. Nenhuma parte desta publicação pode ser reproduzida, armazenada ou transmitida, total ou parcialmente, por quaisquer métodos ou processos, sem autorização do detentor do *copyright*.

FEDERAÇÃO ESPÍRITA BRASILEIRA – FEB
SGAN 603 – Conjunto F – Avenida L2 Norte
70830-106 – Brasília (DF) – Brasil
www.febeditora.com.br
editorial@febnet.org.br
+55 61 2101 6161

Pedidos de livros à FEB
Comercial
Tel.: (61) 2101 6161 – comercial@febnet.org.br

Adquirindo esta obra, você está colaborando com as ações de assistência e promoção social da FEB e com o Movimento Espírita na divulgação do Evangelho de Jesus à luz do Espiritismo.

Dados Internacionais de Catalogação na Publicação (CIP)
(Federação Espírita Brasileira – Biblioteca de Obras Raras)

E54c   Emmanuel (Espírito)

         Cinquenta anos depois: episódios da história do cristianismo no século II: romance / pelo Espírito Emmanuel; [psicografado por] Francisco Cândido Xavier – 34. ed. – 17. imp. – Brasília: FEB, 2025.

         288 p.; 23 cm – (Série Romances de Emmanuel)

         ISBN 978-85-7328-698-4

         1. Romance espírita. 2. Obras psicografadas. I. Xavier, Francisco Cândido, 1910–2002. II. Federação Espírita Brasileira. III. Título. IV. Série.

CDD 133.93
CDU 133.7
CDE 80.02.00

Sumário

Carta ao leitor 7

PRIMEIRA PARTE

I – Uma família romana 13
II – Um anjo e um filósofo 27
III – Sombras domésticas 53
IV – Na Via Nomentana 73
V – A pregação do evangelho 85
VI – A visita ao cárcere 99
VII – Nas festas de Adriano 117

SEGUNDA PARTE

I – A morte de Cneio Lucius 137
II – Calúnia e sacrifício 153
III – Estrada de amargura 177
IV – De Minturnes a Alexandria 197
V – O caminho expiatório 227
VI – No horto de Célia 249
VII – Nas esferas espirituais 275

Carta ao leitor

Meu amigo, Deus te conceda paz.
Se leste as páginas singelas do *Há dois mil anos*, é possível que procures aqui a continuação das lutas intensas, vividas pelas suas personagens reais, na arena de lutas redentoras da Terra. É por esse motivo que me sinto obrigado a explicar-te alguma coisa, com respeito ao desdobramento desta nova história.
Cinquenta anos depois das ruínas fumegantes de Pompeia, nas quais o impiedoso senador Publius Lentulus se desprendia novamente do mundo, para aferir o valor de suas dolorosas experiências terrestres, vamos encontrá-lo, nestas páginas, sob a veste humilde dos escravos, que o seu orgulhoso coração havia espezinhado outrora. A Misericórdia do Senhor permitia-lhe reparar, na personalidade de Nestório, os desmandos e arbitrariedades cometidos no pretérito, quando, como homem público, supunha guardar nas mãos vaidosas, por injustificável direito divino, todos os poderes. Observando tal homem cativo, reconhecerás, em cada traço de seus sofrimentos, o venturoso resgate de um passado de faltas clamorosas.
Todavia, sinto-me no dever de esclarecer-te a curiosidade, com referência aos seus companheiros mais diretos, na nova romagem terrena, de que este livro é um testemunho real.
Não obstante estarem na Terra, pela mesma época, os membros da família Severus, Flávia e Marcus Lentulus, Saul e André de Gioras, Aurélia,

Sulpício, Fúlvia e demais comparsas do mesmo drama, devo esclarecer-te que todos esses companheiros de luta mourejavam, na ocasião, em outros setores de sofrimentos abençoados, não comparecendo aqui, onde o senador Publius Lentulus aparece, aos teus olhos, na indumentária de escravo, já na idade madura, como elemento integrante de um quadro novo.

De todas as personagens do *Há dois mil anos*, uma, contudo, aqui se encontra, junto de outras figuras do mesmo tempo, como Policarpo, embora não relacionado nominalmente no livro anterior, companheiro esse que, pelos laços afetivos, se lhe tornara um irmão devotado e carinhoso, pelas mesmas lutas políticas e sociais na Roma de Nero e de Vespasiano. Quero referir-me a Pompílio Crasso, aquele mesmo irmão de destino na destruição de Jerusalém, cujo coração palpitante lhe fora retirado do peito por Nicandro, às ordens severas de um chefe cruel e vingativo.

Pompílio Crasso é o mesmo Helvídio Lucius destas páginas, ressurgindo no mundo para o trabalho renovador e, aludindo a um amigo dedicado e generoso, quero dizer-te que este livro não foi escrito de nós e por nós, no pressuposto de descrever as nossas lutas transitórias no mundo terrestre. Este livro é o repositório da verdade sobre um coração sublime de mulher, transformada em santa, cujo heroísmo divino foi uma luz acesa na estrada de numerosos Espíritos amargurados e sofredores.

No *Há dois mil anos* buscávamos encarecer uma época de luzes e sombras, em que a materialidade romana e o Cristianismo disputavam a posse das almas, num cenário de misérias e esplendores, entre as extremas exaltações de César e as maravilhosas edificações em Jesus Cristo. Ali, Publius Lentulus se movimenta num acervo de farrapos morais e deslumbramentos transitórios; aqui, entretanto, como o escravo Nestório, observa ele uma alma. Refiro-me a Célia, figura central das páginas desta história, cujo coração, amoroso e sábio, entendeu e aplicou todas as lições do Divino Mestre, no transcurso doloroso de sua vida. Na sequência dos fatos, dentro da narrativa, seguirás os seus passos de menina e de moça, como se observasses um anjo pairando acima de todas as contingências da Terra. Santa pelas virtudes e pelos atos de sua existência edificante, seu Espírito era bem o lírio nascido do lodo das paixões do mundo, para perfumar a noite da vida terrestre, com os olores suaves das mais divinas esperanças do Céu.

Podemos afirmar, portanto, leitor amigo, que este volume não relaciona, de modo integral, a continuação das experiências purificadoras do antigo senador Lentulus, nos círculos de resgate dos trabalhos terrestres. É a história de um sublime coração feminino que se divinizou no sacrifício e na abnegação, confiando em Jesus, nas lágrimas da sua noite de dor e de trabalho, de reparação e de esperança. A Igreja Romana lhe guarda, até hoje, as generosas tradições, nos seus arquivos envelhecidos, se bem que as datas e as denominações, as descrições e apontamentos se encontrem confusos e obscuros pelo dedo viciado dos narradores humanos.

No entanto, meu irmão e meu amigo, abre estas páginas refletindo no turbilhão de lágrimas que se represa no coração humano e pensa no quinhão de experiências amargas que os dias transitórios da vida te trouxeram. É possível que também tenhas amado e sofrido muito. Algumas vezes experimentaste o sopro frio da adversidade enregelando o teu coração. De outras, feriram-te a alma bem-intencionada e sensível a calúnia ou o desengano. Em certas circunstâncias, olhaste também o Céu e perguntaste, em silêncio, onde se encontrariam a verdade e a justiça, invocando a Misericórdia de Deus, em preces dolorosas. Conhecendo, porém, que todas as dores têm uma finalidade gloriosa na redenção do teu Espírito, lê esta história real e medita. Os exemplos de uma alma santificada no sofrimento e na humildade ensinar-te-ão a amar o trabalho e as penas de cada dia; observando-lhe os martírios morais e sentindo, de perto, a sua profunda fé, experimentarás um consolo brando, renovando as tuas esperanças em Jesus Cristo.

Busca entender a essência deste repositório de verdades confortadoras e, do plano espiritual, o Espírito purificado de nossa heroína derramará em teu coração o bálsamo consolador das esperanças sublimes.

Que aproveites do exemplo, como nós outros, nos tempos recuados das lutas e das experiências que passaram, é o que te deseja um irmão e servo humilde.

EMMANUEL
Pedro Leopoldo (MG), 19 de dezembro de 1939.

PRIMEIRA PARTE

I
Uma família romana

Varando a multidão que estacionava na grande praça de Esmirna, em clara manhã do ano 131 da nossa era, marchava um troço de escravos jovens e atléticos, conduzindo uma liteira ricamente ataviada ao gosto da época.

De espaço a espaço, ouviam-se as vozes dos carregadores, exclamando:

— Deixai passar o nobre tribuno Caius Fabricius! Lugar para o nobre representante de Augusto! Lugar!... Lugar!...

Desfaziam-se os pequenos grupos de populares, formados à pressa em torno do mercado de peixes e legumes, situado no grande logradouro, enquanto o rosto de um patrício romano surdia entre as cortinas da liteira, com ares de enfado, a observar a turba rumorosa.

Seguindo a liteira, caminhava um homem dos seus 45 anos presumíveis, deixando ver nas linhas fisionômicas o perfil israelita, tipicamente características, e um orgulho silencioso e inconformado. A atitude humilde, todavia, evidenciava condição inferior e, conquanto não participasse do esforço dos carregadores, adivinhava-se-lhe no semblante contrafeito a situação dolorosa de escravo.

Respirava-se, à margem do golfo esplêndido, o ar embalsamado que os ventos do Egeu traziam do grande Arquipélago.

O movimento da cidade crescera de muito naqueles dias inolvidáveis, sequentes à última guerra civil que devastara a Judeia para sempre. Milhares de peregrinos invadiam-na por todos os flancos, fugindo aos quadros terrificantes da Palestina, assolada pelos flagelos da última revolução aniquiladora dos derradeiros laços de coesão das tribos laboriosas de Israel, desterrando-as da pátria.

Remanescentes de antigas autoridades e de numerosos plutocratas de Jerusalém, de Cesareia, de Betel e de Tiberíades, ali se acotovelam famélicos, por subtraírem-se aos tormentos do cativeiro, após as vitórias de Sextus Julius Severus[1] sobre os fanáticos partidários do famoso Bar-Coziba.

Vencendo os movimentos instintivos da turba, a liteira do tribuno parou à frente de soberbo edifício, no qual os estilos grego e romano se casavam harmoniosamente.

Ali estacionando, foi logo anunciado no interior, onde um patrício relativamente jovem, aparentando mais ou menos 40 anos, o esperava com evidente interesse.

– Por Júpiter![2] – exclamou Fabricius, abraçando o amigo Helvídio Lucius – não supunha encontrar-te nessa plenitude de robustez e elegância, de fazer inveja aos próprios deuses!

– Ora, ora! – replicou o interpelado, em cujo sorriso se podia ler a satisfação que lhe causavam aquelas expansões carinhosas e amigas – são milagres dos nossos tempos. Aliás, se há quem mereça tais gabos és tu, a quem Adônis[3] sempre rendeu homenagens.

Neste ínterim, um escravo ainda moço trazia a bandeja de prata, na qual se alinhavam pequenos vasos de perfume e coroas da época, adornadas de rosas.

Helvídio Lucius servia-se cuidadosamente de uma delas, enquanto o visitante agradecia com leve sinal de cabeça.

– Mas ouve! – continuava o anfitrião sem dissimular o contentamento que lhe causava a visita – há bastante tempo aguardamos tua chegada, de maneira a partirmos para Roma com a brevidade possível. Há dois dias que a galera está a nossa disposição, dependendo a partida tão somente da tua vinda!...

---

[1] N.E.: Reputado militar e político romano do século II.
[2] N.E.: Rei dos deuses, soberano do Monte Olimpo e deus do céu e do trovão. Corresponde a Zeus na Mitologia grega.
[3] N.E.: Deus grego da vegetação.

E batendo-lhe amistosamente no ombro, rematava:
— Que demora foi essa?...
— Bem sabes — explicou Fabricius — que sumariar os estragos da última revolução era tarefa assaz difícil para realizar em poucas semanas, razão pela qual, apesar da demora a que te referes, não levo ao governo imperial um relatório minucioso e completo, mas apenas alguns dados gerais.
— E a propósito da revolução da Judeia, qual a tua impressão pessoal dos acontecimentos?

Caius Fabricius esboçou um leve sorriso, acrescentando com amabilidade:
— Antes de dar a minha opinião, sei que a tua é a de quem encarou os fatos com o maior otimismo.
— Ora, meu amigo — disse Helvídio, como a justificar-se —, é verdade que a venda de toda a minha criação de cavalos da Idumeia, para as forças em operações, me consolidou as finanças, dispensando-me de maiores cuidados quanto ao futuro da família; mas isso não impede considerar a penosa situação desses milhares de criaturas que se arruinaram para sempre. Aliás, se a sorte me favoreceu no plano de minhas necessidades materiais, devo-o principalmente à intervenção de meu sogro, junto do prefeito Lólio Úrbico.
— O censor Fábio Cornélio agiu assim tão decisivamente a teu favor? — perguntou Fabricius algo admirado.
— Sim.
— Está bem — disse Caius já despreocupado —, eu nunca entendi patavina da criação de cavalos da Idumeia ou de bestas da Ligúria. Aliás, o êxito dos teus negócios não altera a nossa velha e cordial amizade. Por Pólux!... Não há necessidade de tantas explicações nesse sentido.

E depois de sorver um trago de Falerno solicitamente servido, continuou, como que analisando as próprias reminiscências mais íntimas:
— O estado da província é lastimável e, na minha opinião, os judeus nunca mais encontrarão na Palestina o benefício consolador de um lar e de uma pátria. Em diversos reencontros, morreram mais de cento e oitenta mil israelitas, segundo o conhecimento exato da situação. Foram destruídos quase todos os burgos. Na zona de Betel a miséria atingiu proporções inauditas. Famílias inteiras, desamparadas e indefesas, foram covardemente assassinadas. Enquanto a fome e a desolação operam a ruína geral, chega

também a peste, oriunda da exalação dos cadáveres insepultos. Jamais imaginei rever a Judeia em tais condições...

– A quem deveremos inculpar do que ocorre? O governo de Adriano[4] não se tem caracterizado pela retidão e pela justiça? – perguntou Helvídio Lucius com grande interesse.

– Não posso afirmá-lo com certeza – revidou Fabricius atencioso –; todavia, considero pessoalmente que o grande culpado foi Tineius Rufus,[5] legado propretor da província. Sua incapacidade política foi manifesta em todo o desenvolvimento dos fatos. A reedificação de Jerusalém com o nome de Elia Capitolina, obedecendo aos caprichos do Imperador, apavora os israelitas, desejosos todos de conservar as tradições da cidade santa. O momento requeria um homem de qualidades excepcionais, à frente dos negócios da Judeia. Entretanto, Tineius Rufus não fez mais que exacerbar o ânimo popular com imposições religiosas de todos os matizes, contrariando a clássica tradição de tolerância do Império nos territórios conquistados.

Helvídio Lucius ouvia o amigo com singular interesse, mas, como se desejasse afastar de si mesmo alguma reminiscência amarga, murmurou:

– Fabricius, meu caro, tua descrição da Judeia me apavora o espírito... Os anos que passamos na Ásia Menor me devolvem a Roma com o coração apreensivo. Em toda a Palestina campeiam superstições totalmente contrárias às nossas tradições mais respeitáveis, e essas crenças estranhas invadem o próprio ambiente da família, dificultando-nos a tarefa de instituir a harmonia doméstica...

– Já sei – replicou o amigo solicitamente –, queres aludir, com certeza, ao Cristianismo, com as suas inovações e os seus asseclas.

– Mas... – ajuntou Caius, evidenciando uma atenção mais íntima –, acaso Alba Lucínia teria deixado de ser a segurança vestalina de tua casa? Seria possível?

– Não – replicou Helvídio ansioso por se fazer compreendido –, não se trata de minha mulher, sentinela avançada de todos os feitos da minha vida, há longo tempo, mas de uma das filhas que, contrariamente a todas previsões, imbuiu-se de semelhantes princípios, causando-nos os mais sérios desgostos.

---

[4] N.E.: Publius Aelius Hadrianus (76 – 138), mais conhecido apenas como Adriano, foi imperador romano de 117 a 138.
[5] N.E.: Quintus Tineius Rufus era o governador da Judeia à época em que eclodiu a 3ª guerra judaico-romana.

— Ah! Lembro-me de Helvídia e de Célia, que, em meninas, eram bem dois sorrisos dos deuses na tua casa. Mas tão jovens e dadas, assim, a cogitações filosóficas?

— Helvídia, a mais velha, não se impregnou de tais bruxarias; mas a nossa pobre Célia parece bastante prejudicada pelas superstições orientais, tanto que, regressando a Roma, tenciono deixá-la em companhia de meu pai, por algum tempo. Suas lições de virtude doméstica hão de renovar-lhe o coração, segundo cremos.

— É verdade — concordou Fabricius —, o venerando Cneio Lucius reformaria para as tradições romanas os sentimentos mais bárbaros de nossas províncias.

Fazia-se ligeira pausa na conversação, enquanto Caius tamborilava com os dedos, dando a entender a sua preocupação, como se evocasse alguma dolorosa lembrança.

— Helvídio — murmurou o tribuno fraternalmente —, teu regresso a Roma é de causar apreensões aos teus verdadeiros amigos. Recordando teu pai, lembro-me instintivamente de Silano, o pequeno enjeitado que ele chegou quase a adotar oficialmente como próprio filho, desejoso de libertar-te da calúnia a ti imputada no albor da mocidade...

— Sim — disse o anfitrião, como se houvera repentinamente despertado —, ainda bem que não desconheces ser caluniosa a acusação que pesou sobre mim. Aliás, meu pai não ignora isso.

— Apesar de tudo, teu venerável genitor não hesitou em cumular a criança, a ele encaminhada, com o máximo de carinhos...

Depois de passar nervosamente a mão pela fronte, Helvídio Lucius acentuou:

— E Silano?... Sabes o que é feito dele?

— As últimas informações davam-no como incorporado às nossas falanges que mantêm o domínio das Gálias, como simples soldado do exército.

— Às vezes — ajuntou Helvídio preocupado — tenho pensado na sorte desse rapaz, pupilo da generosidade de meu pai, desde os tempos de minha juventude. Mas que fazer? Desde que me casei, tudo fiz por trazê-lo à nossa companhia. Minha propriedade da Idumeia poderia proporcionar-lhe uma existência simples e liberta de maiores cuidados, sob as minhas vistas atentas; todavia, Alba Lucínia se opôs terminantemente aos meus projetos, não só recordando os comentários caluniosos de que fui alvo no passado, como também alegando seus direitos exclusivos à minha afeição, pelo que fui compelido a conformar-me, levando em conta as nobres qualidades da sua alma generosa.

"Bem sabes que minha esposa deve receber as minhas atenções mais respeitosas. Não tenho remédio senão aceitar de bom grado as suas afetuosas imposições."

— Helvídio, bom amigo — exclamou Fabricius, demonstrando prudência —, não devo nem posso interferir na tua vida íntima! Problemas há, na vida, que somente os cônjuges podem solucionar, entre si, na sagrada intimidade do lar, mas não é apenas pelo caso de Silano que me sinto apreensivo, relativamente ao teu regresso.

E fixando o amigo bem nos olhos, rematou:

— Lembras-te de Claudia Sabina?...

— Sim... — respondeu vagamente.

— Não sei se estás devidamente informado a seu respeito. Claudia é hoje a esposa de Lólio Úrbico, o prefeito dos pretorianos. Não deves ignorar que esse homem é a personalidade do dia, como depositário da máxima confiança do Imperador.

Helvídio Lucius passou a mão pela fronte, como se desejasse afugentar uma penosa recordação do passado, revidando, afinal, para tranquilidade de si mesmo:

— Não desejo exumar o passado, visto ser hoje um outro homem, mas, se houver necessidade de ser prestigiado na capital do Império, não podemos esquecer, igualmente, que meu sogro é pessoa de toda a confiança, não só do prefeito a que aludes como de todas as autoridades administrativas.

— Bem o sei, mas não ignoro também que o coração humano tem escaninhos misteriosos... Não acredito que Claudia, hoje elevada às esferas da mais alta aristocracia, pelos caprichos do destino, haja olvidado a humilhação do seu amor violento de plebeia, espezinhado em outros tempos.

— Sim — confirmou Helvídio Lucius com os olhos parados no abismo de suas recordações mais íntimas —, muitas vezes tenho lamentado o haver nutrido em seu coração uma afetividade tão intensa, mas que fazer? A juventude está sujeita a caprichos numerosos e, a maior parte das vezes, não há advertência que possa romper o véu da cegueira...

— E estarás hoje menos moço para que te sintas completamente livre dos caprichos multiplicados da nossa época?

O interpelado compreendeu todo o alcance daquelas observações sábias e prudentes, e como se não lhe prouvesse o exame das circunstâncias e dos fatos, cuja lembrança penosa o atormentaria, replicou sem perder o aparente bom humor, embora os olhos evidenciassem uma preocupação amargurosa:

— Caius, meu bom amigo, pelas barbas de Júpiter! Não me faças voltar ao pélago escuro do passado. Desde que chegaste, nada me disseste além de assuntos penosos e sombrios. De início, é a miséria da Judeia, de arrepiar os cabelos, com os seus quadros de desolação e ruína e, depois, eis-te voltado para o passado escabroso, como se não nos bastassem as atuais amarguras... Fala-me antes de algo que me consolide o repouso íntimo. Embora não saiba explicar o motivo, tenho o coração apreensivo quanto ao futuro. A máquina de intrigas da sociedade romana aborrece-me o espírito, que nunca encontrou ensejos de lhe fugir ao ambiente detestável. Meu regresso a Roma inquina-se de perspectivas dolorosas, embora não ouse confessá-lo!...

Fabricius ouviu-o atento e compungido. As palavras do amigo denunciavam o profundo temor de retornar ao passado tão cheio de aventuras. Aquela atitude súplice atestava que a recordação dos tempos idos ainda lhe palpitava no peito, apesar de todos os esforços para esquecer.

Reprimindo os próprios receios, falou, então, afetuosamente:

— Pois bem, não falaremos mais nisso.

E acentuando a alegria que lhe causava aquele encontro, continuou comovidamente:

— Então, poderia acaso esquecer-me de algo que me pedisses?

Sem mais delonga, encaminhou-se para o átrio onde os serviçais de confiança lhe esperavam as ordens, regressando à sala acompanhado pelo desconhecido que lhe seguira a liteira, na atitude humilde de escravo.

Helvídio Lucius surpreendeu-se, ao ver a personagem interessante que lhe era apresentada.

Identificara, imediatamente, a sua condição de servo, mas o espanto lhe provinha da profunda simpatia que aquela figura lhe inspirava.

Seus traços de israelita eram iniludíveis, porém, no olhar havia uma vibração de orgulho nobre, temperado de singular humildade. Na fronte larga, notavam-se cãs precoces, se bem que o físico denunciasse a pletora de energias orgânicas da idade madura. O aspecto geral, contudo, era o de um homem profundamente desencantado da vida. No rosto, percebia-se o sinal de macerações e sofrimentos indefiníveis, impressões dolorosas, aliás compensadas pelo fulgor enérgico do olhar, transparente de serenidade.

– Eis a surpresa – frisou Caius Fabricius alegremente –: comprei, como lembrança, esta preciosidade, na feira de Terebinto, quando alguns de nossos companheiros liquidavam o espólio dos vencidos.

Helvídio Lucius parecia não ouvir, como que procurando mergulhar fundo naquela figura curiosa, ao alcance de seus olhos, e cuja simpatia lhe impressionava as fibras mais sensíveis e mais íntimas.

– Admiras-te? – insistiu Caius desejoso de ouvir as suas apreciações diretas e francas. – Quererias, porventura, que te trouxesse um Hércules formidando? Preferi lisonjear-te com um raro exemplar de sabedoria.

Helvídio agradeceu com um sinal expressivo, acercando-se do escravo silencioso com um leve sorriso.

– Como te chamas? – perguntou solícito.

– Nestório.

– Onde nasceste? Na Grécia?

– Sim – respondeu o interpelado com um doloroso sorriso.

– Como pudeste alcançar Terebinto?

– Senhor, sou de origem judia, apesar de nascido em Éfeso. Meus antepassados transportaram-se à Jônia, há alguns decênios, em virtude das guerras civis da Palestina. Criei-me nas margens do Egeu, onde mais tarde constituí família. A sorte, porém, não me foi favorável. Tendo perdido minha companheira prematuramente, devido a grandes desgostos, em breve, sob o guante de perseguições implacáveis, fui escravizado por ilustres romanos, que me conduziram ao antigo país de meus ascendentes.

– E foi lá que a revolução te surpreendeu?

– Sim.

– Onde te encontravas?

– Nas proximidades de Jerusalém.

– Falaste de tua família. Tinhas apenas mulher?

– Não, senhor. Tinha também um filho.

– Também morreu?

– Ignoro. Meu pobre filho, ainda criança, caiu, como seu pai, na dolorosa noite do cativeiro. Apartado de mim, que o vi partir com o coração lacerado de dor e de saudade, foi vendido a poderosos mercadores do sul da Palestina.

Helvídio Lucius olhou para Fabricius, como a expressar a sua admiração pelas respostas desassombradas do desconhecido, continuando, porém, a interrogar:

— A quem servias em Jerusalém?
— A Calius Flavius.
— Conheci-o de nome. Qual o destino do teu senhor?...
— Foi dos primeiros a morrer nos choques havidos nos arredores da cidade, entre os legionários de Tineius Rufus e os reforços judeus chegados de Betel.
— Também combateste?
— Senhor, não me cumpria combater senão pelo desempenho das obrigações devidas àquele que, conservando-me cativo aos olhos do mundo, há muito me havia restituído a liberdade, junto de seu magnânimo coração. Minhas armas deviam ser as da assistência necessária ao seu espírito leal e justo. Calius Flavius não era para mim o verdugo, mas o amigo e protetor de todos os momentos. Para meu consolo íntimo, pude provar-lhe a minha dedicação, quando lhe fechei os olhos no alento derradeiro.
— Por Júpiter! — exclamou Helvídio, dirigindo-se em alta voz ao amigo — é a primeira vez que ouço um escravo abençoar o senhor.
— Não é só isso — respondeu Caius Fabricius bem-humorado, enquanto o servo os observou ereto e digno —, Nestório é a personificação do bom senso. Apesar dos seus laços de sangue com a Ásia Menor, sua cultura acerca do Império é das mais vastas e notáveis.
— Será possível? — tornou Helvídio admirado.
— Conhece a História Romana tão bem quanto um de nós.
— Mas chegou a viver na capital do mundo?
— Não. Ao que ele diz, somente a conhece por tradição.

Já convidado pelos dois patrícios, sentou-se o escravo para demonstrar os seus conhecimentos.

Com desembaraço, falou das lendas encantadoras que envolviam o nascimento da cidade famosa, entre os vales da Etrúria e as deliciosas paisagens da Campânia. Rômulo e Remo, a lembrança de Acca Larentia, o rapto das Sabinas, eram imagens que, na linguagem de um escravo, adornavam-se de novos e interessantes matizes. Em seguida, passou a explanar o extraordinário desenvolvimento econômico e político da cidade. A história de Roma não tinha segredos para o seu intelecto. Remontando à época de Tarquinius Priscus,[6] falou de suas construções maravilhosas e gigantescas, detendo-se, em particular, na célebre rede de esgotos, a caminho das águas lodosas do Tibre. Lembrou a figura de Servius Tullius,[7] dividindo a população romana em classes e centúrias. Numa Pompilius,[8] Menênio Agripa, os Gracos,[9] Sergius Catilina,[10] Scipio Nasica[11] e todos os vultos famosos da República foram recordados na sua exposição, na qual os conceitos cronológicos se alinhavam com admirável exatidão. Os deuses da cidade, os costumes, conquistas, generais intrépidos e valorosos eram com detalhes indelevelmente gravados na sua memória. Seguindo o curso dos seus conhecimentos, rememorou o Império nos seus primórdios, salientando as suas realizações portentosas, desde o faustoso brilho da Corte de Augusto. As magnificências dos Césares, trabalhadas pela sua dialética fluente, apresentavam novos coloridos históricos, em vista das considerações psicológicas, acerca de todas as situações políticas e sociais.

Por muito tempo falara Nestório dos seus conhecimentos do passado, quando Helvídio Lucius sinceramente surpreendido o interpelou:

– Onde conseguiste essa cultura, radicada em nossas mais remotas tradições?...

– Senhor, tenho manuseado todos os livros da educação romana, ao meu alcance, desde moço. Além disso, sem que me possa explicar a razão, a capital do Império exerce sobre mim a mais singular de todas as seduções.

– Ora – ajuntou Caius Fabricius satisfeito –, Nestório tanto conhece um livro de Salústio,[12] como uma página de Petrônio.[13] Os autores

---

[6] N.E.: Lucius Tarquinius Priscus ou Tarquínio, o Antigo (616 a.C. – 579 a.C.), foi o quinto rei de Roma, segundo a cronologia de Tito Lívio, eleito depois da morte de Anco Márcio. Foi o primeiro rei etrusco. Seu verdadeiro nome, Lúcio Tarquínio (Lucius Tarquinius), foi substituído quando chegou em Roma.
[7] N.E.: Servius Tullius (578 – ?535 a.C.), rei romano de origem etrusca, levantou a primeira muralha de Roma e proclamou as primeiras leis sociais.
[8] N.E.: Numa Pompilius (753 a.C. – 673 a.C.) foi um sabino escolhido como segundo rei de Roma. Procurou dar leis à cidade, garantindo a ordem. Sábio, pacífico e religioso, cuidou da agricultura e da religião.
[9] N.E.: Nome de uma família da antiga República Romana, que se destacou nas lutas sociais travadas no século II a.C., sobretudo pela participação de dois de seus membros: Tibério Graco e Caio Graco.
[10] N.E.: Lucius Sergius Catilina (109 a.C. – 62 a.C.) foi um político romano.
[11] N.E.: Publius Cornelius Scipio Nasica Serapio (183 a.C. – 132 a.C.), foi um militar e político romano da República Romana. O assassinato de Tibério Graco foi executado por sua iniciativa.
[12] N.E.: Caio Salústio Crispo (86 a.C. – 34 a.C.) foi um dos grandes escritores e poetas da literatura latina.
[13] N.E.: Petrônio (? – 66 d.C.) foi um escritor romano, mestre na prosa da literatura latina, satirista notável, autor de *Satiricon*.

gregos, igualmente, não têm segredos para ele. Considerada, porém, a sua predileção pelos motivos romanos, quero acreditar haja ele nascido ao pé de nossas portas.

O escravo sorriu levemente, enquanto Helvídio Lucius esclareceu:

— Semelhantes conhecimentos evidenciam um interesse injustificável da parte de um cativo.

E depois de uma pausa, como se estivesse arquitetando um projeto íntimo, continuou a falar, dirigindo-se ao amigo:

— Meu caro, louvo-te a lembrança. Minha grande preocupação, no momento, era obter um servo culto, que pudesse incumbir-se de enriquecer a educação de minhas filhas, auxiliando-me, simultaneamente, no arranjo dos processos do Estado, a que agora serei compelido pela força do cargo.

O anfitrião mal havia concluído o seu agradecimento, quando surgiram na sala a esposa e as filhas, num gracioso cromo familiar.

Alba Lucínia, que ainda não atingira os 40 anos, conservava no rosto os mais belos traços da juventude, a iluminarem o seu perfil de madona. Junto das filhas, duas primaveras risonhas, seu aspecto de mocidade ganhava um todo de nobres expressões vestalinas, confundindo-se com as duas, como se lhes fora irmã mais velha, em vez de mãe extremosa e afável.

Helvídia e Célia, porém, embora a semelhança profunda dos traços fisionômicos, deixavam transparecer, espontaneamente, a diversidade de temperamentos e pendores espirituais. A primeira entremostrava nos olhos uma inquietação própria da idade, indiciando os sonhos febricitantes que lhe povoavam a alma, ao passo que a segunda trazia no olhar uma reflexão serena e profunda, como se o espírito de mocidade houvera envelhecido prematuramente.

Todas as três exibiam, graciosamente, os delicados enfeites do peplo em sua feição doméstica, presos os cabelos em preciosas redes de ouro, ao mesmo tempo que ofereciam a Caius Fabricius um sorriso de acolhimento.

— Ainda bem — murmurou o hóspede com vivacidade própria do seu gênio expansivo, avançando para a dona da casa —, o meu grande Helvídio encontrou o altar das Três Graças, entronizando-as egoisticamente no lar. Aliás, aqui estamos nas plagas do Egeu, berço de todas as divindades!...

Suas saudações foram recebidas com geral agrado.

Não somente Alba Lucínia, mas também as filhas se regozijavam com a presença do carinhoso amigo da família desde muito tempo.

Em breve, todo o grupo se animava em palestra amena e sadia. Era o burburinho das notícias de Roma, de mistura com as impressões da Idumeia e de outras regiões da Palestina, onde Helvídio Lucius estagiara junto da família, enfileirando-se as opiniões encantadoras e íntimas, acerca dos pequeninos nadas de cada dia.

Em dado instante, o dono da casa chamou a atenção da esposa para a figura de Nestório, encolhido a um canto da sala, acrescentando entusiasticamente:

— Lucínia, eis o régio presente que Caius nos trouxe de Terebinto.

— Um escravo?!... — perguntou a senhora com entonação de piedade.

— Sim. Um escravo precioso. Sua capacidade mnemônica é um dos fenômenos mais interessantes que tenho observado em toda a vida. Imagina que tem dentro do cérebro a longa história de Roma, sem omitir o mais ligeiro detalhe. Conhece nossas tradições e costumes familiares como se houvera nascido no Palatino. Desejo sinceramente tomá-lo a meu serviço particular, utilizando-o ao mesmo tempo no apuro da instrução de nossas filhas.

Alba Lucínia fitou o desconhecido tomada de surpresa e simpatia. Por sua vez, as duas jovens o contemplavam admiradas.

Saindo, contudo, da sua estupefação, a nobre matrona ponderou refletidamente:

— Helvídio, sempre considerei a missão doméstica como das mais delicadas de nossa vida. Se esse homem deu provas dos seus conhecimentos, tê-las-ia dado também de suas virtudes para que venhamos a utilizá-lo, confiadamente, na educação de nossas filhas?

O marido sentiu-se embaraçado para responder à pergunta tão sensata e oportuna, mas em seu auxílio veio a palavra firme de Caius, que esclareceu:

— Eu vo-la dou, minha senhora: se Helvídio pode abonar-lhe a sabedoria, posso eu testificar as suas nobres qualidades morais.

Alba Lucínia pareceu meditar por momentos, acrescentando, afinal, com um sorriso satisfeito:

— Está bem, aceitaremos a garantia da sua palavra.

Em seguida, a graciosa dama fitou Nestório com caridade e brandura, compreendendo que, se o seu doloroso aspecto era, incontestavelmente, o de um escravo, os olhos revelavam uma serenidade superior, saturada de estranha firmeza.

Depois de um minuto de observação acurada e silenciosa, voltou-se para o marido dizendo-lhe algumas palavras em voz quase imperceptível, como se pleiteasse a sua aprovação, antes de dar cumprimento a algum de seus desejos. Helvídio, por sua vez, sorriu ligeiramente, dando um sinal de aquiescência com a cabeça.

Voltando-se, então, para os demais, a nobre senhora falou comovidamente:

— Caius Fabricius, eu e meu marido resolvemos que nossas filhas venham a utilizar a cooperação intelectual de um homem livre.

E, tomando de minúscula varinha que descansava no bojo de um jarrão oriental, a um canto da sala, tocou levemente a fronte do escravo, obedecendo às cerimônias familiares, com as quais o senhor libertava os cativos na Roma Imperial, exclamando:

— Nestório, nossa casa te declara livre para sempre!...

"Filhas" — continuou a dizer sensibilizada, dirigindo-se às duas jovens —, "nunca humilheis a liberdade deste homem, que terá toda a independência para cumprir os seus deveres!..."

Caius e Helvídio entreolharam-se satisfeitos. Enquanto Helvídia cumprimentava de longe o liberto com um leve aceno de cabeça, altiva, Célia aproximava-se do alforriado, que tinha os olhos úmidos de lágrimas, e estendeu-lhe a mão aristocrática e delicada, numa saudação sincera e carinhosa. Seus olhos encontraram o olhar do ex-escravo, numa onda de afeto e atração indefiníveis. O liberto, visivelmente emocionado, inclinou-se e beijou reverentemente a mão generosa que a jovem patrícia lhe oferecia.

A cena comovedora perdurava por momentos, quando, com surpresa geral, Nestório se levantou do recanto em que se achava e, caminhando até o centro da sala, ajoelhou-se ante os seus benfeitores, osculando humildemente os pés de Alba Lucínia.

II
Um anjo e um filósofo

O palácio residencial do prefeito Lólio Úrbico estava situado em uma das mais belas eminências da colina em que se erguia o Capitólio.

A fortuna do seu dono era das mais opulentas da cidade, e a sua situação política era das mais invejáveis, pelo prestígio e respectivos privilégios.

Embora descendente de antigas famílias do patriciado, não recebera vultosa herança dos avoengos mais ilustres e, todavia, bem cedo o Imperador tomara-o a seu cuidado.

Dele fizera, a princípio, um tribuno militar cheio de esperanças e perspectivas promissoras, para promovê-lo em seguida aos postos mais eminentes. Transformara-o, depois, no homem de sua inteira confiança. Fez-lhe doações valiosas em propriedades e títulos de nobreza, espantando-se, porém, a aristocracia da cidade, quando Adriano lhe recomendou o casamento com Claudia Sabina, plebeia de talento invulgar e de rara beleza física, que conseguira, com o seu favoritismo, as mais elevadas graças da Corte.

Lólio Úrbico não vacilou em obedecer à vontade do seu protetor e maior amigo.

Casara-se displicentemente, como se no matrimônio devesse encontrar uma salvaguarda total de todos os seus interesses particulares, prosseguindo, todavia, em sua vida de aventuras alegres, nas diversas campanhas de sua autoridade militar, fosse na capital do Império ou nas cidades de suas províncias numerosas.

Por outro lado, a esposa, agora prestigiada pelo seu nome, conseguia no seio da nobreza romana um dos lugares de maior evidência. Pouco inclinada às preocupações de matrona, não tolerava o ambiente doméstico, entregando-se aos desvarios da vida mundana, ora seguindo o plano delineado pelos amigos, ora organizando festivais célebres, afamados pela visão artística e pela discreta licenciosidade que os caracterizava.

A sociedade romana, em marcha franca para a decadência dos antigos costumes familiares, adorava-lhe as maneiras livres, enquanto o espírito mundano do Imperador e a volúpia dos áulicos se regozijavam com os seus empreendimentos, no turbilhão das iniciativas alegres, nos ambientes sociais mais elevados.

Claudia Sabina conseguira um dos postos mais avançados nas rodas elegantes e frívolas. Sabendo transformar a inteligência em arma perigosa, valia-se da sua posição para aumentar, cada vez mais, o próprio prestígio, elevando, às culminâncias do meio em que vivia, criaturas de nobreza improvisada, para satisfazer facilmente os seus caprichos. Assim que, em torno de seus preciosos dotes de beleza física, borboleteavam todas as atenções e todos os desvelos.

***

Entardece.

No elegante palácio, próximo do templo de Júpiter Capitolino, paira um ambiente pesado de solidão e quietude.

Recostada num divã do terraço, vamos encontrar Claudia Sabina em palestra reservada com certa mulher do povo, em atitudes de grande intimidade.

— Hatéria — dizia ela interessada e discretamente —, mandei chamar-te a fim de aproveitar a tua velha dedicação numa incumbência.

— Ordenai — respondia a mulher de aspecto humilde, com o artificialismo de suas maneiras aparentemente singelas. — Estou sempre pronta a cumprir as vossas ordens, sejam quais forem.

— Estarias disposta a servir-me cegamente em outra casa?

— Sem dúvida.
— Pois bem, eu não tenho vivido senão para vingar-me de terríveis humilhações do passado.
— Senhora, lembro-me das vossas amarguras, no seio da plebe.
— Ainda bem que conheceste os meus sofrimentos. Escuta — continuava Claudia Sabina baixando a voz intencionalmente —, sabes quem são os Lucius em Roma?
— Quem não conhece o velho Cneio, senhora? Antes de me falardes de vossas mágoas, devo esclarecer que sei também dos vossos desgostos, devidos à ingratidão do filho.
— Então, nada mais preciso dizer-te a respeito do que me compete fazer agora. Talvez ignores que Helvídio Lucius e sua família chegarão a esta cidade dentro de poucos dias, de regresso do Oriente. Tenciono colocar-te no serviço de sua mulher, a fim de poderes auxiliar a execução integral dos meus planos.
— Ordenai e obedecerei cegamente.
— Conheces Túlia Cevina?
— A mulher do tribuno Maximus Cunctator?
— Ela mesma. Ao que fui informada, Túlia Cevina foi encarregada, por sua antiga companheira de infância, de arranjar duas ou três servas de inteira confiança e habilitadas a satisfazer os imperativos da atualidade romana. Assim, importa que te apresentes, quanto antes, como candidata a esse posto.
— Como? Achais provável que a esposa do tribuno venha a aceitar o meu simples oferecimento, sem referência que me recomende ao seu critério?
— Precisamos muita ponderação neste sentido. Túlia jamais deverá saber que és pessoa da minha intimidade. Poderias apresentar referências especiais de Crisótemis ou de Musônia, minhas amigas mais íntimas, todavia, essa medida não ficaria bem, igualmente. Suscitaria, talvez, qualquer suspeita, quando eu tivesse mais necessidade de tua intervenção ou de teus serviços.
— Que fazermos, então?
— Antes de tudo, é necessário te capacites da utilidade dos teus próprios recursos, em benefício dos nossos projetos. A aquisição de uma serva humilde é coisa preciosa e rara. Apresenta-te a Túlia com a mais absoluta singeleza. Fala-lhe das tuas necessidades, explica-lhe os teus bons desejos. Tenho quase certeza de que bastará isso para vencermos nos-

sos primeiros passos. Em seguida, conforme espero, serás admitida ao ambiente doméstico de Alba Lucínia, a usurpadora da minha ventura. Servi-la-ás com humildade, submissão e devotamento, até conquistar-lhe confiança absoluta. Não precisarás procurar-me frequentemente para não despertar suspeitas sobre nossas combinações. Virás a esta casa um dia em cada mês, a fim de estabelecermos os acordos necessários. A princípio, estudarás o ambiente e me cientificarás de todas as novidades e descobertas da vida íntima do casal. Mais tarde, então, veremos a natureza dos serviços a executar.

"Posso contar com a tua dedicação e com o teu silêncio?"

– Estou inteiramente às ordens e cumprirei as vossas determinações com absoluta fidelidade.

– Confio nos teus esforços.

E, assim dizendo, Claudia Sabina entregou à comparsa algumas centenas de sestércios, em penhor de mútuos compromissos.

Hatéria guardou o preço da primeira combinação avidamente, lançando um olhar cúpido à bolsa e exclamando atenciosa:

– Podeis estar certa de que serei vigilante, humilde e discreta!

Caíam as sombras da noite sobre os Montes Albanos, mas a emissária de Claudia procurou Túlia Cevina, daí a algumas horas, para os fins conhecidos.

A esposa do tribuno Maximus Cunctator, patrícia de coração bondoso e afável, recebeu aquela mulher do povo com generosidade e doçura. As solicitações insistentes de Hatéria confundiam-na. Havia comentado o pedido de sua amiga Alba Lucínia num círculo reduzidíssimo de amizades mais íntimas, entretanto, aquela serva desconhecida não lhe trazia recomendação alguma dos amigos com quem se entendera a respeito. Atribuiu, porém, o fato à tagarelice de alguma escrava que houvesse conhecido o assunto, indiretamente, por meio de qualquer palestra despreocupada.

A humildade e singeleza de Hatéria pareceram-lhe adoráveis. Suas maneiras revelavam extraordinária capacidade de submissão, desvelada e carinhosa.

Túlia Cevina aceitou-a e, apiedada da sua situação, recolheu-a naquela mesma noite, acomodando-a entre as suas fâmulas.

Daí a dias, a porta de Óstia apresentava singular movimento. Luxuosas viaturas encaminhavam-se para o porto, onde a galera dos nossos conhecidos já havia ancorado.

Cinquenta anos depois

Nas edificações da praia ensolarada, estalavam os ditos alegres e carinhosos. Uma chusma de amigos e de representações sociais e políticas vinha receber Helvídio e Caius, num dilúvio de abraços carinhosos.

Lólio Úrbico e a esposa chegavam, igualmente, ao lado de Fábio Cornélio e sua mulher Júlia Spinther, velha patrícia, conhecida por suas tradições de orgulhosa sinceridade. Túlia Cevina e Maximus Cunctator lá se encontravam, também, ansiosos pelo amplexo fraternal dos amigos, que, por largo período, se haviam ausentado. Numerosos parentes e afeiçoados disputavam, entre si, o instante de estreitar nos braços amigos os queridos recém-chegados, mas, dentre toda a multidão, destacava-se o vulto venerando de Cneio Lucius, aureolado pelos cabelos brancos, que as penosas experiências da vida haviam santificado. Uma atmosfera de amor e veneração fazia-se em torno da sua personalidade vibrante de cultura e generosidade, que 75 anos de lutas não conseguiram empanar. A sociedade romana havia seguido o curso de todos os seus passos, conhecendo, de longe, as suas tradições de nobreza e lealdade e respeitando nela um dos mais sagrados expoentes da educação antiga, cheia da beleza de Roma, em seus princípios mais austeros e mais simples.

Cneio Lucius soubera desprezar todas as posições de domínio, compreendendo que o espírito do militarismo operava a decadência do Império, esquivando-se a todas as situações materiais de evidência, de modo a conservar o ascendente espiritual que lhe competia. No acervo dos seus serviços à coletividade, contavam-se as providências desenvolvidas pelo governo imperial a favor dos escravos que ensinavam as primeiras letras aos filhos de seus senhores, além de muitas outras obras de benemerência social, em prol dos mais pobres e dos mais humildes, a quem a sorte não favorecera. Seu nome era respeitado, não somente nos círculos aristocráticos do Palatino, mas também na Suburra, onde se acotovelavam as famílias anônimas e desventuradas.

Naquela manhã, o rosto do velho patrício deixava entrever o júbilo sereno que lhe palpitava na alma.

Estreitou os filhos longamente de encontro ao coração, chorando de alegria ao abraçá-los; osculou as netas com paternal contentamento, mas, quando as mais festivas saudações eram trocadas entre todos, no turbilhão de expressivas demonstrações de afeto e carinho, Cneio Lucius notou que Lólio Úrbico contemplava, com insistência, o perfil de sua nora, enquanto Claudia Sabina, fingindo absoluto olvido do passado, concentrava a sua atenção em Helvídio, em furtivos olhares que lhe diziam tudo à experiência do coração, cansado de bater entre os caprichosos desenganos do mundo.

Nestório, por sua vez, desembarcado em Óstia, por satisfazer velho sonho, qual o de conhecer a cidade célebre e poderosa, sentia estranhas comoções a lhe vibrarem no íntimo, como se estivesse a rever lugares amigos e queridos. Guardava a convicção de que o panorama, agora desdobrado aos seus olhos ansiosos, lhe era familiar, dos mais remotos tempos. Não podia precisar a cronologia de suas recordações, mas conservava a certeza de que, por processo misterioso, Roma estava inteira na tela de suas mais entranhadas reminiscências.

Naquele mesmo dia, enquanto Alba Lucínia e as filhas se retiravam para a cidade, ao lado de Fábio Cornélio e de sua mulher, Helvídio Lucius tomava lugar ao lado do velho genitor, encaminhando-se ao perímetro urbano, sem observarem as horas ou as perspectivas suaves do caminho, plenamente mergulhados, como se encontravam, em suas confidências mais íntimas.

Helvídio confiou ao pai todas as impressões que trazia da Ásia Menor, rememorando cenas ou evocando carinhosas lembranças, salientando, porém, as suas intensas preocupações morais a respeito da filha, cujos conhecimentos prematuros em matéria de Religião e Filosofia o assombravam, desde que, acidentalmente, se dera ao prazer de ouvir os escravos da casa, sobre perigosas superstições da crença nova que invadia os setores do Império, em todas as direções. Esclareceu, assim, ante o delicado e generoso mentor espiritual de sua existência, toda a situação familiar, apresentando-lhe os pormenores e circunstâncias, a respeito do assunto.

O velho Cneio Lucius, depois de ouvi-lo atentamente, prometeu-lhe auxílio moral, no que se referia à questão, a cuja solução o seu experimentado tirocínio educativo prestaria o mais proveitoso concurso.

Em poucos dias, instalavam-se os nossos amigos na sua magnífica residência do Palatino, iniciando um novo ciclo de vida citadina.

Helvídio Lucius estava satisfeito com a sua nova posição, salientando-se que, como substituto imediato do sogro nas funções de censor, estava-lhe reservado um papel relevante na vida da cidade, sob as vistas generosas do Imperador. Quanto a Alba Lucínia, graças aos seus inatos pendores artísticos, auxiliada por Túlia, transformou as perspectivas da velha propriedade, imprimindo-lhes o gosto da época e edificando em cada recanto um fragmento de harmonia do lar, onde o marido e as filhas pudessem repousar das largas inquietações da vida.

Desnecessário dizer que, abonada por Túlia, Hatéria foi admitida no lar, impondo-se a todos por sua humildade habilidosa e conquistando dos amos confiança plena, em poucos dias.

Na semana seguinte, a pretexto de repousar algum tempo junto do avô, que a idolatrava, foi Célia conduzida pelos pais à residência do mesmo, na outra margem do Tibre, nas faldas do Aventino.

Cneio Lucius habitava confortável palacete de apurado estilo romano, em companhia de duas filhas já idosas, que lhe enchiam de afeto a estrelejada noite da velhice.

Recebeu a neta carinhosa, com as mais inequívocas provas de contentamento.

No dia imediato, pela manhã, mandou preparar a liteira particular para, em sua companhia, oferecer um sacrifício no templo de Júpiter Capitolino.

Célia acompanhou-o calma e prazerosa, embora reparasse os olhares expressivos com que o ancião a observava, ansioso, talvez, por lhe identificar os sentimentos mais íntimos.

Cneio Lucius não estacionou tão somente no santuário de Júpiter, dirigindo-se, igualmente, ao templo de Serápis, onde procurou palestrar com a neta a respeito das mais antigas tradições da família romana. A jovem não lhe contradisse as palavras nem interrompeu a carinhosa preleção, submetendo-se à maior obediência no que se referia à ritualística dos templos, conforme os regulamentos instituídos em Roma pelos padres flamíneos.

A tarde já caía, quando o generoso velhinho deu por terminada a peregrinação através dos edifícios religiosos da cidade. O Sol escondia-se no poente, mas Cneio Lucius desejava conhecer toda a intensidade dos novos pensamentos da neta, conduzindo-a, para esse fim, ao altar doméstico, onde se alinhavam as soberbas imagens de marfim dos deuses familiares.

— Célia, minha querida — disse ele por fim, descansando num largo divã à frente dos ídolos –, levei-te hoje aos templos de Júpiter e de Serápis, onde ofereci sacrifícios em favor da nossa felicidade; mais que a nossa ventura, porém, cara filha, eu desejo a tua própria. Notei que acompanhavas os

meus gestos e, todavia, não demonstravas devoção sincera e ardente. Acaso, trouxeste da província alguma ideia nova, contrária às nossas crenças?!...
   Ouviu a palavra do venerando avô, com a alma perdida em profundas cismas. Compreendeu, de relance, a situação, e, afeita às rigorosas tradições da família, adivinhou que seu pai solicitara tal providência, no intuito de reformar-lhe os pensamentos, bem como as convicções mais íntimas.
   — Querido avô — respondeu de olhos úmidos, nos quais transparecia sublimada inocência —, eu sempre vos amei de toda a minha alma e vós me ensinastes a dizer toda a verdade, em quaisquer circunstâncias.
   — Sim — exclamou Cneio Lucius admirado, adivinhando as emoções da adorada criança —, estás no meu coração a todos os instantes! Fala, filhinha, com a maior franqueza! Eu não aprendi outro caminho que o da verdade, junto às nossas tradições e aos nossos deuses...
   — De antemão devo esclarecer-vos que foi certamente meu pai quem vos solicitou a reforma de meus atuais sentimentos religiosos.
   O venerável ancião fez um gesto de espanto em face daquela observação inesperada.
   — Sim — continuou a jovem —, talvez meu pai não me pudesse compreender inteiramente... Ele jamais poderia ouvir-me satisfatoriamente, sem um protesto enérgico de sua alma, entretanto, eu continuaria a amá-lo sempre, ainda que o seu coração não me entendesse.
   — Então, filhinha, por que negaste a Helvídio as tuas mais íntimas confidências?...
   — Tentei fazer-lhas um dia, quando ainda nos encontrávamos na Judeia, mas compreendi, imediatamente, que meu pai julgaria mal as minhas palavras mais sinceras, percebendo, então, que a verdade para ser totalmente compreendida precisa ser tratada entre corações da mesma idade espiritual.
   — Mas, filha, onde colocas, agora, os laços sagrados da família?
   — No amor e no respeito com que sempre os cultivei. Entretanto, avozinho, no campo das ideias os elos do sangue nem sempre significam harmonia de opinião entre aqueles que o Céu uniu no instituto familiar. Venerando e estimando a meu pai, no meu afeto filial e no respeito às tradições do seu nome, esposei ideias que ao seu espírito não é possível aderir, por enquanto...
   — Mas que queres traduzir por idade espiritual?...
   — Que a mocidade e a velhice, quais as vemos no mundo, não podem significar senão expressões de uma vida física que finda com a morte. Não

há moços nem velhos, e sim almas jovens no raciocínio ou profundamente enriquecidas no campo das experiências humanas.

– Que queres dizer com isso? – perguntou o ancião altamente admirado. – Tens tão vasta leitura dos autores gregos?! Isso é de estranhar, quando teu pai só há pouco obteve um escravo culto, especialmente destinado a enriquecer a tua e a educação de tua irmã.

– Vovô bem sabe da ânsia de aprender que sempre me impeliu, desde pequenina. Embora jovem, sinto em meu espírito o peso de uma idade milenária. Em todos estes anos de ausência, na província, gastei todo o tempo disponível em devorar a biblioteca que meu pai não podia levar consigo para as suas atividades na Idumeia.

– Filhinha – exclamou o respeitável ancião sinceramente consternado –, não terias agido à moda dos enfermos que, à força de buscarem a virtude de todos os medicamentos ao alcance da mão, acabam lamentavelmente intoxicados?!...

– Não, querido avô, eu não me envenenei. E se tal coisa houvera acontecido, há mais de dois anos tenho no coração o melhor dos antídotos à influência corrosiva de todos os tóxicos deste mundo.

– Qual? – interrogou Cneio Lucius sumamente surpreendido.

– Uma crença fervorosa e sincera.

– Colocaste teus pensamentos, neste sentido, sob a invocação dos nossos deuses?...

– Não, querido avô, pesa-me confessar-vos, mas sinto em vosso íntimo a mesma capacidade de compreensão que vibra em minha alma e devo ser sincera. Os deuses de nossas antigas tradições já me não satisfazem...

– Como assim, querida filha? A que entidade dos Céus confias hoje a tua fé sublimada e fervorosa?...

Como se nos seus grandes olhos vibrasse estranha luz, Célia respondeu calmamente:

– Guardo agora a minha fé em Jesus Cristo, o Filho de Deus Vivo.

– Declaras-te cristã? – perguntou o velho avô empalidecendo.

– Só me falta o batismo.

– Mas, filha – disse Cneio Lucius, emprestando à voz uma doce inflexão de carinho –, o Cristianismo está em contradição com todos os nossos princípios, pois elimina todas as noções religiosas e sociais, basilares da nossa concepção de Estado e de família. Além disso, não sabes que adotar essa doutrina é caminhar para o sacrifício e para a morte?...

— Vovô, apesar dos vossos longos e criteriosos estudos, acredito que não chegastes a conhecer as tradições de Jesus e a claridade suave dos seus ensinamentos. Se tivésseis o conhecimento integral da sua doutrina, se ouvísseis diretamente aqueles que se saturaram da sua fé, teríeis enriquecido ainda mais o tesouro de bondade e compreensão do vosso espírito.

— Mas não se compreende uma ideia tão pura, a encaminhar seus adeptos para a condenação e para o martírio, há quase um século.

— Entretanto, avozinho, ainda não atentastes, talvez, para a circunstância de partir do mundo essa condenação, ao passo que Jesus prometeu as alegrias do seu Reino a todos os que sofressem na Terra, por amor ao seu nome.

— Desvairas, minha querida, não pode haver divindade maior que o nosso Júpiter, nem pode existir outro reino que ultrapasse o nosso Império. Além disso, o Profeta nazareno, ao que sou informado, pregou uma fraternidade impossível e uma humildade que nós outros não poderemos compreender.

Pousou sobre a neta os olhos plácidos, cheios de claridade misteriosa, sentindo, porém, uma comoção mais intensa ao encontrar os dela serenos, piedosos, transparentes de candura indefinível.

— Avozinho — continuou a dizer com o olhar abstrato, como se o espírito voejasse em recordações queridas e longínquas —, Jesus Cristo é o Cordeiro de Deus, que veio arrancar o mundo do erro e do pecado. Por que não lhe compreendermos os divinos ensinamentos, se temos fome de amor em nossa alma? Aparentemente sou uma jovem e vós um homem velho, para o mundo, no entanto, sinto que nossos pensamentos são gêmeos na sede de conhecimento espiritual...

"Da Terra inteira nos chegam clamores de revolta e gritos de batalha... Misturam-se o fel dos oprimidos e as lágrimas de todos os que padecem na humilhação e no cativeiro!...

"Tendes conhecimento de todos esses tormentos insondáveis que campeiam pelo mundo! Vossos livros falam das angústias indefiníveis do vosso espírito sensível e carinhoso. Esses brados de sofrimento chegam até os vossos ouvidos, a todos os momentos!

"Onde estão os nossos deuses de marfim, que não nos salvam da decadência e da ruína?! Onde Júpiter, que não vem ao cenário do mundo para restabelecer o equilíbrio da maravilhosa balança da Justiça divina?! Poderemos aceitar um deus frio, impassível, que se compraz em endossar todas as torpezas dos poderosos contra os mais pobres e os mais desgraçados? Será a Providência do Céu igual à de César, para cujo poder o mais dileto é aquele que lhe traz as mais ricas oferendas? Entretanto, Jesus de Nazaré trouxe ao mundo uma nova esperança. Aos orgulhosos, advertiu que todas as vaidades da Terra ficam abandonadas no pórtico de sombras do sepulcro; aos poderosos, deu as lições de renúncia aos bens transitórios do mundo, ensinando que as mais belas aquisições são as que se constituem das virtudes morais, imperecíveis valores do Céu; exemplificou, em todos os seus atos de luz indispensáveis à nossa edificação espiritual para Deus Todo-Poderoso, Pai de Misericórdia Infinita, em nome de quem nos trouxe a sua doutrina de amor, com a palavra de vida e redenção.

"Além de tudo, Jesus é a única esperança dos seres desamparados e tristes da Terra, porquanto, de acordo com as suas doces promessas, hão de receber as bem-aventuranças do Céu todos os desventurados do mundo, entre as bênçãos da simplicidade e da paz, na piedade e na prática do bem."

Cneio Lucius ouvia a neta, em comovido silêncio, sentindo-se tocado de uma inquietação mesclada de encanto, qual a que devesse sentir um filósofo do mundo, que ouvisse as mais ternas revelações da Verdade pela boca de um anjo.

A jovem, por sua vez, dando curso às sagradas inspirações que lhe rociavam a alma, continuou a falar, revolvendo o tesouro de suas lembranças mais gratas ao coração:

— Por muito tempo estivemos em Antipátris, em plena Samaria, junto à Galileia... Ali, a tradição de Jesus ainda está viva em todos os espíritos. Conheci de perto a geração de quantos foram beneficiados pelas suas mãos misericordiosas. E fiquei conhecendo a história dos leprosos,[14] limpos ao toque do seu amor; dos cegos em cujos olhos mortos fluiu uma vibração nova de vida, em virtude da sua palavra carinhosa e soberana; dos pobres de todos os matizes, que se enriqueceram da sua fé e da sua paz espiritual.

"Nas margens do lago de suas pregações inesquecíveis, pareceu-me ver ainda o sinal luminoso dos seus passos, quando, alma em prece, rogava ao Mestre de Nazaré as suas bênçãos dulcificantes!..."

---

[14] N.E.: Termo atualmente considerado pejorativo; hansenianos.

— Jesus nazareno não era um perigoso visionário? – perguntou Cneio Lucius, profundamente surpreendido. – Não prometia um outro reino, menosprezando as tradições do nosso Império?

— Vovô – respondeu a donzela sem se perturbar –, o Filho de Deus não desejou jamais fundar um reino belicoso e perecível, qual o possuem os povos da Terra. Nem se cansou jamais de esclarecer que o seu Reino ainda não é deste mundo, antes ensinou que a sua fundação se destina às almas que desejem viver longe do torvelinho das paixões terrestres.

"Revolucionária a palavra que abençoa a todos os aflitos e deserdados da sorte? Que manda perdoar o inimigo setenta vezes sete vezes? Que ensina o culto a Deus com o coração, sem a pompa das vaidades humanas? Que recomenda a humildade como penhor de todas as realizações para o Céu?...

"O Evangelho do Cristo, que tive ocasião de ler em fragmentos de pergaminho, nas mãos dos nossos escravos, é um cântico de sublimadas esperanças no caminho das lágrimas da Terra, em marcha, porém, para as glórias sublimes do Infinito."

O respeitável ancião esboçou um sorriso complacente, exclamando bondoso:

— Filha, para nós, a humildade e o desprendimento são dois postulados desconhecidos! Nossas águias simbólicas jamais poderão descer dos seus postos de domínio e nem os nossos costumes são passíveis de se acomodarem ao perdão, como norma de evolução ou de conquista... Tuas considerações, porém, interessam-me sobremaneira. Mas dize-me: onde hauriste semelhantes conhecimentos? Como pudeste banhar o espírito nessa nova fé, a ponto de argumentares fervorosamente em desfavor das nossas tradições mais antigas?... Conta-me tudo com a mesma sinceridade que sempre reconheci no teu caráter!...

— Primeiramente, vim a conhecer os ensinamentos do evangelho, ouvindo, curiosamente, as conversas dos escravos de nossa casa...

Após haver pronunciado essas palavras reticenciosas, Célia pareceu meditar gravemente, como se experimentasse uma dificuldade indefinível para atender aos bons desejos do querido avô, naquelas circunstâncias.

Em seguida, como se travasse consigo mesma um diálogo silencioso, entre a razão e o sentimento, ruborizou-se, como receosa de expor toda a verdade.

Cneio Lucius, todavia, identificou-lhe imediatamente a atitude mental, exclamando:

— Fala, filha! Teu velho avô saberá entender o teu coração.

— Direi — respondeu ela ruborizada, dirigindo-lhe os olhos súplices, na sua timidez de menina e moça. — Vovô, será pecado amar?!

— Certo que não — respondeu o velhinho, adivinhando um mundo de revelações no inopinado da pergunta.

— E quando se ama a um escravo?

O venerável patrício sentiu constritiva emoção, ao ouvir a penosa revelação da neta adorada; respondeu, contudo, sem hesitar:

— Filhinha, estamos muito distantes da sociedade em que a filha de um patrício possa unir seu destino ao de algum dos seus servos.

"Todavia" — acrescentou depois de ligeira pausa — "chegaste a querer tanto a um homem sujeito a tão dolorosas circunstâncias?"

Vendo, porém, que os olhos da jovem se umedeciam e adivinhando-lhe as comoções penosas e constrangedoras em face daquelas confidências, atraiu-a num beijo, de encontro ao coração, murmurando-lhe ao ouvido em tom carinhoso:

— Não temas os julgamentos do avozinho, inteiramente devotado ao teu bem-estar. Revela-me tudo, sem omitir detalhe algum da verdade, por mais dolorosa que ela seja. Saberei compreender a tua alma, acima de tudo. Ainda que as tuas aspirações amorosas e os teus sonhos áureos de menina hajam pousado no ser mais abjeto e desprezível, não te amarei menos por isso, e, confiando em ti mesma, saberei respeitar a tua dor e a tua dedicação!

Confortada com aquelas palavras, que deixavam transparecer generosidade e sinceridade absolutas, Célia prosseguiu:

— Faz dois anos que papai nos levou em uma de suas excursões encantadoras, pelo lago extenso, na região onde possuímos a nossa casa. Além de mim, da mamãe e da Helvídia, ia conosco um jovem escravo adquirido na véspera e o qual, em vista da sua perícia nos remos, auxiliava a tarefa de abrir caminho ao longo das águas.

"Ciro, chama-se esse escravo de 20 anos, que a vontade do Céu deliberou fosse parar em nossa casa.

"Íamos todos alegres, observando a linha do horizonte e o recorte das nuvens no claro espelho das águas marulhantes.

"De vez em quando, Ciro me dirigia o olhar lúcido e calmo, que me produzia uma emoção cada vez mais intensa e indefinível.

"Quem poderá explicar esse mistério santo da vida? Dentro desse divino segredo do coração, basta, às vezes, um gesto, uma palavra, um olhar, para que o espírito se algeme a outro para sempre..."

Fez uma pausa na exposição de suas reminiscências, e, observando-lhe a emotividade a desbordar dos olhos úmidos, Cneio Lucius animou-a:

— Continua, filhinha. Faço questão de ouvir e sentir toda a tua narrativa.

— Nosso passeio — prosseguiu ela com os olhos da alma mergulhados no painel de suas mais íntimas recordações — corria sereno e sem tropeços, quando, em dado instante, se levantou uma onda larga, impelida pelo vento forte. Um abalo mais violento, justamente no ponto onde me instalara, fez-me cair, absorta nos meus pensamentos, de borco no seio espesso das águas...

"Ainda ouvi os primeiros gritos de mamãe e da irmãzinha, supondo-me perdida para sempre, mas, quando me debatia, inutilmente, para vencer o peso enorme que me oprimia o peito, sob a massa líquida, senti que dois braços vigorosos me arrancavam do fundo lodoso do lago, trazendo-me à tona, mercê de um desesperado e imenso esforço.

"Era Ciro que me salvara da morte, com o seu espírito de sacrifício e lealdade, conquistando com esse ato espontâneo a gratidão sem limites de meu pai, e de todos nós um reconhecimento carinhoso e sincero.

"No dia imediato, meu pai concedeu-lhe a liberdade, muito comovido pelos sucessos da véspera.

"No instante da sua emancipação, o jovem liberto beijou-me as mãos com os olhos úmidos, na sua gratidão profunda e sincera, conservando-o meu pai em nossa casa, como serviçal prestimoso e livre, quase um amigo, se outras fossem as condições do seu nascimento.

"Ciro, porém, não me conquistou somente gratidão e estima a toda prova, como também o meu afeto da alma, espontâneo e profundo.

"Em tardes serenas e claras, sob as árvores do pomar, contou-me a sua história singular, cheia, de episódios interessantes e comovedores.

"Em tenra idade, vendido a um rico senhor que o conduziu desde logo ao país do Ganges — terra misteriosa e incompreensível para os romanos —, ali teve ocasião de conhecer os princípios populares de consoladoras filosofias religiosas.

"Nessa região do Oriente, cheia de segredos confortadores, ele aprendeu que a alma não tem apenas uma existência, mas vidas numerosas, mediante as quais adquire novas faculdades, purificando-se ao mesmo tempo dos erros passados, em outros corpos, ou redimindo-se das aflições no doloroso resgate dos crimes ou desvios do seu passado.

"Todavia, após a aquisição desses conhecimentos, foi levado à Palestina, onde se saturou dos ensinos cristãos, tornando-se adepto fervoroso do Messias de Nazaré!...

"Então, era de ver-se como a sua palavra se impregnava de inspiração divina e luminosa!... Apaixonado pelas ideias generosas que trouxera do ambiente religioso da Índia, acerca dos formosos princípios da reencarnação, sabia interpretar com simplicidade e clareza de raciocínio, para mim, muitas passagens evangélicas, algo obscuras para o meu entendimento, qual aquela em que Jesus afirma que 'ninguém poderá atingir o Reino do Céu sem nascer de novo'!...

"Fosse ao crepúsculo langoroso da Palestina, fosse ao luar caricioso das suas noites estreladas, quando descansava das fadigas do trabalho diuturno, falava-me ele das ciências da vida e da morte, das coisas da Terra e do Céu, com os dons divinos da sua inteligência, mantendo o meu espírito suspenso entre as emoções da vida física e as gloriosas esperanças na vida espiritual.

"Enlevada pela doce carícia de suas expressões e gestos de ternura, afigurava-se-me ele a alma gêmea do meu destino, reservada por Deus a me estimar e compreender, desde as vidas mais remotas.

"Durante um ano a existência nos correu em mar de rosas, porque nos amávamos intensamente. Em nossos idílios calmos, falávamos de Jesus e de suas glórias divinas, e, quando eu lhe suscitava a possibilidade da nossa união à face deste mundo, Ciro ensinava-me que deveríamos esperar a felicidade no Reino do Senhor, alegando que, na Terra, não era ainda possível um matrimônio feliz, entre um escravo miserável e uma jovem patrícia.

"Por vezes, entristecia-me com as suas palavras despidas de esperanças terrenas, mas as suas inspirações eram tão elevadas e tão puras que, num relance, sabia o seu coração levantar o meu para as jornadas da fé, que levam a tudo esperar, não da Terra ou dos homens, mas do Céu e do amor infinito de Deus."

O valoroso ancião tudo ouvia, sem qualquer censura, embora sua atitude mental se caracterizasse pela mais funda consternação.

Observando que a neta fizera uma pausa na encantadora e triste narrativa, Cneio Lucius interrogou-a com benevolência:

– Qual a atitude desse rapaz para com teu pai?

– Ciro admirava-lhe a generosidade franca e espontânea, revelando no íntimo a mais santa gratidão pelo seu ato de fraternidade, quando o alforriou para sempre. A todo propósito, ensinava-me a respeitá-lo cada vez mais e a lhe realçar as qualidades mais elevadas; falava-me, constantemente, de suas atitudes generosas, com entusiasmo, admirando-lhe a dedicação ao trabalho e a singular energia.

– E Helvídio nunca soube do teu amor? – perguntou o avô admirado.

– Soube, sim – respondeu Célia humildemente. – Contar-vos-ei tudo, sem omitir um só detalhe.

"Em nossa casa havia um chefe de serviço, que dirigia as atividades de todos os servos da família. Pausânias era um coração amigo do escândalo e nada sincero. Meu pai, atendendo à necessidade de viajar constantemente, conservava-o quase como mandatário de sua vontade, em função dos seus numerosos interesses, e Pausânias, muita vez, abusou dessa confiança generosa para estabelecer a discórdia em nosso lar.

"Observando a minha intimidade com o jovem liberto, cujos dotes morais tão fortemente me haviam impressionado o coração, esperou, certa feita, o regresso de meu pai, de uma viagem à Idumeia, envenenando-lhe então o espírito com insinuações caluniosas da minha conduta."

– E que fez Helvídio? – interrogou o velhinho bruscamente, cortando-lhe a palavra, como se adivinhasse o desenrolar de todas as cenas ocorridas a distância.

– Repreendeu minha mãe, asperamente, inculpando-a, e chamou-me à sua presença, de maneira que lhe recebesse as admoestações e conselhos necessários, sem jamais permitir que eu lhe expusesse tudo, com a sinceridade e franqueza com que o faço agora.

– E quanto ao liberto?... – perguntou Cneio Lucius ansioso por conhecer o desfecho do caso.

– Mandou pô-lo a ferros, ordenando a Pausânias lhe aplicasse a punição que julgasse necessária e conveniente.

"Atado ao tronco, Ciro foi açoitado várias vezes, pelo crime de me haver ensinado a amar pelo coração e pelo espírito com o mais carinhoso respeito a todas as tradições do mundo e da família, no altar do devotamento silencioso e do sacrifício espiritual.

"No segundo dia de seus indizíveis padecimentos, consegui avistá-lo, apesar da vigilância extrema que todos resolveram exercer sobre os meus passos.

"Como nos dias de nossa tranquilidade feliz, Ciro recebeu-me com um sorriso de ventura, acrescentando que eu não deveria alimentar nenhum sentimento de amargor pela decisão de meu pai, considerando que o seu espírito era bom e generoso e que, se não podíamos quebrar preconceitos milenários da Terra, também não deveríamos dar guarida a pensamentos de ingratidão.

"O sofrimento, porém" – prosseguia a jovem, enxugando as lágrimas de suas reminiscências –, "era dilacerante para minha alma.

"Reconhecendo a situação penosa daquele que polarizava todas as minhas esperanças, cheguei a maldizer sinceramente da minha posição de afortunada. Que me valiam os mimos da família e as prerrogativas do nome que me felicitava, se a alma gêmea do meu destino estava encarcerada em pavorosa noite de sofrimentos?...

"Expus-lhe, então, minha tortura íntima e os meus amargurados pensamentos. Ciro ouviu-me com resignação e brandura, respondendo-me, depois, que ambos tínhamos um Modelo, um Mestre, que não era deste mundo, e que o Salvador nos guardaria no Céu um ninho de ventura, se soubéssemos sofrer com resignação e simplicidade, à maneira dos bem-aventurados de sua palavra sábia e doce. Acrescentou que o Cristo também amara muito e, entretanto, perlustrou os caminhos da incompreensão terrestre, sozinho e abandonado; se éramos vítimas de um preconceito ou de perseguições, tais sofrimentos deviam ser justos, por certo, dados os desvios do nosso passado espiritual, de eras distantes, acrescentando que Jesus se sacrificara pela Humanidade inteira, embora de coração imaculado como o lírio e manso como cordeiro.

"'Que valem nossos sofrimentos comparados aos dele, no alto da cruz da impiedade e da cegueira humanas?'" – dizia-me valorosamente. – "'Célia, minha querida, levanta os olhos para Jesus e caminha!... Quem melhor que nós poderá compreender esse doce mistério do amor pelo sacrifício?... Sabemos que os mais felizes não são os que dominam e gozam neste mundo, mas os que compreendem os desígnios divinos, praticando-os na vida, ainda que nos pareçam as criaturas mais desprezíveis e mais desventuradas... Além disso, querida, para os que se amam pelos laços sacrossantos da alma, não existem preconceitos nem obstáculos, no espaço e no tempo. Amar-nos-emos, assim, constantemente, esperando a luz do Reino do Senhor. Soa, agora, o penoso instante da separação, mas, aqui ou além, estarás sempre viva em meu peito, porque hei de amar-te toda a vida, como o verme desprezado que recebeu o suave sorriso de uma estrela... Poderão, acaso, separar-se os que caminham com Jesus através das névoas da existência material? Não prometeu o Mestre o seu Reino Ditoso a quantos sofressem de olhos voltados para o amor infinito do seu coração? Sejamos conformados e tenhamos coragem!... Além destes espinhais, desdobram-se estradas floridas, onde repousaremos um dia sob a luz do Ilimitado. Se sofremos agora, deve haver uma causa justa, oriunda de tenebroso passado, em sucessivas existências terrenas. Mas a vida real não é esta, e sim a que viveremos amanhã, no ilimitado plano da Espiritualidade radiosa!...'

"Enquanto as suas expressões consoladoras me retemperavam o ânimo combalido, via-lhe o rosto macerado e os cabelos empastados de copioso suor, que me deixavam entrever um sofrimento físico martirizante e infinito.

"Embora a sua palidez extrema, Ciro me sorria e confortava. Sua lição de paciência e fé embalsamou-me o coração e aquela corajosa serenidade deveria constituir, para mim, precioso incitamento à fortaleza moral, em face das provas.

"Consolei-o, então, do melhor modo, testemunhando-lhe minha compreensão funda e sincera, quanto ao sentido daquelas palavras de bondade e ensinamento, compreensão que eu guardaria no imo, para sempre.

"Prometemo-nos, reciprocamente, a mais absoluta calma e confiança em Jesus, bem como eterna fidelidade neste mundo, para nos unirmos, um dia, nos Céus.

"Terminados os rápidos minutos que consegui para falar ao encarcerado, reconstituí as energias interiores da minha fé, enxugando corajosamente as próprias lágrimas.

"Procurei minha mãe, implorei sua intercessão afetuosa, de modo a cessarem as cruéis punições que Pausânias impusera ao bem-amado de minha alma, dando-lhe conhecimento dos quadros tocantes que presenciara.

"Ela comoveu-se profundamente com a minha narrativa e obteve de meu pai a ordem para que Ciro fosse libertado, sob certas condições, que, apesar de penosas, constituíram para mim um brando alívio!"

— Que condições? — perguntou Cneio Lucius admirado, ante o romance comovedor da neta, cujos 18 anos atestavam a mais profunda intensidade de sofrimento.

— Meu pai acedeu, sob a condição de que eu não mais avistasse o jovem liberto para qualquer despedida, providenciando, na mesma noite, para que ele fosse escoltado por dois escravos de confiança até Cesareia, em cujo porto deveria ser internado numa galera romana, desterrado a critério dos que a comandavam!...

— E chegaste, filha, a alimentar algum rancor contra Helvídio, em face da sua atitude?

— Não — respondeu com espontânea sinceridade. — Se tivesse de alimentar qualquer rancor, seria contra o meu próprio destino.

"Aliás, Ciro ensinava-me sempre que não podem caminhar para Jesus aqueles que não honrarem pai e mãe, de acordo com os preceitos divinos."

Cneio Lucius encontrava-se eminentemente surpreendido. Quando Helvídio lhe solicitara a intervenção moral junto da neta, longe estava de presumir tão doloroso romance de amor num coração de tão tenra idade, cheio de juventude e de piedade. Seu espírito, que conhecia o vírus destruidor que operava a decadência da sociedade mergulhada num abismo de sombras, extasiava-se com aquela narrativa simples de um amor doce e cristão, que aguardava, pacientemente, o Céu para todas as suas realizações divinas. Nenhuma voz da mocidade ainda lhe falara, assim, com tanta pureza à flor dos lábios.

Admirado e enternecido, descansou a face enrugada na mão direita meio trêmula, entregando-se a uma longa pausa para coordenar ideias.

Ao cabo de alguns minutos, notando que a neta aguardava ansiosa a sua palavra, perguntou com a mesma benevolência:

— Minha filha, esse jovem escravo jamais abusou da tua confiança ou da tua inocência?

Ela fixou nele os olhos serenos, em cujo fulgor cristalino podiam ler-se uma candidez e sinceridade a toda prova, exclamando sem hesitar:

— Nunca! Jamais Ciro permitiu que os meus próprios sentimentos pudessem tisnar-se de qualquer tendência menos digna. Para demonstrar-vos a elevação de seus pensamentos, quero contar-vos que, um dia, quando conversávamos à sombra de velha oliveira, notei que sua mão pousara levemente em meus cabelos, mas, no mesmo instante, como se nossos corações se deixassem levar por outros impulsos, retirou-a, dizendo-me comovido: "Célia, minha querida, perdoa-me. Não guardemos qualquer emoção que nos faça participar das inquietações do mundo, porque, um dia, nos beijaremos no Céu, onde os clamores da malícia humana não poderão atingir-nos."

Cneio Lucius contemplou de frente a neta, cuja sinceridade diamantina lhe irradiava dos olhos cândidos e valorosos, exclamando:

— Sim, filha, o homem a quem te consagras possui um coração generoso e diferente do que se poderia presumir no peito de um escravo, ao inspirar-te um amor tão distante das concepções da mocidade atual!

E acentuando as palavras, como se quisesse imprimir-lhes nova força, com vistas a si mesmo, continuou após ligeira pausa:

— Além disso, essa nova doutrina, qual a aceitaste, deve conter uma essência profunda, dado o maravilhoso elixir de esperança que destila nas almas sofredoras. Acredito, agora, que Helvídio não sondou bastante o assunto para conhecer a questão nas suas facetas numerosas.

— É verdade, avô – respondeu confortada, como se houvesse encontrado um bálsamo para as suas feridas mais íntimas –, meu pai, a princípio, não receava que analisássemos os estudos evangélicos, considerando-os perigosos; somente depois das intrigas de Pausânias, supôs que as doutrinas do Cristo me houvessem acarretado qualquer deficiência mental, em virtude da minha inclinação pelo jovem liberto.

— Sim, teu pai não poderia entender um sentimento dessa natureza, no teu espírito de moça afortunada.

"Mas ouve: já que me falaste com uma ponderação que não admite reprovações ou corretivos, quais são as tuas perspectivas de futuro? Sobre tua irmã, teus pais já me falaram dos planos assentados. Daqui a alguns meses, depois de completar sua educação, na atualidade romana, Helvídia esposará Caius Fabricius, cuja afeição a conduzirá a um dos postos de maior relevo social, de acordo com os nossos méritos familiares. Mas a teu respeito? Perseverarás, porventura, nesses sentimentos?!..."

— Meu avô – respondeu com humildade –, Caius Fabricius com os seus 35 anos maturados, cheio de delicadeza e generosidade, há de fazer a ventura de minha irmã, que bem o merece!... Perante Deus, Helvídia fez jus às sagradas alegrias da constituição de um lar e de uma família. Junto do seu coração pulsará um outro, que lhe enfeitará a existência de mimos e ternuras...

"Quanto a mim, pressinto que não obterei a felicidade como a sonhamos nesta vida!

"Desde a infância, tenho sido triste e amiga da meditação, como se a misericórdia de Jesus estivesse a preparar-me, em todos os ensejos, para não faltar aos meus deveres espirituais no instante oportuno."

E, fixando no ancião o olhar percuciente e calmo, prosseguiu:

– Sinto pesar-me no coração muitos séculos de angústia... Devo ser um Espírito muito culpado, que vem a este mundo de maneira a remir-se de passados tenebrosos!...

"Desde a Palestina, minhas noites estão povoadas de sonhos estranhos e comovedores, nos quais ouço vozes carinhosas que me exortam à submissão e ao sacrifício.

"Acusada de cristã no seio da família, sinto que todos os meus carinhos ficam sem retribuição e todas as minhas palavras afetuosas morrem sem eco! Dou-me, porém, por imensamente venturosa em acreditar que o vosso coração vibra com o meu, compreendendo-me as intenções e os pensamentos."

Como se lobrigasse melancolicamente o caminho de sombras do porvir, desdobrado ante seus olhos espirituais, Célia continuou a falar para o coração enternecido do velho avô, que a idolatrava:

– Sim!... nos meus sonhos proféticos, tenho visto uma cruz a que me devo abraçar com resignação e humildade!... Experimento no coração um peso enorme, avozinho!... Por vezes inúmeras, vislumbro à minha frente quadros penosos, que devem estar ligados as minhas existências pregressas. Pressinto que nasci neste mundo para resgatar e redimir-me. Quando oro e medito, chegam-me ao raciocínio as ponderações da alma ansiosa!... Não devo aguardar primaveras risonhas nem flores de ilusão, que me fariam esquecer a via dolorosa do Espírito, destinado à redenção, mas sim invernias de dor e provas ríspidas, em dias de lutas ásperas, que me hão de reconduzir a Jesus, com a divina claridade da experiência!...

Cneio Lucius tinha os olhos molhados de lágrimas, ante as palavras comovedoras da neta, que, desde criança, lhe conquistara adoração.

– Filha – exclamou com bondade –, não posso compreender tamanho desalento num coração da tua idade. O nome de nossa família não permitirá tal abandono de ti mesma!...

— Entretanto, caro avô, não desdenharei a realidade dolorosa do sacrifício, sabendo, de antemão, que a sua taça me está reservada...

— E nada esperas da Terra no que se refere a possível felicidade neste mundo?!...

— A felicidade não pode estar onde a colocamos, com a nossa cegueira terrestre, mas no compreendermos a vontade divina, que saberá localizar a ventura para nós, como e quando oportuna. Não temos uma só vida. Teremos muitas. O segredo da alegria reside em nossa realização para Deus, através do Infinito. De etapa em etapa, de experiência em experiência, nossa alma caminhará para as glórias supremas da espiritualidade, como se fizéssemos a laboriosa ascensão de uma escada rude e longa... Amar-nos-emos sempre, meu avô, através dessas numerosas existências. Elas serão como anéis na cadeia de nossa união ditosa e indestrutível. Então, mais tarde, vereis que a vossa neta, dentro da sua realidade espiritual, se encontrará convosco, com a mesma compreensão e com o mesmo amor imperecível, na região da felicidade real que a morte nos descerrará, com os seus sepulcros de cinzas dolorosas!...

"Atualmente, aos vossos olhos serei, talvez, sempre triste e desventurada, mas, no íntimo, guardo a certeza de que as minhas dores constituem o preço da minha redenção para a luz da eternidade.

"Segundo me falam os augúrios do coração em suas vozes silenciosas e secretas, não terei um lar constituído, especialmente, para a minha ventura nesta vida!... Viverei incompreendida, de coração dilacerado no caminho acerbo das lágrimas remissoras! O sacrifício, porém, será suave, porque, na sua exaltação, sinto que encontrarei a estrada luminosa para o Reino da Verdade e do Amor, que Jesus prometeu a todos os corações que confiassem no seu nome e na sua misericórdia bendita!"

Os olhos de Célia elevaram-se para o Alto, como se o espírito aguardasse, ali mesmo, junto do velho avô, as graças divinas vislumbradas pela sua crença cheia de luminosidade e de esperança.

Cneio Lucius, todavia, aconchegou-a de mansinho ao coração, como se o fizesse a uma criança, falando-lhe com acentuada ternura:

— Filhinha, estás cansada! Não te justifiques por mais tempo. Conversarei com Helvídio a respeito dos teus mais íntimos pensamentos, elucidarei a tua situação perante o seu conceito.

E chamando Márcia, a filha mais velha, que representava junto da sua velhice confortada o papel de anjo tutelar e carinhoso, o respeitável patrício acentuou:

– Márcia, nossa pequena Célia precisa de tranquilidade e repouso físico. Conduze-a ao teu quarto e fá-la descansar.

A neta beijou-lhe ternamente a fronte, retirando-se com a tia, amável e generosa, que quase a tomou nos braços, conduzindo-a para o interior.

A noite ia já adiantada, enchendo o céu romano de caprichosas fulgurações.

Cneio Lucius, absorto em profundos cismares, abismou-se num mar de conjeturas.

Seu velho coração estava exausto de palpitar na incompreensão dos arcanos do mundo. Também fora jovem e também nutrira sonhos. Na juventude longínqua, muita vez aniquilara as aspirações mais nobres e os propósitos mais generosos ao tumultuoso embate das paixões materializadas e violentas.

Somente as brisas cariciosas da reflexão, na idade madura, lhe haviam sazonado as concepções espirituais, a caminho de uma compreensão cada vez maior da vida e de suas leis profundas.

Desde que se habituara a meditar sinceramente, assombravam-lhe o espírito os fantasmas da dor e os espantosos contrastes dos destinos humanos. Apesar de arraigado às tradições mais puras dos antepassados e não obstante havê-las transmitido, com fidelidade e amor, aos descendentes, seu coração não podia aceitar toda a verdade divina encarnada em Júpiter, símbolo antigo que consubstanciava todas as velhas crenças.

Desejoso de propiciar uma lição àquela criança, no seu cuidado educativo, fora o seu espírito que se abalara e comovera ante as novas concepções que lhe provinham dos lábios puros de um anjo. Ele, que se habituara a investigar as causas profundas da dor e a sentir os padecimentos de quantos soluçavam no cativeiro, acabava de receber uma chave maravilhosa para solucionar os caprichosos enigmas do destino. A visão das existências sucessivas, a lei das compensações, as estradas do resgate espiritual pela expiação e pelo sofrimento eram agora patentes ao seu raciocínio, como soluções providenciais.

Sua cultura dos autores gregos fazia-lhe sentir que o assunto não lhe era totalmente estranho, mas a palavra carinhosa e convincente da neta, testemunhando-lhe a verdade com os seus próprios padecimentos prematuros, abria-lhe à mente nova senda para todas as cogitações em tal sentido.

Reclinado no divã do altar doméstico, seus olhos contemplavam a imagem soberba de Júpiter Stator, talhada em marfim, no centro dos outros deuses de sua família e de sua casa, com o coração tomado de angústia.

Levantou-se e andou pausadamente, em torno dos nichos adornados de luzes e flores.

A imagem de Júpiter já lhe não despertava os mesmos sentimentos de piedosa veneração, como nas noites anteriores.

Ante as revelações suaves e profundas de Célia, experimentava no íntimo a desoladora suspeita de que todos os deuses dos seus ascendentes respeitáveis estavam rolando dos altares, confundindo-se no torvelinho de desilusões das velhas crenças. De alma opressa, o patrício venerando observava que novas equações filosóficas e religiosas apossavam-se, precipitadamente, do seu coração... Em seguida, receoso e aturdido, Cneio Lucius escutava no íntimo o doce rumor de uns passos divinos... Parecia-lhe que a figura suave e enérgica do Profeta de Nazaré, cuja filosofia de perdão e de amor conhecia por meio das pregações então correntes, surgia no mundo para estilhaçar todos os ídolos de pedra, a assenhorear-se do coração humano para sempre!...

O respeitável ancião, se era amigo da verdade, não o era menos do sagrado depósito das tradições austeras.

No compartimento consagrado às divindades do lar, sentiu que o ambiente lhe asfixiava o coração e o raciocínio. Instintivamente, abriu uma das amplas janelas mais próximas, por onde o ar da noite penetrou em rajadas, refrescando-lhe a fronte atormentada.

Debruçou-se para contemplar a cidade quase adormecida. Sua conversa com a neta pareceu-lhe haver durado um tempo indefinido, tão grande fora o efeito das suas asserções profundas e empolgantes...

De olhos úmidos, contemplou o curso do Tibre em toda a paisagem que o olhar abrangia, descansando o pensamento abatido nos efeitos de luz que a claridade lunar operava caprichosamente sobre as águas.

Por quantas horas contemplou as constelações fulgurantes, sondando os mistérios divinos do firmamento?

Somente muito depois, aos albores da madrugada, a voz cariciosa de Márcia veio despertá-lo de suas cogitações graves e intensas, convidando-o a recolher-se.

Cneio Lucius dirigiu-se, então, para o aposento de repouso, a passos vagarosos, a fronte vincada de angústia, olhos fundos e tristes, como alguém que houvesse chorado amargamente.

III
Sombras domésticas

A vida das nossas personagens, em Roma, reiniciou-se sem grandes acontecimentos nem surpresas.

Helvídio Lucius, apesar do amor à província, experimentava a agradável sensação de haver voltado ao antigo ambiente, a ocupar um cargo mais elevado, no qual haveria de enriquecer, sobremaneira, os valores de sua vocação política ao serviço do Estado.

Concedendo liberdade a Nestório, fizera questão de admiti-lo nos trabalhos do seu cargo e da sua casa, como cidadão culto e independente, que era.

Foi assim que o antigo escravo, alugando um cômodo de habitação coletiva nas imediações da Porta Salária, tornou-se professor de suas filhas e auxiliar de trabalho, durante oito horas diárias, com vencimentos regulares.

Fora disso, o liberto ficava inteiramente livre para cuidar dos seus interesses particulares.

E soube aproveitar essas folgas, valendo-se da oportunidade para consolidar a melhoria de situação. Assim é que, à noite, ensinava primeiras letras a discípulos humildes, que lhe contratavam os serviços, facultando-se um vasto campo de relações e dando expansão aos seus pendores afetivos, em reuniões carinhosas que lhe propiciavam novas energias ao coração.

Bastou um mês para que ficasse conhecendo os centros mais importantes da cidade, seus homens ilustres, monumentos, classes sociais, fazendo amizades sólidas na esfera humilde em que vivia.

Apaixonado pelo Cristianismo, circunstância que Helvídio Lucius desconhecia, não se furtou à satisfação de conhecer os companheiros de ideal, de modo a cooperar com o seu contingente na tarefa abençoada de edificar as almas para Jesus, naqueles sombrios tempos que o pensamento cristão atravessava, entre ondas largas de incompreensão e de sangue.

A palavra fácil de Nestório, aliada à circunstância de suas relações pessoais com o presbítero Johanes, discípulo dileto de João evangelista na Igreja de Éfeso, situação que lhe facultava o mais amplo conhecimento das tradições de Jesus, proporcionou-lhe, imediatamente, um lugar destacado entre os companheiros de fé, que, duas vezes na semana, se reuniam à noite, no interior das catacumbas da Via Nomentana, para estudar as passagens do evangelho e implorar a assistência do Divino Mestre.

O reinado de Adriano, embora liberal e justo de início, caracterizou-se pela perseguição e pela crueldade, depois dos terríveis acontecimentos da guerra civil da Judeia.

Posteriormente a 131, todos os cristãos se viram compelidos a buscar novamente o refúgio das catacumbas, para as suas preces. Perseguição tenaz e implacável era movida pela autoridade imperial a todos os núcleos de ideias ou de personalidades israelitas. Os adeptos de Jesus apenas se reconheciam, entre si, na cidade, por um vago sinal da cruz, que os identificava fraternalmente onde quer que se encontrassem.

Nestório não desconhecia o perigoso ambiente, buscando adaptar-se à situação, quanto possível, de maneira a continuar servindo o Cristo na sua fé íntima, sem trair o cumprimento dos seus deveres, em consciência.

Votava a Helvídio Lucius e à sua família extremado respeito e sincera estima. Jamais poderia esquecer que recebera de suas mãos generosas a liberdade plena. Era assim que se desobrigava de suas responsabilidades, com satisfação e devotamento.

Em pouco tempo, chegava à conclusão de que ambas as jovens estavam devidamente preparadas para a vida, dado o seu grande cabedal de conhecimentos, por meio da leitura, mas Helvídio Lucius, cultivando a sua simpatia da primeira hora, conservara-o no seu gabinete de trabalho, onde o liberto teve ocasião de lhe testemunhar o seu reconhecimento e admiração, fortalecendo-se, cada vez mais, os laços de amizade recíproca.

Fazia já um mês que os nossos amigos tinham regressado a Roma, quando o censor Fábio Cornélio fez questão de abrir o seu palácio para apresentação dos filhos a todas as figuras destacadas do patriciado.

A essa festa de larga projeção social, compareceu o próprio Adriano, com o prefeito e Claudia Sabina, enaltecendo o esplendor do acontecimento.

Nessa noite memorável para os destinos das nossas personagens, tudo era um deslumbramento de luz e flores, na suntuosa residência do antigo bairro das Carinas.

Nos jardins luxuosos brilhavam tochas artisticamente dispostas, enquanto no lago improvisado graciosas embarcações se pejavam de músicos e cantores. Às melodias das harpas misturavam-se os sons das flautas, dos alaúdes e atabales, junto dos quais, escravos esbeltos e jovens erguiam vozes cariciosas e cristalinas.

Mas não era só.

Fábio Cornélio e Júlia Spinther, movimentando todos os recursos materiais, apresentaram uma festividade a rigor, de cujas características a aristocracia romana haveria de guardar indelével lembrança.

Luzes em profusão, mesas lautas, flores preciosas, extravagantes adornos do Oriente, cantores e bailarinos famosos, apresentação de antílopes gigantescos que lutariam com escravos atléticos, na arena preparada a capricho, para os fins a que se destinava. Gladiadores e artistas mesclavam-se com a legião de convivas, em soberbo painel de maravilhosa alacridade.

Claudia Sabina, depois de algum esforço, conseguiu atrair a atenção de Helvídio Lucius, que se lhe mostrava arredio, interessando a palavra direta do Imperador por sua figura e feitos. De vez em quando, uma referência carinhosa e vaga, que o patrício recebia alarmado, receoso de voltar à recordação dos tempos inquietos da juventude.

Enquanto isso, Lólio Úrbico, oferecendo o braço a Alba Lucínia, conduzia, de leve, às alamedas extensas e floridas em derredor do lago artificial, que brilhava à luz da noite, num símile de deslumbramento.

Retido, propositadamente por Claudia, junto do Imperador, Helvídio ouvia a palavra generosa de César, a demonstrar evidente interesse pela sua pessoa:

— Helvídio Lucius — exclamava Adriano com sorriso afável e atencioso —, folgo muito de revê-lo em nosso ambiente!

E designando Claudia Sabina, de pé, a seu lado, acrescentava:

— Nossa amiga falou-me de sua preciosa capacidade de trabalho e eu o felicito. Tenho, agora, numerosas obras de importância, em Tibur,[15] onde necessito do concurso de um homem operoso e inteligente, que traga consigo a volúpia da atividade. É certo que essas construções chegam, no momento, a seu termo, mas determinadas instalações requerem a contribuição de alguém com altos conhecimentos de nossas realidades práticas. Confiei a Claudia a solução de numerosos problemas de arte, em que prima a sua sensibilidade feminina, mas preciso de cooperação como a sua, dedicada e perseverante, no concernente à parte administrativa. Ser-lhe-ia agradável colaborar com a nossa amiga, por algum tempo, em Tibur?

Helvídio compreendeu a situação difícil que lhe fora preparada.

Em consciência, não poderia aceitar com satisfação semelhante encargo, mas César não precisava expressar uma ordem, além da manifestação de seus desejos.

— Augusto — replicou o interpelado com reverência —, vossa gentileza honra os meus esforços. A deferência de tais responsabilidades constitui para mim um grato dever do coração.

Claudia Sabina esboçou um sorriso bem-humorado, dirigindo-se satisfeita ao Imperador:

— Obrigada, César, pela escolha de colaborador tão precioso. Sinto que as obras de Tibur serão a maravilha inultrapassável do Império.

Adriano sorriu lisonjeado, exclamando carinhoso, como quem estivesse dispensando um favor raro:

— Está bem! Cuidaremos do assunto no momento oportuno.

E alongando o olhar enigmático pelas avenidas harmoniosas e floridas, onde pares numerosos se enfileiravam em alegrias francas, acrescentou:

— Que fazeis aqui, tão jovens, presos à minha palavra cheia de rotina e de austeridade?... Diverti-vos! A vida romana deve ser um formoso jardim de prazeres!...

---

[15] N.E.: Atual Tivoli, província romana em que personalidades notáveis descansavam, como Horácio, Mecenas e Adriano.

Helvídio Lucius, compelido pelas circunstâncias, deu o braço à sedutora favorita, retirando-se vagarosamente em sua companhia, sob as vistas generosas e complacentes de Augusto.

Claudia Sabina não conseguiu dissimular a incoercível emoção que intimamente a afligia, em face da situação que a conduzira ao braço do homem que polarizava as suas aspirações de mulher, e, dados alguns passos, foi a primeira a romper o constrangido silêncio:

– Helvídio – disse em voz quase súplice –, reconheço, agora, a linha de responsabilidades sociais que nos separam, mas será possível que me houvesses esquecido?

– Senhora – respondeu o patrício emocionado e respeitoso –, dentro do nosso foro íntimo, todo o passado deve estar morto. Se vos ofendi no passado, confesso-me agradecido pelo vosso esquecimento. De outro modo, qualquer aproximação entre nós representaria uma fórmula de existência odiosa e impossível.

A favorita de Adriano sentiu fundo a firmeza daquelas palavras, que lhe gelavam o coração inquieto e sôfrego, retorquindo, todavia, sem vacilar:

– A mulher conquistada jamais poderá considerar-se mulher ofendida. As mãos que amamos nunca nos chegam a ferir, e eu, em tempo algum, consegui olvidar tua afeição.

Imprimindo à voz uma inflexão de humildade, acrescentava:

– Helvídio, tenho sofrido muito, mas tenho-te esperado em toda a vida. Vencida e humilhada na juventude, não sucumbi ao desespero para aguardar, confiante, o teu regresso ao meu amor. Quererias, porventura, aniquilar-me agora que te venho oferecer, humildemente, todos os tesouros da vida amontoados com zelo para te ofertar?

As últimas palavras foram sublinhadas de profundo desencanto, à face de si mesma, e Helvídio Lucius, compreendendo o seu desapontamento, prosseguiu sem hesitar:

– Precisais considerar que jurei fidelidade e dedicação a uma criatura generosa e leal, além de estardes, também vós, comprometida com um homem nobre e digno. Acaso desejaríeis quebrar um voto contraído perante os nossos deuses?...

– Nossos deuses? – repetiu a interpelada com uma ponta de ironia. – E chegam eles a impedir os divórcios numerosos de tantas personalidades da Corte? E esses exemplos, porventura, não nos chegam de cima, dos altos postos onde domina a autoridade direta do Imperador? Não cogito de situações, para, antes de tudo, satisfazer minha sensibilidade feminina.

— Bem se vê — replicou Helvídio irônico — que desconheceis a tradição de um nome de família. Os que desejam continuar os valores dos séculos que passaram não podem aventurar-se com as novidades da época, de maneira a permanecerem fiéis ao patrimônio recebido de seus ascendentes.

Claudia Sabina mordeu os lábios nervosamente, recebendo aquela alusão direta à sua antiga situação de plebeia, murmurando com altivez:

— Não concordo contigo, neste particular. Os triunfadores não podem ser os tradicionalistas, que recebem um nome feito para brilhar no mundo, e sim os que, triunfando da própria condição e do meio ambiente, sabem elevar-se às culminâncias sociais, como águias da inteligência e do sentimento, obrigando o mundo a lhes reverenciar as conquistas e os méritos.

O orgulhoso romano sentiu o azedume da resposta, sem encontrar recursos imediatos para revidar com as mesmas armas, porém, a antiga plebeia acrescentou com sorriso enigmático:

— Apesar da tua impassibilidade, continuarei guardando as minhas esperanças. Acredito que não deixarás de aceitar a honrosa incumbência de Augusto para conclusão das obras de Tibur, que, atualmente, constituem a sua preocupação de todos os instantes.

— Sim — murmurou o patrício algo contristado —, terei de cumprir as determinações de César.

Preparava-se a favorita para retorquir, quando Publicius Marcellus,[16] companheiro de Lólio Úrbico em seus notáveis feitos de armas, aproximou-se ruidosamente, roubando-lhe a possibilidade de prosseguir na confidência e atirando-lhes um convite amável:

— Amigos — exclamou esfuziante de alegria —, acerquemo-nos do lago! Virgílio Prisco vai cantar uma das suas mais belas composições em homenagem a César!

Helvídio e Claudia, colhidos numa onda de chamamentos alegres, separaram-se involuntariamente, para atender aos convites afetuosos.

Com efeito, nas bordas da grande piscina, rodeada de árvores frondosas, toda a massa de convidados se comprimia sôfrega. Mais alguns

---
[16] N.E.: Político e militar romano do século II.

instantes e a voz aveludada de Virgílio enchia o ambiente de sonoridades, entre as quais se destacavam as notas melodiosas das cítaras e dos alaúdes que o acompanhavam.

Do alto do trono improvisado, Adriano ouvia-o embevecido, recebendo a homenagem dos súditos fiéis às suas vaidades imperiais.

Em ligeiro retrospecto, acompanhemos, contudo, Alba Lucínia e Lólio Úrbico por meio de pequeno giro pelas alamedas claras e floridas.

A nobre senhora guardava a severidade graciosa dos seus traços de madona, enquanto o companheiro se mostrava eminentemente emocionado.

Em palestra aparentemente despreocupada, o prefeito dos pretorianos parecia distanciar-se, intencionalmente, dos grupos numerosos, desejoso de manifestar os pensamentos secretos que lhe atormentavam o íntimo desolado.

Em dado instante, muito pálido, exclamou em atitude quase súplice:
— Senhora, eu vos vi pela primeira vez há mais de quatro lustros...[17] Celebravam-se os vossos esponsais com um homem digno e eu lamentei, sinceramente, não haver chegado mais cedo para disputar-vos!... Acredito que vosso coração se alarme com estas minhas revelações inoportunas, mas que fazer se o homem apaixonado é sempre a mesma criança de todos os tempos, que não mede situações nem circunstâncias para ser sincero?... Perdoai-me se vos ofendo a susceptibilidade superior e generosa, mas tenho necessidade ineluctável de vos afirmar de viva voz o meu amor...

Alba Lucínia escutava-o, penosamente impressionada com aquelas declarações sinceras e peremptórias. Desejou responder-lhe com a austeridade dos seus elevados princípios de esposa e mãe, mas amarga comoção parecia paralisar-lhe as cordas vocais, naquelas difíceis circunstâncias.

Retomando a palavra e tornando-se mais veemente, Lólio Úrbico prosseguia:
— Desperdicei a mocidade com os mais dolorosos pesares íntimos... Minha alma procurou, em vão, por toda parte, alguém que se parecesse convosco. Resvalei por aventuras escabrosas, nas minhas tristes empresas militares, ansioso de encontrar o coração que adivinho em vosso peito! Minha existência, posto que fortunosa, está saturada de amarguras infinitas... Será que me não concedereis o lenitivo de uma esperança? Terei de morrer,

---
[17] N.E.: Vinte anos.

assim, estranho e incompreendido?... Displicentemente, dei meu nome e posição social a uma bela mulher que não me pode satisfazer as expressões elevadas do espírito. Dentro do lar, somos dois desconhecidos... entretanto, senhora, nunca pude esquecer o vosso perfil de madona, esse olhar divino e calmo, no qual leio agora as páginas de luz da vossa virtude soberana!...

"No meu ambiente social tenho tudo que a um homem é lícito desejar: fortuna, privilégios políticos, fama e nome, degraus que escalei facilmente entre as classes mais nobres; o coração, porém, vive em desalento irremediável, aspirando a uma felicidade inatingível... Enquanto vos conservastes na província, possível me foi contemporizar com os próprios amargores, mas depois que vos revi, experimento na alma um desencadeado Vesúvio de chamas!... Tenho as noites povoadas de inquietações e amarguras, quais as de um náufrago, que vê além a ilha da sua ventura, distante e inatingível.

"Dizei que vosso coração há de acolher-me as súplicas; que me vereis com simpatia ao vosso lado. Se não puderdes retribuir esta paixão, enganai-me ao menos com a vossa amizade honrosa e enobrecedora, reconhecendo em mim algum de vossos servos!..."

A nobre senhora tornara-se lívida, o coração lhe pulsava alarmado, em ritmo violento:

– Senhor prefeito – conseguiu balbuciar, quase desfalecente –, lamento bastante haver inspirado sentimentos dessa natureza e não posso honrar-me com a vossa homenagem afetiva, porquanto vossas palavras evidenciam a violência de uma paixão insensata e desastrosa. Meus deveres sagrados, de esposa e mãe, impedem-me de considerar quanto acabais de dizer. Mantenho sincero propósito de vos considerar o cavalheiro ilustre e digno, o amigo dedicado e honesto de meu pai e de meu marido, a cujo destino, por afeição natural, estou ligada para sempre.

Lólio Úrbico, habituado às transigências femininas da Corte, em face da sua posição e predicados, empalideceu de súbito, ao ouvir a recusa nobre e digna. Avaliou num relance o quilate espiritual da criatura ardentemente cobiçada há tanto tempo. No seu íntimo, de mistura com o amor-próprio humilhado, havia igualmente um ressaibo de vergonha para consigo mesmo.

Baixando, todavia, o olhar despeitado, falou quase súplice:

– Não desejo passar a vossos olhos como um espírito grosseiro e incompreensivo! A verdade, porém, é que continuarei a vos amar da mesma forma. Vossa formal e delicada recusa agrava a minha ambição de possuir-vos. Por quanto tempo, ó deuses do Olimpo, prosseguirei assim, incompreendido e torturado?

Erguendo os olhos, notou que Alba Lucínia chorava contristada. Aquela dor serena e justa penetrou-lhe o coração qual o gume de uma espada.

Lólio Úrbico sentiu, pela primeira vez, que a materialidade de sua paixão produzia sentimentos de angústia e piedade.

— Senhora — exclamou aflito —, perdoai se vos fiz chorar com as expressões mal-avisadas dos meus tristes padecimentos! Quero-vos muito, muito... Desposastes um homem honesto e digno e acabo de cometer a loucura de vos propor a sua desonra e desventura... Perdoai-me! Fui vítima de um instante penoso de criminosa insânia... Apiedai-vos de mim, que tenho vivido até agora abatido e desolado.

"Um mendigo do Esquilino é mais feliz do que eu, embora estenda as mãos à caridade pública! Sou um desgraçado... tende compaixão do meu padecer angustioso. Por muitos anos guardei no íntimo estas emoções rudes e penosas e vós sabeis que a alma do soldado tem de ser cruel e impassível, recalcando os pensamentos mais generosos!... Jamais encontrei um coração que compreendesse o meu, razão por que não hesitei em vos ofender a dignidade irrepreensível!..."

Alba Lucínia escutava-lhe as súplicas sem compreender os contrastes daquela alma violenta e sensível. Houve um silêncio penoso para ambos, quando alguém, atravessando as filas de arvoredos, exclamava em voz cheia, rente de seus ouvidos:

— Vinde ouvir Virgílio Prisco! Associemo-nos às homenagens a César!...

Lólio Úrbico verificou a impossibilidade de prosseguir em suas confidências e, oferecendo o braço à nobre senhora que o acompanhou com um sorriso triste, seguiram em direção ao lago, onde, momentos antes, víramos chegar Helvídio e Claudia Sabina.

Em torno do cantor reuniam-se todos os convivas, numa assembleia compacta e distinta, atentos à homenagem que o Imperador recebia sereno e envaidecido.

A canção encomendada pelos anfitriões era um longo poema no estilo da época, em que os feitos de Adriano excederam, glorificados, a todas as realizações precedentes do Império. Nas expressões bajuladoras do artista, herói algum o havia excedido nos feitos brilhantes de Roma. Generais e poetas, cônsules e senadores célebres ficavam aquém do que tivera a ventura de ser filho adotivo de Trajano.

No alto do trono, ali erguido a caráter, o Imperador dava largas à sua vaidade pessoal com francos sorrisos.

Todos o rodeavam. Numerosas autoridades lá estavam, associando-se ao honroso preito de Fábio Cornélio e família.

Não podemos esquecer que Helvídia e Caius Fabricius lá se viam juntos e embevecidos na sua risonha primavera de amor, enquanto Cneio Lucius, obrigado pelas circunstâncias a comparecer, amparava-se ao braço de Célia, meio trêmulo na sua avançada velhice e desejoso de patentear aos filhos que o seu coração também participava do júbilo geral.

Emudecidos os alaúdes, uma legião de jovens despetalou centenas de róseas coroas trazidas por escravos em grandes bandejas prateadas, envolvendo o trono em nuvem de pétalas odorantes.

Vibraram novas harmonias e o coro dos dançarinos exibiu novos bailados, cheios de figurações interessantes e estranhas.

O vinho transbordou, enchendo quase todas as frontes de fantasia e, com a caçada dos antílopes fabulosos, terminou a festa que ficou gravada, para sempre, na mente de todo o patriciado.

Helvídio Lucius e Alba Lucínia volveram ao lar, sob o peso de indefinível angústia.

Surpreendidos pelos acontecimentos inesperados, quanto às penosas emoções de que haviam sido vítimas, observava-se em ambos o recíproco efeito de uma confidência desagradável e dolorosa.

Voltando, todavia, à intimidade doméstica, a nobre senhora disse ao esposo em tom de amargura:

– Helvídio, muitas vezes desejei ardentemente retornar a Roma, saudosa das nossas amizades e do incomparável ambiente citadino, mas hoje compreendo melhor a calma do campo, onde vivíamos sem cuidados penosos. Os tempos da província me desacostumaram das intrigas da Corte e essas festividades de agora me cansam profundamente o coração.

Helvídio ouviu-a, sentindo que o seu estado da alma era bem aquele, tal o tédio que se apossara dele, depois dos espetáculos que lhe fora dado observar, considerando também as penosas emoções que aquela noite lhe proporcionara.

– Sim, querida – replicou algo confortado –, tuas palavras fazem-me grande bem ao coração. Regressando a Roma, reconheço que estou também farto dos ambientes de convenção e hipocrisia. Temo a cidade com os seus perigos numerosos para esta nossa ventura, que desejamos imperecível!

E, recordando mais detidamente as dolorosas comoções experimentadas horas antes, com as confidências de Sabina, atraiu a esposa ao coração, acrescentando com o olhar incendido de súbito clarão:

– Lucínia, uma ideia nova aflora-me ao espírito! Que me dirias da nossa volta ao campo acolhedor e tranquilo? Lembremo-nos, querida, de que a revolução terminou e não será difícil readquirirmos as antigas propriedades da Palestina.

"Reataríamos assim a nossa tranquila existência na província, sem as preocupações exaustivas e dolorosas que aqui nos assaltam. Cuidarias das tuas flores e eu continuaria zelando pelos interesses de nossa casa.

"Prometo-te que farei tudo por te tornar a vida menos triste, longe de teus pais! Conservaria conosco somente os escravos da tua predileção e buscaria aconselhar-me constantemente contigo, no desdobramento de todos os trabalhos!...

"Levar-te-ia comigo, em todas as viagens... nunca mais te deixaria isolada em casa, preocupada e saudosa..."

Helvídio Lucius imprimia à voz um tom singular e profundamente expressivo, como se estivesse desdobrando, ante o olhar lacrimoso da esposa, as perspectivas cariciosas de um quadro primaveril.

– Quem sabe – continuava de olhos brilhantes – poderíamos voltar à Judeia, para sermos ainda mais alegres e mais felizes?! Nossa Helvídia tem o futuro assegurado com o enlace próximo e ficaria Célia para enriquecer a felicidade doméstica!... De volta, percorreríamos toda a Grécia, a fim de visitar o mais antigo jardim dos deuses, e, quando em Samaria e na Idumeia, haverias de ver os milagres do meu coração no afã de fazer-te risonha e venturosa! Passearíamos, então, juntos como outrora, pelas estradas enluaradas, no silêncio das noites calmosas, para melhor sentirmos a extensão do nosso amor venturoso.

"Aqui, sinto a nossa paz doméstica ameaçada a cada passo... As intrigas da Corte me atormentam o coração!... Entretanto, somos ainda moços e temos diante de nós um futuro promissor.

"Acredita, querida, que alimento o maior desejo de voltar ao nosso remanso de paz, no seio da Natureza calma e generosa!..."

Alba Lucínia ouvia-o, aliviada das próprias angústias. Uma lágrima lhe brilhava à flor dos olhos, tinha o coração alvoroçado com a risonha expectativa de regressar à tranquilidade da vida provinciana.

Não obstante o júbilo dessas esperanças, sua atitude mental se caracterizava pela mais funda reflexão.

– Helvídio – exclamou confortada –, essa perspectiva de voltarmos ao ambiente campestre, com a nossa ventura e o nosso amor, consola-me o espírito abatido! Mas ouve-me: e os nossos deveres? Que dirá meu pai da nossa atitude, depois de haver lutado tanto para reajustar a tua situação à política administrativa do Império? Enfim, desejo saber se não chegaste a assumir qualquer compromisso mais sério.

Ouvindo-lhe as serenas ponderações, o patrício recordou, subitamente, o compromisso com o Imperador, concernente às construções de Tibur, e sentiu-se gelado, depois da eclosão de suas entusiásticas esperanças.

Informou, então, à companheira, da solicitação do César, respondendo-lhe ela com um suspiro de pesar.

– Neste caso – exclamou Alba Lucínia com uma ponta de contrariedade nas expressões familiares –, é tarde para cogitarmos do nosso imediato regresso à província!

O marido reconheceu, com mágoa, a justeza da ponderação, mas acrescentou:

– Em última análise, falarei amanhã a Fábio Cornélio, expondo-lhe as minhas apreensões a respeito e, mesmo que ele não aprove nosso regresso, mantenhamos esperanças, pois os deuses hão de permitir nossa volta mais tarde!...

Embora a profunda intimidade daquele desabafo, nem um nem outro se sentiu com a coragem precisa para revelar as penosas emoções daquela noite.

E, no dia seguinte, ambos ainda se ressentiam do primeiro embate das lutas sentimentais que os aguardavam no ambiente da grande metrópole.

Procurando o sogro, Helvídio Lucius expôs-lhe, sem reservas, seus planos e desejos. Além de manifestar o propósito de voltar à Palestina, falou igualmente da pretensão imperial de lhe utilizar os préstimos pessoais nas obras de Tibur.

Fábio Cornélio recebeu aquelas alegações tomado de surpresa, reprovando os projetos do genro e encarecendo-lhe que semelhante alvitre demonstrava muita infantilidade da sua parte, em tais circunstâncias. Não estava com a posição financeira consolidada? Não representava um fator de paz a sua permanência em Roma, ao lado de toda a família? Não conseguira as graças de Adriano, a ponto de se integrar no mecanismo político-administrativo com todas as honras de um tribuno militar?

Em face da recusa obstinada, em voz baixa e em tom discreto, Helvídio relatou ao sogro as suas aventuras da mocidade, dizendo-lhe das novas pretensões de Claudia Sabina e da sua difícil situação doméstica, no sagrado aconchego da família.

O velho censor ouviu-lhe a confidência um tanto surpreso, mas obtemperou:

— Meu filho, compreendo os teus escrúpulos, entretanto, devo falar-te com a mesma franqueza com que te confessas, esclarecendo que, na minha atual situação, dependo inteiramente do apoio de Lólio Úrbico e de sua mulher, no mundo da política e dos negócios. Minha posição financeira, infelizmente, é agora assaz precária, em vista dos numerosos gastos impostos pelas circunstâncias. Se te for possível, auxilia-me nestas contingências. Não recuses a oportunidade que Adriano te oferece em Tibur, e faze o possível por não desgostares o espírito vingativo de Claudia, principalmente nas atuais circunstâncias de nossa vida.

Helvídio compreendeu a impossibilidade de abandonar o velho sogro e sincero amigo, em tais conjunturas, e buscou prover-se de energias íntimas, de modo a não deixar transparecer qualquer constrangimento.

— Ademais — exclamou o censor tentando fazer humorismo para dissipar as sombras do ambiente sentimental criado entre ambos —, espero não te percas em receios pueris nas situações mais difíceis... Não tenhas medo, filho, dessa ou daquela circunstância!...

E esboçando um sorriso benévolo, acrescentava:

— Sabes o que dizia Lucrécio[18] há mais de cem anos?

"Que a mulher é o animalzinho santo dos deuses!"

Entre ambos esboçou-se, então, um riso franco e otimista, embora no íntimo continuasse Helvídio Lucius a guardar as suas apreensões.

---

[18] N.E.: Poeta e filósofo latino que viveu no século I a.C.

Por sua vez, Alba Lucínia, na manhã daquele mesmo dia, procurou aconselhar-se com sua mãe acerca de suas amarguradas reflexões; mas Júlia Spinther, após ouvir-lhe a exposição dos episódios da véspera, com o coração tocado de pressentimentos angustiosos ante a situação da filha, replicou com os olhos úmidos, sem perder, todavia, a sua fortaleza moral:

— Filhinha — disse, beijando-a —, atravessamos uma fase de lutas ásperas, em que somos obrigados a demonstrar toda a nossa capacidade de resistência. Sei avaliar tua desdita íntima, porque, na mocidade, também experimentei essas emoções penosas, no torvelinho das atividades sociais. Se me fosse possível, romperia com a situação e com todos, em benefício da tua tranquilidade, mas...

Aquelas reticências significavam tal desalento que Alba Lucínia se comoveu, interpelando-a.

— Que dizes, mamãe? Esse "mas" tem tanta amargura que chega a surpreender-me, como que adivinho em teu espírito preocupações porventura mais graves que as minhas.

— Ora, filha, como mãe, sou levada a interessar-me pela tua tanto quanto pela minha própria felicidade... Entretanto, inteirada dos negócios de teu pai e dos laços que o prendem à política do prefeito dos pretorianos, colijo que Fábio não poderia desligar-se, no momento, de Lólio Úrbico, sem graves prejuízos financeiros. Ambos se encontram profundamente vinculados na situação atual, de modo que, apesar da franqueza com que sempre assinalei minhas palavras e atos, sou levada a aconselhar-te a máxima prudência em favor da tranquilidade de teu pai, que deve merecer os nossos sacrifícios.

As palavras da nobre matrona eram ditas em tom de aflitiva tristeza.

Quanto a Alba Lucínia, muito pálida, após receber-lhe as penosas confidências, perguntou:

— A situação financeira de meu pai é assim tão precária? A festividade de ontem dava-me a entender o contrário...

— Sim — esclareceu Júlia Spinther resignada —, ainda bem que os fatos vêm justificar os meus íntimos desgostos. Conheces o temperamento de teu pai e sabes da minha necessidade de lhe acompanhar os caprichos. Não consideraria necessária uma festa como a de ontem, para dar a entender que te estimo. Julgo que essas comemorações devem ser feitas na intimidade do coração e da família, mas teu pai pensa de modo contrário e devo acompanhá-lo. Só as despesas dessa noite elevaram-se a muitos milhares de sestércios. E não é só. Teus irmãos têm dissipado quase todo o patrimônio da família, assumindo compromissos de toda espécie, que teu pai é compelido a resgatar com os mais sérios prejuízos para a nossa casa. Como já sabes, os escândalos de Lucília Veinto obrigaram Asínio a ausentar-se para a África, onde prossegue, ao que sabemos, no mesmo rumo dos prazeres fáceis. Quanto a Rúbrio, foi preciso que teu pai lhe conseguisse uma comissão na Campânia, a fim de tentar a restauração do nosso equilíbrio financeiro. No entanto, filha, não ignoras como a sociedade nos exige a máscara da ventura... Em princípio, não aprovo a atitude de Fábio, realizando festas como a de ontem, mas, ao mesmo tempo, sou forçada a lhe dar razão, porquanto, um censor tem de andar em dia com as convenções sociais.

Alba Lucínia, ouvindo aquelas confidências, encheu-se de compaixão pela genitora, exclamando:

– Basta, mamãe! Eu sei compreender-te. Este assunto deve ficar entre nós e eu saberei conduzir-me por todas as dificuldades. Ainda ontem, eu e Helvídio cogitávamos de regressar à província, mas vejo que o papai requer agora o nosso concurso e reconheço que teu coração necessita do meu para enfrentar as circunstâncias da vida!...

Júlia Spinther, comovida, abraçou a filha, reparando-lhe o olhar brilhante, como se pressentisse algum perigo para a sua felicidade.

– Que os deuses te abençoem, filhinha! – exclamou quase radiante. – Ficarás comigo, sim, pois aqui tenho vivido muito incompreendida e muito só!... Apenas a nossa querida Túlia se conserva fiel à minha antiga afeição, vendo em mim a mãe adotiva que a Providência lhe concedeu!... Os filhos, desde cedo, afastaram-se do lar para enveredar por maus caminhos e teu pai está sempre ocupado em conferências e negócios do Estado...

Por algum tempo ainda, mãe e filha se entretiveram em palestra confidencial e carinhosa.

A situação geral continuou inalterável. Alba Lucínia e o esposo, abandonando os propósitos de voltar ao ambiente provinciano, tudo fizeram por atender às necessidades domésticas, permanecendo na capital do Império.

Daí a pouco tempo, deixando Nestório como auxiliar do sogro, Helvídio Lucius retirava-se para Tibur, de modo a cumprir as determinações imperiais, ali encontrando Claudia Sabina instalada em posição de destaque. Fosse pelo desejo de salientar-se aos olhos do patrício, elevando-se no seu conceito, ou fosse anuindo à expansão de suas vocações inatas, a esposa do prefeito fazia-se notável por suas providências na administração das obras artísticas confiadas à sua sensibilidade feminina.

Helvídio Lucius foi compelido pelas circunstâncias a aproximar-se dela, conhecendo-lhe de perto a surpreendente aptidão e admirando-lhe os feitos com sinceridade, embora conservasse o espírito precavido contra qualquer tentativa de retorno ao passado. Claudia Sabina, entretanto, apesar da modificação tática das suas operações sentimentais, guardava no íntimo as mesmas pretensões de sempre.

Enquanto isso, Alba Lucínia começava a experimentar, em Roma, uma longa série de padecimentos morais. Lólio Úrbico não cedeu em seus propósitos, não obstante estar cônscio das elevadas virtudes conjugais de Alba, tendo, porém, moderado os impulsos. A sociedade romana, de então, amava os desportos e fazia questão de conservar as tradições de liberdade no mecanismo das relações familiares, circunstância que lhe facultava visitar a casa do patrício ausente, sob as vistas benévolas de Fábio Cornélio, que via no seu carinhoso interesse um motivo de honrosa distinção para a família. Contudo, a nobre senhora, que conhecia as necessidades paternais, não se sentia com a precisa coragem para confiar ao velho censor os seus justos receios, sujeitando-se, desse modo, a tolerar a amizade que o prefeito lhe oferecia, aceitando-a com a intangibilidade do seu caráter.

Helvídio Lucius vinha ao lar quinzenalmente. Todavia, essas surtidas a Roma eram excessivamente rápidas para poder combinar devidamente, com a esposa, a solução de todos os assuntos que os preocupavam.

E o tempo corria, carregando sempre as suas reservas preciosas.

Alguém havia que se interessava a fundo pela situação do prefeito, espionando-lhe facilmente os menores passos. Esse alguém era Hatéria, que, na própria casa dos amos, podia observar-lhe o interesse, ouvir-lhe as impressões e as palestras, acompanhando as suas atitudes sentimentais.

Dois longos meses haviam transcorrido nessa situação, quando, um dia, vamos encontrar Lucínia e Túlia na maior intimidade, em palestra amena e confortadora.

Após as pequeninas bagatelas sociais, a esposa de Helvídio falou confidencialmente das suas torturantes impressões íntimas, expondo à amiga da infância os seus receios em face da prolongada separação do esposo, que, obedecendo a caprichosas determinações do destino, parecia continuar indefinidamente na cidade da predileção imperial.

Túlia Cevina olhou-a fixamente, murmurando em tom discreto:

— Sei justificar as tuas apreensões, ainda mais continuando Helvídio junto de Claudia!...

— Por que ligas tanta importância a essa circunstância? — interrogou Alba Lucínia admirada.

— Nunca soubeste, então?

— Quê? — disse a outra duplamente curiosa.

Túlia compreendeu que a amiga, longe dos ruídos da Corte, por muito tempo, não chegara a conhecer o passado em suas minudências.

— Há muito ouvi dizer que Claudia Sabina e Helvídio Lucius tiveram o seu romance de amor na mocidade. Creio que não ignoras ter sido essa criatura portadora de beleza singular, em outros tempos, muito antes que o destino a arrancasse da pobreza de sua condição social...

— Nunca cheguei a sabê-lo — murmurou Alba Lucínia visivelmente sobressaltada —, mas conta-me tudo que sabes a respeito.

— Nunca ouviste, também, a história de Silano? — perguntou ainda Túlia Cevina, aumentando o interesse provocado por suas palavras.

— Sim, sei que Silano é um rapaz que meu sogro adotou como seu próprio filho, sabendo, igualmente, que, quando ele nasceu, muita gente acreditou fosse filho de Helvídio com uma criatura do povo, nas suas aventuras da mocidade.

— Conheces toda a história nos seus pormenores mais íntimos?

— Sei apenas que o pequenino foi enjeitado à porta de Cneio Lucius, que o acolheu com a sua habitual generosidade.

— Muito bem, minha amiga, mas não faltou quem visse Claudia Sabina, ainda jovem e plebeia, abandonar a criança, alta madrugada, no local a que te referiste, endereçando a Cneio Lucius um bilhete expressivo.

— Em qualquer hipótese — esclareceu Alba Lucínia, apesar de impressionada com aquela revelação —, eu acredito que Helvídio foi vítima de uma calúnia infame.

— Não digo o contrário — volveu a amiga —, mesmo porque Sabina, ao que se diz, era dessas criaturas que vivem cercadas por ansiedades diferentes...

A esposa de Helvídio experimentava uma dor imensa no íntimo. Desejou chorar, desabafando as mágoas que lhe azorragavam o peito, mas sua fortaleza moral superava, em seu espírito, todos os sentimentos. Não lhe foi possível, contudo, dissimular o sofrimento, diante da carinhosa irmã espiritual dos primeiros tempos, deixando transparecer, de olhos úmidos, suas amarguras e receios.

Túlia Cevina beijou-a longamente, dizendo-lhe à meia-voz:

– Querida Lucínia, também eu já sofri essas angústias que vens experimentando, mas encontrei um remédio eficaz. Queres experimentá-lo?

– Sem dúvida. Onde encontrar esse recurso?

– Ouve-me – exclamou a amiga com as características da sua bondade confiante e quase infantil –, certamente já ouviste falar de Lucília Veinto e de seus escândalos na Corte! Certa feita, Maximus deu mostras de sua inclinação por essa mulher, chegando a abalar profundamente a nossa felicidade doméstica; mas Sálvia Súbria ensinou-me a procurar uma reunião cristã, na qual pedi as preces de um venerando ancião que ali pontifica na função de sacerdote. Desde que me vali desse recurso, meu marido voltou ao remanso do lar, aumentando o quinhão da nossa ventura conjugal.

– Foste obrigada a qualquer compromisso? – interrogou Alba Lucínia eminentemente interessada no assunto.

– Nenhum.

– Mas os cristãos praticaram algum sortilégio em teu benefício?

– Também não. Informaram-me de que a virtude da prece está na circunstância de ser dirigida a um novo deus, a quem os crentes denominam Jesus de Nazaré.

– Ah! – disse Alba Lucínia lembrando-se da Judeia e das convicções da filha – a doutrina cristã não me é estranha, mas meu marido não lhe tolera as expressões contrárias aos nossos deuses. Julgo, pois, que antes de tomar uma resolução dessa natureza, será conveniente ouvir minha mãe, a fim de lhe seguir os conselhos.

– Isso não.

– Por quê?

– É que, ao receber o conselho de Sálvia, também procurei tua mãe para falar-lhe do assunto, mas, dentro do seu espírito formalista e da sua franqueza intransigente, mostrou-se hostil aos meus desejos, alegando que a mulher romana dispensa novos deuses para ser a matrona incorruptível perante a sociedade e a família. Apesar de tudo, resolvi tentar o recurso e obtive os melhores resultados.

— Minha mãe deve estar com a razão — falou Alba Lucínia convicta. — Além disso, não posso conformar-me com a promiscuidade desses ajuntamentos plebeus.

Túlia ouvia-lhe as ponderações, sinceramente desejosa de colaborar na reedificação de sua ventura doméstica, objetando delicadamente:

— Ouve Lucínia: sei que o teu temperamento não se compadece com as reuniões dessa natureza, mas, se quiseres, irei por ti, como fui por mim... A essas assembleias, preside um homem santo, chamado Policarpo. Sua palavra nos fala do novo deus com uma fé tão pura e uma sinceridade tão grande, que não há coração que não se renda à beleza espiritual das suas afirmativas... Suas expressões arrebatam nossa alma para um Reino de Felicidade eterna, onde Jesus nazareno deve estar à frente de todos os nossos deuses, aguardando-nos, além desta vida, com as bênçãos de uma bem-aventurança eterna...

"Não sou cristã, como sabes, mas fui beneficiada pelas suas orações e, ao contrário do que afirmam, posso testificar que os adeptos de Jesus são pacíficos e bons!..."

A esposa de Helvídio recebia-lhe as carinhosas sugestões com o coração imensamente sensibilizado.

— E irás sozinha, sem a proteção de uma guarda? — perguntou com admiração.

— Por que mo perguntas? Os cristãos são vítimas de medidas vexatórias por parte das autoridades governamentais, porém, irei ter com eles confiadamente, uma vez que se trata da tua felicidade pessoal.

— Tens uma fé assim tão grande nessa providência?!... — interrogou Lucínia com interesse e reconhecimento.

— Confiança total.

E, fazendo um gesto expressivo, como se houvera recordado um recurso novo, acrescentou:

— Ouve, querida: já que me falaste das predileções de Célia por essa doutrina, apesar do nosso segredo familiar sobre o assunto, porque não me permites o prazer da sua companhia? Essas reuniões se realizam nas velhas catacumbas da Via Nomentana e o local é muito distante. Tenho plena confiança no êxito dessas orações e bastará uma só vez para que a paz volte a felicitar tua casa e teu coração.

Alba Lucínia sentia-se confortada com as promessas da amiga, considerando-lhe a fé profunda e contagiosa, na grata perspectiva da felicidade doméstica, e acrescentou:

– Vou pensar e depois combinaremos. Mas, se necessitares de uma companhia, é a mim que compete acompanhar-te.

Separaram-se, então, com um beijo afetuoso, ao passo que o vulto esguio de Hatéria se afastava lesto de uma ampla cortina oriental, depois de ouvir a singular entrevista.

Dentro de uma sociedade como aquela, em que todas as classes, desde os primórdios, em virtude das influências etruscas, recorriam ao invisível e ao sobrenatural, nas mais diversas contingências da vida, Alba Lucínia passou a meditar na preciosa oportunidade sugerida pela amiga de infância. Embora encontrasse conforto na expectativa do empreendimento, passou o resto do dia entre a indecisão e o sofrimento moral.

Teve ímpetos de ir a Tibur para arrancar o esposo de todas as perigosas situações em que se encontrava, mas o raciocínio preponderou em todas as suas inquietações angustiosas.

À noite, quando todos dormiam, dirigiu-se ao santuário doméstico e, prosternando-se junto ao altar de Juno,[19] suplicou à deusa, entre lágrimas, que lhe amparasse o espírito nos caminhos ásperos do dever e da virtude.

---

[19] N.E.: Deusa romana, protetora do casamento, do parto e, sobretudo, da mulher em todos os aspectos da sua vida.

IV
Na Via Nomentana

Uma semana depois do que vimos de narrar, vamos encontrar Claudia Sabina, à noite, no terraço de sua casa, em Roma, palestrando com Hatéria na mais franca intimidade.

— Então, Hatéria — dizia à surdina, depois de longa exposição da cúmplice —, meu esposo, assim, parece querer facilitar a realização de meus projetos. Nunca o supus capaz de apaixonar-se por alguém, fora do ambiente de suas armas.

— Entretanto, senhora, em cada gesto seu, em cada palavra, inferem-se perfeitamente os sentimentos que lhe vão na alma.

— Está bem — exclamou a antiga plebeia como se o assunto a enfadasse —, meu marido não é o homem que me interessa! Tuas notícias de hoje significam que o acaso também coopera a meu favor.

— Além de tudo — lembrou Hatéria, acentuando o caráter secreto daquelas revelações —, Lucínia e Túlia combinaram solicitar uma bênção na reunião cristã, a fim de que Helvídio Lucius volte imediatamente de Tibur, a reintegrar-se na harmonia doméstica.

Claudia deixou escapar um riso nervoso, mas interrogou com avidez:

— Sim? E como o soubeste?...

— Há uma semana, elas trocaram confidências e ontem, à noite, assentaram o plano, embora a patroa se encontre bastante abatida, acreditando eu que venham a realizá-lo nestes quatro dias.

— Convém estares vigilante para acompanhá-las, sem que o percebam, de modo a prosseguires ciente dos acontecimentos.

E, esboçando um gesto de malícia, sentenciou:

— Essas senhoras desconhecerão, porventura, os éditos imperiais que visam à eliminação do Cristianismo? Que descaso das leis!... Enfim, contribuiremos também, de algum modo, para que as autoridades fixem esse novo foco doutrinário. Depois dos teus informes, falarei com Quinto Bíbulo a respeito.

Hatéria e Claudia palestraram ainda algum tempo, examinando os detalhes de suas intenções criminosas e assentando os projetos nefandos e adequados ao caso.

Pela manhã do dia imediato, uma liteira modesta saía do palácio do prefeito, conduzindo alguém que se ausentava de casa com a máxima discrição.

Era Claudia Sabina, que, em trajes muito simples, mandava seguir para a Suburra.

Após exaustivo trajeto, mandou que os escravos de confiança a esperassem em local convencionado e internou-se, sozinha, por vielas ermas e pobres.

Atingindo um quarteirão de casas humildes e pequeninas, parou subitamente como se desejasse certificar-se do local, fixou à pequena distância uma casa esverdeada, de feição característica, que a diferenciava de todas.

A esposa de Lólio Úrbico esboçou um sorriso de satisfação e, estugando o passo, bateu à porta com visível interesse.

Daí a momentos, uma mulher velhíssima e de má catadura, cabelos desgrenhados e largos vincos a lhe enrugarem o rosto, veio atendê-la com expressão de curiosidade nos olhos empapuçados e pequeninos.

Observando a visitante, que ostentava uma toga simples, mas rica, além da rede dourada a prender-lhe a cabeleira graciosa e abundante, a velha sorriu satisfeita, farejando a boa situação financeira da cliente que lhe buscava os serviços.

— É aqui — perguntou Claudia com mal disfarçada modéstia — que reside Plotina, antiga pitonisa de Cumas?

— Sim, senhora, sou eu mesma, para vos servir. Entrai. Minha choupana honra-se com a vossa visita.

A esposa do prefeito sentiu-se bem com a recepção bajuladora e fingida.

— Necessitando de sua cooperação — disse a visitante, penetrando o interior com desembaraço —, vim procurá-la, em vista da recomendação de uma das minhas amigas de Tibur.

— Muito grata, minha senhora, espero corresponder à vossa confiança.

— Disseram-me que não precisaria expor o objeto de minha consulta. Será, de fato, assim?...

— Perfeitamente — esclareceu Plotina com a sua voz enigmática —, meus poderes ocultos dispensam qualquer explicação da vossa parte.

Sentando-se num velho divã, Sabina notou que a feiticeira buscara uma trípode e colocara junto da mesma numerosos amuletos, nos quais se esbatia a mortiça claridade de pequena tocha, acesa para atender às necessidades do momento. Em seguida, depois de atitude contemplativa e descansada, Plotina deixou pender a cabeça entre as mãos, mostrando palidez cadavérica, como se a sua vidência misteriosa estivesse a devassar as mais sinistras miragens nos planos invisíveis.

Claudia Sabina seguia-lhe os mínimos movimentos com singular interesse, entre o temor e a surpresa do desconhecido, mas, dentro em pouco, a fisionomia da intermediária entre o mundo e as forças do plano invisível normalizava-se, atenuando-se-lhe as contrações nervosas do rosto e extinguindo-se as expressões de profundo cansaço, que lhe escapavam dos lábios intumescidos.

De semblante sereno e curioso, como se a alma houvera regressado de misteriosas paragens com as mais vastas revelações, tomou as mãos aristocráticas de Claudia, exclamando em tom discreto:

— Disseram-me as vozes que amais a um homem, preso a outra mulher pelos laços mais santos desta vida! Por que não evitar a tempo uma tempestade de amarguras que recairá, mais tarde, sobre o vosso próprio destino? Viestes até aqui em busca de um conselho que vos guie as pretensões, mas seria melhor abandonardes todos os projetos que tendes em mente!...

Claudia Sabina ouvia-a assustada, mas obtemperou com veemência:

— Plotina, conheço a elevação da tua ciência e venho recorrer aos teus conhecimentos com uma confiança absoluta! Se a tua visão pode devassar o passado, procura fixar no presente a única preocupação da minha vida... Ajuda-me! Recompensarei regiamente os teus serviços!

A consulente abriu a bolsa bem provida, deixando cair grande porção de moedas na trípode, como se despejasse ali uma catadupa de sestércios, ao passo que a velha bruxa arregalava os olhos, na cupidez e na ambição dos seus baixos sentimentos.

– Senhora – disse ela desejosa de alcançar os proventos de tão grandes recursos financeiros –, já vos dei o primeiro conselho, que é o da sabedoria que me assiste; mas também sou humana e quero corresponder à vossa generosidade. Conheço os projetos que vos animam e procurarei auxiliar-vos, a fim de que possais levá-los a bom termo!... Cumpre-me, porém, esclarecer que a vossa rival está assistida por uma figura angélica, embora eu não possa saber se essa criatura vive na Terra ou no Céu. No meu poder oculto, vi a mulher que odiais nimbada pela aura intensa de um anjo, junto dela.

E, como se estivesse travando um duelo de consciência, em face da invejável situação financeira da consulente, acrescentou:

– Precisamos muito cuidado, senhora... Essa criatura celeste pode defender a vossa rival de todos os sofrimentos estranhos ao seu destino...

– Mas como pode ser isso?! – perguntou Claudia Sabina profundamente impressionada.

– Não terá filhos a vossa rival e, entre eles, não existirá algum de coração puro e piedoso?

– Sim! – exclamou a interpelada algo contrafeita – embora não saiba se alguma de suas filhas se encontra em tais condições. Entretanto, não venho aqui para cuidar desse assunto, e sim do meu próprio interesse passional. Por que me falas, pois, dessa defesa angélica incompreensível para mim?

– Senhora, hei de ajudar-vos com todas as minhas forças, pois preciso de dinheiro para atender a necessidades numerosas e prementes, mas devo afiançar-vos que correremos o risco de perder nosso esforço, porque um anjo de Deus pode aparar os golpes do mal, visto não existir o sofrimento, qual o entendemos, para os seus corações purificados. Enquanto a inquietação e a dor podem arrastar as almas vulgares ao torvelinho das paixões e padecimentos do mundo, o Espírito, que se redime, realiza em si a edificação da fé, que o liga a Deus Todo-Poderoso.

Para esses corações imaculados, senhora, a Terra não pode engendrar o tormento ou o desespero!

Claudia escutava-lhe as ponderações, eminentemente impressionada, mas observou com o seu espírito expedito:

— Plotina, eu prefiro não acreditar nessa defesa, aceitando a cooperação dos teus poderes ocultos, plenamente confiada no êxito de minhas pretensões. Não me faças andar contigo em digressões filosóficas, pois quero viver a minha própria realidade. Dize-me! Que sugeres a favor da minha felicidade?

— Em face da vossa decisão, temos de recorrer aos fatos mais concretos.

— Acreditas que deva cogitar da eliminação da mulher que odeio?

— Na vossa situação e em vosso caso, não devereis pensar no aniquilamento do seu corpo, mas na flagelação da alma, considerando que a única morte que se deve aplicar a um inimigo é a que se impõe a uma criatura fora do sepulcro e em plena vida.

— Tens razão — murmurou Sabina interessada. — Teus argumentos são mais inteligentes e mais práticos. Quais os teus conselhos a meu favor?

Plotina fez longa pausa, como se fora formular nova consulta íntima, ante a luz da tocha pequenina e bruxuleante, acrescentando em seguida:

— Senhora, já tivestes o poder de transportar provisoriamente para Tibur o homem amado... Devo informar-vos de que o imperador Élio Adriano, antes de retirar-se para os seus palácios em construção, na cidade aludida, onde deverá aguardar o fim da existência, há de fazer uma última viagem pelas províncias, obedecendo à sua conhecida vocação... Sereis compelida a acompanhar-lhe o séquito, entrevendo-se aí a oportunidade de seguir, igualmente, o homem da vossa dileção.

— Sim? — perguntou Claudia visivelmente satisfeita. — E que me aconselhas?

Plotina inclinou-se, então, colando os lábios rente aos seus ouvidos, sugerindo-lhe um plano terrível e criminoso, que a consulente acolheu com um sorriso significativo.

Palestraram ainda, por largo tempo, como se as suas mentes se casassem em absoluta sintonia de princípios, dentro das mesmas intenções e fins, notando-se que, ao despedir-se, Claudia escreveu as necessidades da sua nova cúmplice, prometendo-lhe providências confortadoras, depois de lhe entregar todo o dinheiro que trazia.

Daí a algumas horas, a mesma liteira modesta regressava ao palácio de Lólio Úrbico, pela porta dos fundos.

Dois dias depois, vamos encontrar, em casa de Helvídio Lucius, Alba Lucínia e sua amiga fiel, em conversação discreta no apartamento mais recôndito da casa.

Túlia Cevina apresentava as melhores disposições físicas, apesar da preocupação que lhe vagava nos olhos, não acontecendo o mesmo à esposa de Helvídio que, reclinada no leito, dava mostras do mais fundo abatimento.

– Lucínia, minha querida – exclamou Túlia afetuosa –, já estou avisada de que a reunião se efetuará esta noite! Estou à tua disposição para irmos sem receio. Poderemos sair às primeiras horas da tarde.

– Impossível – replicou a pobre senhora, visivelmente enferma e acentuando as palavras com dolorosa melancolia –, sinto-me profundamente cansada e abatida!... Entretanto, decidi no coração que recorrerei a essas preces!... Necessito de algo sobrenatural que me devolva a paz do espírito. É impossível prosseguir nesta angústia moral que me inutiliza todas as forças.

Lágrimas amargas lhe cortaram a palavra entristecida.

– Irei de qualquer modo – disse Túlia, abraçando-a –, tenho fé em que o novo deus nos valerá na situação de penosa incerteza em que te encontras!...

Observando-lhe a dedicação meiga e constante, Alba Lucínia advertiu:

– Querida, não me conformaria em saber que foste só. Pedirei a Célia que te acompanhe.

Túlia esboçou um sorriso de satisfação, enquanto a amiga ordenou a uma jovem escrava fosse chamar a filha.

Daí a instantes, surgia a donzela com o seu perfil gracioso.

– Célia – disse-lhe a genitora sensibilizada e melancólica –, poderás ir hoje à noite, em companhia de Túlia, a uma reunião cristã, a fim de fazeres uma prece pela tranquilidade de tua mãe?...

A moça teve um gesto de surpresa, mas amplo sorriso de satisfação lhe aflorou aos lábios.

– Que não faria por ti, mãezinha? E beijou-a.

Alba Lucínia sentiu o conforto imenso daquela ternura, acrescentando:

— Filhinha, sinto-me cansada, doente e deliberei recorrer a Jesus de Nazaré, com as tuas orações. Sabes, porém, da necessidade de não nos externarmos com pessoa alguma a esse respeito, compreendes?

A jovem fez um gesto expressivo, como quem se recordava das próprias mágoas, exclamando:

— Sim, minha mãe. Fica tranquila. Irei com Túlia, seja aonde for, de modo a fazer as preces necessárias! Rogarei a Jesus que te faça ditosa e espero que a sua infinita bondade derramará em teu coração o bálsamo suave do seu amor, que nos enche de vida e de alegria. Então, verás que energias novas hão de felicitar o teu íntimo...

Túlia Cevina ouvia, muito interessada, aqueles conceitos, admirando os conhecimentos da jovem, o que Lucínia logo esclareceu, abraçando a filha ternamente:

— Célia conheceu intimamente, na Judeia, os assuntos atinentes ao Cristianismo. Minha filhinha, apesar de muito nova, tem sofrido bastante...

Célia, no entanto, percebendo que a palavra materna entraria em pormenores do seu doloroso romance de amor, exclamou com ternura:

— Ora, mãezinha, que poderia eu sofrer se tenho sempre o teu afeto comigo?!

E cortando o assunto relativo ao seu caso pessoal, obtemperou:

— A que horas deveremos sair?

— À tarde! — exclamou Túlia — porquanto a caminhada não será pequena; a reunião é além da Porta Nomentana.

— Estarei preparada a tempo.

As três combinaram, então, todas as providências que lhes pareceram indispensáveis e, ao cair da noite, envoltas em togas muito simples, Túlia e Célia tomaram uma liteira, que lhes evitou o cansaço em grande parte do caminho, através dos pontos mais frequentados da cidade.

Descendo junto à Porta Viminal e dispensando os carregadores, empreenderam a caminhada corajosamente.

A noite desdobrava o seu leque de sombras ao longo da planície. Fazia frio, mas as duas amigas agasalharam-se nas capas de lã que levavam, ocultando a cabeça na peça grossa e escura.

Era noite fechada quando atingiram as ruínas da antiga muralha, que fortificara a região em outros tempos, mas avançavam sem desânimo, através das estradas extensas.

Franqueada a Porta Nomentana, viram-se à frente das colinas próximas, ao longo das quais se alinhavam cemitérios desertos e tristes, onde o luar se derramava em tons pálidos.

À medida que se aproximavam do local das pregações, observavam um número cada vez maior de viandantes, que se aventuravam pelas mesmas trilhas, com idênticos fins. Eram vultos embuçados em longas túnicas escuras, que passavam de flanco, a passo apressado ou vagaroso, uns silenciosos, outros mantendo diálogos quase imperceptíveis. Muitos empunhavam lanternas pequeninas, auxiliando a visão dos companheiros, onde a claridade fraca do astro noturno não conseguia espancar as sombras espessas.

As duas patrícias, vestidas com simplicidade extrema e envergando os pesados mantos, não podiam ser identificadas na sua posição social, pelos companheiros que se dirigiam ao mesmo destino, os quais as consideravam cristãs como eles próprios, agermanados na fé e no mesmo idealismo.

Defrontando os muros lodosos que circundavam grandes monumentos em ruínas, Túlia certificou-se do local que dava acesso ao recinto, fazendo um sinal da cruz característico dos cristãos que, nos pórticos, recebiam a senha de todos os prosélitos, senha que se constituía desse mesmo sinal traçado com a mão aberta, de modo especialíssimo, mas de imitação muito fácil. Ambas passaram, então, ao interior da necrópole, sem pormenores dignos de menção.

No interior, toda uma multidão se acomodava em bancos improvisados, salientando-se que, de um modo geral, todos traziam os capuzes levantados, ocultando o rosto, alguns receando o frio intenso da noite, outros temendo os lobos da traição, que ali poderiam comparecer com a máscara de ovelhas.

A claridade lunar que banhava o recinto era auxiliada pela luz de tocheiros e lanternas, mormente em torno de um monte de ruínas fúnebres, de onde deveria falar o apóstolo daquele grupo de seguidores do Cristo.

Aqui e ali, alguém balbuciava uma prece baixinho, como se estivesse falando ao Cordeiro do Céu, no altar do coração, mas, do centro da massa, elevavam-se hinos cheios de sublimada exaltação religiosa. Eram cânticos de esperança, tocados de um singular desalento do mundo, exteriorizando o sonho cristão de um reino maravilhoso além das nuvens. Em cada verso e em cada tonalidade das vozes em conjunto, predominavam as notas de uma tristeza dolorosa, de quem havia abandonado todas as ilusões e fantasias terrestres, entregando-se à renúncia de todos os prazeres, de todos os bens da vida, para esperar as recompensas luminosas de Jesus, nas bem-aventuranças celestes...

Nos bancos improvisados, de madeira tosca ou de pedras esquecidas, acomodavam-se centenas de pessoas, concentradas em absoluto recolhimento.

Silêncio profundo reinava entre todos, quando um estrado carcomido foi transportado para o local onde se centralizavam quase todas as luzes.

Célia e Túlia tomaram o lugar que lhes pareceu mais conveniente, mas, daí a minutos, novo cântico se elevava ao Infinito, em vibrações de beleza indefinível... Era o hino de agradecimento ao Senhor pela sua misericórdia inesgotável; cada estrofe falava dos exemplos e martírios de Jesus, com sentimento repassado da mais alta inspiração.

Qual não foi a admiração de Túlia Cevina, quando viu a companheira erguer também a voz, acompanhando o canto dos cristãos como se o soubera de cor na sua garganta cristalina. A mulher de Maximus Cunctator não sabia dissimular a emoção, contemplando Célia a cantar, qual se fosse uma ave exilada do paraíso!... Seus olhos calmos estavam fixos no firmamento, onde parecia divisar o país da sua bem-aventurança, entre as estrelas que luciluvam no alto, como sorrisos carinhosos da noite, e aqueles versos, inspirados na música que lhes era peculiar, escapavam-se dos seus lábios com tal riqueza melódica, que a amiga se comoveu até as lágrimas, sentindo-se transportada a uma região divina...

Sim, Célia conhecia aquele cântico que lhe enchia o coração de brandas reminiscências. Ciro lho havia ensinado sob as árvores frondosas da Palestina, para que a sua alma soubesse interpretar o reconhecimento a Deus nas horas de alegria. Naquele instante, em comunhão com todos aqueles espíritos que vibravam também a sua fé, ela sentia-se distante da Terra, como se a alma fosse tocada de um júbilo divino...

Fazendo-se silêncio novamente, um homem do povo, de nome Sérgio Hostílio, assomou à tribuna improvisada, exclamando comovido após abrir um rolo de pergaminhos:

— Meus irmãos, estudaremos ainda hoje os ensinamentos do Mestre, nos capítulos de *Mateus*, versando a lição desta noite: "Aqueles que são os verdadeiros irmãos do Messias!..."

E, desenrolando a folha que o tempo desbotara, Sérgio Hostílio leu pausadamente:

Estando Jesus a pregar ainda para a multidão, sua mãe e seus irmãos de fé, do lado de fora, procuravam falar-lhe. Então alguém lhe observou: "tua mãe e teus irmãos encontram-se aí fora, procurando-te." Respondendo a quem o advertira, disse o Mestre: "Quem é minha mãe e quem são os meus irmãos?" E, estendendo a mão para todos os seus discípulos e seguidores, exclamou: "Eis aqui minha mãe e meus irmãos, porquanto, quem quer que faça a vontade de meu Pai que está nos Céus, esse é meu irmão, minha irmã e minha mãe!"[20]

Terminada a leitura evangélica, o mesmo companheiro de crença, que ocupava a tribuna, falou sensibilizado:
– Meus amigos, falta-me o dom da eloquência para ministrar o ensinamento; convido, pois, a algum dos nossos irmãos presentes para que desenvolva os precisos comentários desta noite...

Todos os olhares, inclusive o de Túlia Cevina, se alongaram ansiosos, buscando a venerável figura de Policarpo, o abnegado apóstolo de todas as reuniões. Túlia Cevina verificava a sua ausência com grande desapontamento, em vista da fé nas suas orações e nas suas palavras sábias e benevolentes; mas Sérgio Hostílio explicou com a voz tocada de amargura:
– Irmãos, vossos olhos procuram Policarpo ansiosamente, mas, antes de vos fornecer notícias dele, elevemos o coração até aquele que não desdenhou o ultraje e o sacrifício...

O apóstolo da nossa fé, apesar da sua velhice santificada, por ordem do subprefeito Quinto Bíbulo, foi recolhido na manhã de ontem aos cárceres do Esquilino!

Imploremos a misericórdia de Jesus para que possamos aceitar o cálice de nossas dores, com resignação e humildade.

Muitas mulheres começaram a chorar a ausência daquele grande varão, a quem amavam como pai, e, depois de alguns minutos, em que ninguém se abalançou a substituir-lhe o ensinamento sábio e amoroso, um homem da plebe caminhou até a tribuna e descobriu-se, fazendo o sinal da cruz, tomado de fervorosa religiosidade.

---

[20] N.E.: *Mateus*, 12:46 a 50.

A claridade das tochas iluminou-lhe os traços fisionômicos, ao mesmo tempo que Célia e a companheira lhe identificaram o semblante humilde e decidido.

Aquele homem era Nestório, o liberto de Helvídio, que, embora auxiliasse o censor Fábio Cornélio no próprio gabinete da Prefeitura dos pretorianos, não se envergonhava de dar o público testemunho da sua fé.

V
A pregação do evangelho

Saudado pelo olhar ansioso e confiante de todos, Nestório começou a falar, com a sua sinceridade comovida:

– Irmãos, sinto que a minha indigência espiritual não pode substituir o coração de Policarpo nesta tribuna, mas o fogo sagrado da fé precisa manter-se nas almas!

"Assumindo a responsabilidade da palavra, esta noite, recordo a minha infância para vos dizer que vi João, o Apóstolo do Senhor, que, por longos anos, iluminou a Igreja de Éfeso!

"O grande evangelista, nos seus arroubos de fé, falava-nos do Céu e de suas visões consoladoras... Seu coração estava em permanente contato com o do Mestre, de quem recebia a inspiração divina, como derradeiro discípulo na Terra, santificando-se as suas lições e as suas palavras com o sopro sublimado das verdades celestes!...

"Invoco estas reminiscências longínquas, para recordar que o Senhor é a misericórdia infinita. Na minha pobreza material e moral, tenho vivido pela sua bondade inesgotável e quero invocar a sua assistência caridosa para o meu coração, neste momento.

"Desde criança, tenho os olhos voltados para os sublimes ensinamentos do seu amor e parece-me, também, havê-lo visto no seu apostolado de luz, pela nossa redenção, na face escura da Terra. Às vezes, como que impulsionado por um mecanismo de emoções maravilhosas, tenho a doce impressão de ainda o estar vendo junto ao Tiberíades, a ensinar a verdade e o amor, a humildade e a salvação!... Figura-se-me, frequentemente, que aquelas águas claras e sagradas cantam-me no coração um hino de eterna esperança e, apesar dos véus espessos da minha cegueira, sinto que o contemplo em Nazaré ou em Cafarnaum, em Cesareia ou em Betsaida, arrebanhando as ovelhas desgarradas do seu aprisco.

"Sim, irmãos, o Mestre nunca nos abandonou, no seu apostolado divino. Seu olhar percuciente vai buscar o pecador no mais recôndito desvão da iniquidade, e é pela sua ternura infinita que conseguimos caminhar indenes nos desfiladeiros do crime e do infortúnio!..."

Por muito tempo, falou Nestório das suas lembranças mais gratas ao coração.

Sua infância na Grécia, as descrições suaves de João evangelista aos discípulos queridos; as pregações e exemplos do Senhor, suas visões nos planos celestiais, as reminiscências do presbítero Johanes, a quem o inesquecível Apóstolo havia confiado os textos manuscritos do seu evangelho, era tudo exposto à assembleia pelo liberto, com as cores mais vivas e impressionantes.

Ouvia-lhe o auditório a palavra, comovido, como se os Espíritos, transportados ao pretérito nas asas da imaginação, estivessem contemplando todos os acontecimentos relacionados com a narrativa.

A própria Túlia Cevina, que não conhecia o Cristianismo senão pela rama, mostrava-se profundamente sensibilizada. Quanto a Célia, acolhia-o alegremente, admirando-lhe a coragem e a fé, em face da sua futurosa posição material junto de seu pai, e meditando, ao mesmo tempo, na circunstância de ele nunca haver revelado suas crenças, nem mesmo nas aulas que lhe ministrara, evidenciando assim o respeito que lhe mereciam as crenças alheias.

Depois de relatadas as reminiscências de Éfeso com os seus vultos mais eminentes, falou para comentar a leitura da noite:

– Para tanger o ponto evangélico desta noite, lembremos que Jesus não podia condenar os laços humanos e sacrossantos da família, mas suas palavras, proferidas para a eternidade, abrangem e abrangerão todas as situações e todos os séculos vindouros, de modo a demonstrar que a fraternidade é o seu alvo e que todos nós, homens e grupos, coletividades e povos, somos membros de uma comunidade universal, fraternidade, essa, que um dia nos integrará a todos como irmãos bem-amados, e para sempre.

"Seus ensinamentos referiam-se àqueles que, cumprindo a vontade soberana e justa do Pai que está nos Céus, marcham na vanguarda dos caminhos humanos, em demanda do seu Reino de amor, cheio de belezas imperecíveis!

"Os que sabem acatar, neste mundo, os desígnios de Deus, com humildade e tolerância, com resignação e com Amor, chegarão mais depressa junto daquele que se nos revelou há um século o *Caminho, Verdade e Vida*! Esses Espíritos amorosos e justos, que se iluminaram interiormente pela compreensão e aplicação dos ensinos em toda a vida, estarão mais perto do seu coração misericordioso, cujas pulsações sagradas repercutem em nosso próprio ser, pela magnanimidade infinita que sentimos em nossa alma, em todos os passos desta vida!... Tais criaturas são desde já seus irmãos mais próximos, pela iluminação evangélica no cumprimento das leis do amor e do perdão.

"Dentro, pois, dessas luzes prodigiosas da Verdade, sentimo-nos compelidos a dilatar o conceito de família no plano universalista, alijando o criminoso egoísmo que, por vezes, nos toma de assalto o coração, criando os germes da discórdia e do sofrimento no próprio lar.

"Se um homem é a partícula divina da coletividade, o lar é a célula sagrada de todo o edifício da civilização. Um homem divorciado do bem e um lar envenenado pelos desvios do sentimento operam os desequilíbrios singulares que atormentam os povos!...

"Jesus conhecia todas as nossas necessidades e ajuizou de nossa situação, não apenas em vista da época que passa, mas de todos os séculos do futuro.

"Acredito que o evangelho não poderá ser integralmente compreendido em nossos tempos amargos, de devassidão e decadência, todavia, enquanto as forças mais poderosas do mundo se concentram neste Império cheio de orgulho e impiedade, outras energias profundas trabalham o seu organismo atormentado, preparando o advento das civilizações do porvir.

"Até agora, as águias romanas dominam todas as regiões e todos os mares, mas dia virá em que esses símbolos de ambição e tirania hão de rolar dos seus pedestais, numa tempestade de cinzas e de sombras!... Outros povos serão chamados a dirigir os movimentos do mundo. Mas enquanto o espírito agressivo da guerra permanecer entre os homens, qual monstro de ruína e de sangue, será sinal de que as criaturas não se realizaram interiormente para serem os irmãos do Mestre, puros e pacíficos.

"A Terra viverá as suas fases evolutivas de dor e de experiências dolorosas, até que a compreensão perfeita do Messias floresça em todo o mundo, para as almas.

"Até agora, o Cristianismo tem medrado com as lágrimas e o sangue de seus mártires, mas os Espíritos do Senhor, cujas vozes ouvi na mocidade, nas sagradas reuniões da Igreja de Éfeso, asseveravam aos discípulos de João que, dentro em pouco tempo, o proselitismo do Cristo será chamado a colaborar nas esferas políticas do mundo, para dissipar a treva e a confusão da sua rede de enganos...

"Nessa época, meus irmãos, talvez a doutrina do Mestre venha a sofrer o insulto daqueles que navegam no vasto oceano dos poderes terrestres, cheios de vaidade e despotismo. É possível que espíritos turbulentos e endurecidos tentem subverter os valores da nossa fé, desvirtuando-a com as exterioridades do politeísmo, mas ai dos que operarem semelhante atentado, em face das verdades que nos orientam e consolam!...

"Nos esforços da fé, jamais esqueçamos a exortação do Senhor às mulheres de Jerusalém, que pranteavam ao vê-lo avergado sob o madeiro infamante: 'Filhas de Jerusalém, não choreis por mim! Chorai por vós mesmas e por vossos filhos, porque dias virão em que se dirá: – Ditosas as estéreis, ditosos os ventres que nunca geraram e os seios que nunca amamentaram! – Pôr-se-ão todos os homens a dizer aos montes: – Caí sobre nós! – e às colinas: – Cobri-nos! Porque, se assim procedem com o lenho verde, que se fará, então, com o lenho seco?!'

"Ai de quantos abusarem em nome daquele que nos assiste do Céu e conhece nossos mais recônditos pensamentos, pois, mais tarde, conforme o prometeu, a luz do Alto se derramará sobre toda a carne e a voz dos Céus será ouvida na Terra, por meio dos mais doces ensinamentos e das mais elevadas profecias! Se falharem os homens, hão de vir até nós os exércitos de seus anjos, atestando a sua misericórdia...

"É que, meus irmãos, o Reino de Jesus deve ser fundado sobre os corações, sobre as almas, e não poderá conciliar-se nunca, neste mundo, com qualquer expressão política de egoísmo humano ou de doutrinas de violência, que estruturam os Estados da Terra!

Cinquenta anos depois

"O Reino do Senhor sofrerá, por muito tempo, 'a abominação do lugar santo', pela falsa interpretação dos homens, mas chegará a época em que a Humanidade, hoje decadente e corrompida, se sentirá a caminho de uma Jerusalém gloriosa e libertada!...

"Guardemos na mente a convicção de que o Reino de Jesus não está nos templos ou nos manuscritos materiais que o tempo se incumbirá de aniquilar em sua passagem incessante, e sim que os alicerces divinos têm de ser construídos no íntimo do homem, de modo que cada alma possa edificá-lo por si mesma, à custa de esforços e lágrimas, a caminho das moradas gloriosas do Infinito, onde nos aguardarão, depois da jornada, as bênçãos do Cordeiro de Deus, que se imolou na cruz, para nos redimir do infortúnio e do pecado!..."

Depois de uma prece, Nestório terminava sob o olhar carinhoso e comovido de quantos lhe acompanharam a palavra fluente, através das considerações de ordem evangélica.

Alguns assistentes choravam sensibilizados, casando as impressões do orador com as suas próprias.

Nessas assembleias primitivas, quando o messianismo doutrinário estava saturado de ensinamentos puros e simples, o expositor da Boa-Nova era obrigado a elucidar os pontos evangélicos em relação com a vida prática de alguém que estivesse em dúvida.

Assim foi que, após a elocução, numerosos confrades se acercaram do pregador, solicitando-lhe a opinião fraterna e simples.

– Meu amigo – perguntava um dos estudiosos presentes –, como explicar a diferença sensível entre os *Evangelhos de Mateus e de João*, ou entre as narrações de Lucas e as epístolas de Paulo? Não foram todos Apóstolos do ensinamento cristão e inspirados do Espírito Santo?

– Sim – esclareceu o interpelado –, mas convenhamos que a cada trabalhador concedeu Jesus uma tarefa. Se Lucas e Mateus nos mostraram o pastor de Israel encaminhando as ovelhas tresmalhadas ao aprisco da verdade e da vida, Paulo e João nos revelaram o Cristo Divino, Filho do Deus vivo, na sua sublimada missão universalista, a redimir o mundo.

– Nestório – obtemperava outro, pouco zeloso da paz interior pela meditação e pelo estudo –, que será de mim, vitimado pelas intrigas e calúnias dos vizinhos?... Quero aprender e progredir na fé, mas a provação da maledicência não mo permite.

— E, acaso poderás ir a Jesus, deixando-te encarcerar pelas opiniões do mundo?! – explicava solícito o liberto de Helvídio. – A ciência do bem viver não está somente em não nos incomodarmos com os pensamentos e atos de quem quer que seja, mas em deixar, também, que os outros se importem constantemente com a nossa própria vida.

— Mestre – exclamava ainda uma senhora de semblante idoso e triste, dirigindo-se ao ex-escravo –, meus sofrimentos extravasam do cálice!... Rogai por mim para que Jesus me atenda às rogativas!...

— Irmã – respondia Nestório algo veemente –, esquecestes que Jesus recomendou jamais nos chamássemos "mestres" uns aos outros? Não sou senão servo humilde dos seus servos, indigno de sacudir o pó das sandálias do único e Divino Mestre. Não vos entregueis a tristezas e lamentações, porque, no problema da fé, somente vós mesma podereis dar a Jesus o testemunho do vosso amor e da vossa confiança. Ademais, importa lembrar que a Terra não é o paraíso, atentos à recomendação do Messias de que, para atingir a ventura celestial, é preciso tomar com humildade a nossa cruz, e segui-lo.

Nesse instante, rompendo a multidão de crentes em redor, Nestório reconheceu Célia e Túlia, que se acercavam atenciosamente. O liberto saudou-as tomado de surpresa, enquanto a jovem lhe dirigiu palavras de júbilo e simpatia.

— Nestório! – exclamou Célia radiante – por que nunca me falaste das tuas convicções, da tua fé?

— Filha, sem embargo do meu fervor cristão, não podia menosprezar os princípios da família que me concedeu a liberdade.

Ambos estavam alegres e felizes, experimentando o contentamento da mútua comunhão na mesma fé, quando uma surpresa maior lhes abalou o espírito.

Enquanto a maioria dos companheiros se punha a caminho, de regresso à cidade, pois que a madrugada se avizinhava, destacava-se de todos os grupos um jovem forte e simpático, que se aproximou da tribuna com os olhos fulgurantes de ansiedade e alegria. Acercou-se de Nestório e de Célia, com os braços estendidos, ao mesmo tempo que o liberto e a jovem patrícia exclamavam, com a mesma voz, tocada de emoção e profundo júbilo:

— Ciro!... Ciro!...
— Meu pai! Célia!

E o mancebo quase os reuniu no mesmo amplexo de amor e felicidade.

Túlia Cevina contemplava a cena comovedora, com o coração em sobressalto. Alba Lucínia já lhe falara do drama íntimo da filha e a mulher de Maximus custava a conformar-se com a circunstância de haver conduzido a jovem àquele encontro de consequências imprevisíveis.

A ausência de Policarpo, que a inibia de solicitar a prece pela ventura doméstica da amiga, segundo a sua fé, o fato de se haverem avistado com Nestório, quando preferia o segredo de sua presença ali e o encontro inesperado de Ciro eram acontecimentos que a contrariavam profundamente, mas Célia, radiante, sem poder traduzir o seu júbilo com o saber que Nestório era pai do seu noivo espiritual, apresentou-lhe o jovem que a patrícia foi obrigada a saudar atenciosamente, em virtude das circunstâncias.

O ex-cativo abraçava o filho com os olhos úmidos de pranto, enviando a Jesus o seu íntimo reconhecimento e manifestando a sua real surpresa ao saber que o filho era também um liberto de Helvídio Lucius, aumentando, assim, o seu reconhecimento pelos seus libertadores.

E, enquanto todos se retiravam, o grupo palestrava com crescente interesse.

A uma pergunta de Célia, o jovem explicou que no porto de Cesareia fora entregue ao comandante Quinto Vetus, que, amigo pessoal de Helvídio, fizera absoluta questão de lhe conservar a liberdade, conduzindo-o às costas da Campânia, com excepcional gentileza. Dali, uma embarcação o trouxera até Óstia, entre o pessoal da equipagem, deliberando ele então permanecer em Roma, na vaga esperança de obter notícias do pai ou daquela que lhe enchia o coração de lembranças carinhosas e perenes.

Célia sorria satisfeita, sentindo-se, naquele cemitério ermo e triste, a mais ditosa das criaturas.

O luar, porém, já havia desaparecido. Apenas as estrelas, no manto escuro do firmamento, brilhavam com cintilações mais intensas, preludiando o dealbar da aurora.

Túlia Cevina lembrou, então, a conveniência de regressarem quanto antes.

Nestório sentia-se possuído do imenso desejo de ouvir o filho a respeito de todos os fatos do passado, de modo a conhecer os mais íntimos pormenores da sua separação dolorosa e longa, mas, observando a sua intimidade com a jovem patrícia, abstinha-se de muitas palavras, guardando atitude expectante e calma, embora adivinhasse o romance de amor daquelas duas criaturas mal saídas da adolescência. O ex-escravo mantinha a sua atitude reservada e, enquanto Túlia Cevina se mostrava apreensiva, os dois jovens falavam, em todo o trajeto, de suas reminiscências ou de suas esperanças em Jesus, à claridade amiga das estrelas que empalideciam no firmamento.

De mistura com os regressantes, vinham, agora, campônios descuidados e felizes, que se dirigiam ao pequeno perímetro urbano nas primeiras horas da madrugada, levando os produtos do seu campo para as feiras. Todavia, no grupo das nossas personagens, ninguém observou que dois vultos as seguiam de perto com insistente atenção, embora irreconhecíveis, em razão dos capuzes que lhes cobriam o rosto.

Nestório e Ciro acompanharam as duas patrícias até as proximidades da residência de Helvídio Lucius, onde Túlia Cevina se recolheu, em identidade de circunstâncias, obedecendo ao plano preestabelecido, voltando pai e filho pelos mesmos caminhos, até próximo da Porta Salária, onde se acomodaram no apartamento do primeiro.

Foi aí que Nestório, absolutamente insone, em virtude das emoções daquela noite, ouviu a narrativa do filho até o amanhecer, capacitando-se de que uma nova fase de sacrifícios lhe seria imposta pelas circunstâncias em jogo.

O Sol já havia espalhado seus raios de ouro por toda parte, quando o liberto de Helvídio, algo acabrunhado, apesar do júbilo de rever o filho estremecido, falou-lhe, abraçando-o com ternura:

– Meu filho, regozijo-me no Senhor pela alegria de te encontrar livre e salvo, com o pensamento iluminado pelas nossas profundas esperanças em Jesus Cristo, mas temo por ti, doravante, como pai extremoso e desvelado.

"Acredito que, apesar da fé que me testemunhas, não soubeste dominar o coração moço e idealista, no momento oportuno, pois, já que entendias a vida qual a compreendes agora, estavas apto a reconhecer a inutilidade de qualquer fantasia no que se refere às venturas transitórias do mundo!... Mas, por outro lado, louvo-te a conduta honesta e rejubilo-me com o teu esforço na santificação do teu afeto.

"Sou de opinião que seremos agora chamados aos mais penosos testemunhos de coragem moral, porquanto a família de Célia não toleraria, jamais, uma pretensão tua...

"Descansa, filho! Precisas de energia e de repouso! Quanto a mim, o sono agora ser-me-ia impossível... Aproveitarei o tempo para ir ao Velabro, onde me guiarei por tuas informações, a fim de transportar para aqui os objetos que te pertencem e, ao mesmo tempo, avisarei o censor Fábio Cornélio da impossibilidade de trabalhar hoje."

E, acentuando as palavras com um sorriso de satisfação, rematava:

– Doravante, estaremos sempre juntos para a mesma tarefa e aqui permaneceremos até quando Jesus no-lo permita.

Ciro, em resposta, beijou-lhe as mãos comovidamente.

Antes de se dirigir ao Velabro, que era um dos bairros mais pobres e mais populares de Roma, o liberto procurou a Prefeitura dos pretorianos, ali se avistando com o lictor Domítio Fulvius, pessoa de confiança dos seus chefes, solicitando-lhe cientificasse ao censor o seu impedimento naquele dia e providenciando, em seguida, para que a mudança do filho para sua casa se efetuasse com a possível presteza.

Sentia o coração apreensivo e amargurado em face dos acontecimentos e, todavia, colocava a fé acima de tudo, rogando a Jesus lhe concedesse a inspiração devida, para o aclaramento de todos os problemas.

Quanto a Túlia Cevina, algo desapontada, informou a amiga, pela manhã, dos fatos singulares que haviam ocorrido. Alba Lucínia ouvia-a assaz surpreendida, experimentando o coração pejado de amargas expectativas. Chamou a filha ao seu gabinete de repouso, mas, notando-lhe a serenidade e recebendo-lhe a promessa de guardar inteira observância às recomendações paternas, buscou tranquilizar-se a si mesma, de modo a minorar as próprias mágoas.

Chegando ao seu gabinete, manhã alta, Fábio Cornélio foi procurado com insistência por Pausânias, que, ainda em Roma, guardava a chefia dos servos da casa de seu genro, e que lhe falou, depois de respeitosa reverência:

– Ilustre censor, aqui venho obedecendo a um desígnio sagrado dos deuses, a fim de vos informar de graves acontecimentos ocorridos esta noite.

– Mas como? Graves acontecimentos? – perguntou o sogro de Helvídio visivelmente impressionado.

E Pausânias relatou-lhe, então, todo o ocorrido, asseverando haver seguido as duas senhoras, dado o seu zelo carinhoso por todos os assuntos atinentes ao nome e à posição de seu amo, saturando as suas afirmativas de expressões bajuladoras ou exageradas, para melhor impressionar a sua autoridade e o seu prestígio.

– Nestório é cristão? – interrogou o censor admirado. – Custa-me a acreditá-lo.

– Senhor, pelas graças de Júpiter, estou afirmando a verdade! – respondeu Pausânias com a sua atitude humilde à frente do mais poderoso.

– Helvídio agiu muito precipitadamente – falou o orgulhoso patrício como se estivesse falando para si mesmo – conferindo a tal homem tamanha responsabilidade em nossa esfera de trabalho, todavia, tomarei ainda hoje todas as providências que o caso requer e agradeço os teus bons serviços.

Pausânias retirou-se, enquanto Fábio Cornélio, que também não ignorava o romance de Ciro e da neta, tomou-se de cólera contra os dois ex-escravos, que lhe vinham perturbar a tranquilidade doméstica.

Considerando a ausência do genro, que ainda se conservava em Tibur, deu todas as providências julgadas indispensáveis, sem vacilar no cumprimento de suas íntimas decisões, em relação ao assunto.

Nas primeiras horas da tarde, um destacamento de pretorianos chegava à habitação coletiva, onde se alojavam pai e filho, em cumprimento das ordens emanadas da justiça imperial.

Chamados, os dois libertos compreenderam a gravidade da situação, concluindo que alguém os houvera denunciado e traído. Abraçaram-se em prece mútua, como se desejassem renovar os protestos de confiança e de fé na Providência Divina, prometendo-se um ao outro o máximo de coragem e resignação nos transes angustiosos que entreviam à frente.

Junto dos soldados, perguntou Nestório, com serenidade, ao lictor que os chefiava:

– Que me queres, Pompônio?

– Nestório – replicou o chefe do destacamento, seu conhecido pessoal e seu amigo –, venho da parte do censor Fábio Cornélio, que ordenou tua prisão, bem como a de teu filho, recomendando-nos o máximo cuidado para que não fugissem.

Em seguida, mostrou-lhes a ordem manuscrita, desenrolando o pergaminho, ao que o liberto retrucou:

– Porventura chegaste a supor que te resistiríamos? Guarda a ordem e não te preocupes com a espada, pois a melhor arma não é a de quem ordena, mas de quem sabe obedecer.

Isso posto, os prisioneiros se colocaram à frente dos soldados, em direção à Prefeitura, onde o censor fazia questão de interrogar, a sós, o ex-auxiliar do seu cargo.

Separado de Ciro, recolhido a uma antessala sob a vigilância dos pretorianos, foi Nestório conduzido a um compartimento amplo, onde, minutos após, chegava o velho romano, evidenciando no olhar a cólera dos seus brios ofendidos.

— Nestório! — exclamou rudemente — fui informado de graves ocorrências verificadas esta noite. Não posso compreender a situação sem te ouvir de perto, de maneira a inutilizares, negativamente, as denúncias trazidas à minha autoridade.

— Interrogai, senhor — disse o ex-cativo com respeitosa tranquilidade —, e vos responderei com a sinceridade do meu caráter.

— És cristão? — perguntou o censor com profundo interesse.

— Sim, pela graça de Deus.

— Que absurdo! — revidou Fábio Cornélio escandalizado. — E por que nos enganaste dessa forma? Consideras razoável zombar da consideração que nos é devida? É assim que retribuis a estima e confiança a ti dispensadas?

— Senhor — retrucou o ex-cativo penalizado —, sempre pautei minhas atitudes no maior respeito às posições e crenças alheias; quanto a vos haver iludido, peço vênia para esclarecer melhor as vossas afirmativas, pois ninguém, até hoje, me exigiu, aqui, qualquer declaração concernente às minhas convicções religiosas.

Fábio Cornélio compreendeu a serenidade do homem que tinha à sua frente, considerando inútil apelar para essa ou aquela circunstância, a fim de lhe arranjar uma negativa, para remediar a situação delicada entre ambos, e, mirando-o de alto a baixo com profunda altivez, acentuou com energia:

— Considero as tuas afirmações afrontosas à minha autoridade, além de estar recebendo, simultaneamente, de tua parte o máximo de ingratidão para com quem te ofereceu a mão de benfeitor e amigo.

— Mas, senhor, será insulto, porventura, o dizer-se a verdade? — perguntou Nestório ansioso por se fazer compreendido.

— E sabes a punição que te espera? — revidou o velho censor mal-humorado.

— Não posso temer os castigos do corpo, tendo a consciência tranquila e edificada.

— Isso é demais! Tua palavra será sempre a de um escravo intratável e odioso!... Basta! Cientificarei Helvídio do teu detestável procedimento.

E chamando Pompônio Gratus para ouvir-lhe as declarações, o orgulhoso patrício retirou-se do recinto, pisando forte, enquanto Nestório foi obrigado a relatar a sua condição de adepto e propagandista do Cristianismo, reafirmando ser pai de Ciro e fornecendo outros informes, de maneira a satisfazer a autoridade com a exposição dos seus antecedentes.

— Nestório! — exclamou Pompônio Gratus, assumindo ares de importância, na qualidade de inquiridor para o caso no momento — não ignoras que as tuas afirmativas constituirão a base de um processo, cujo resultado será a tua condenação. Sabes que o Imperador tem sido justo e magnânimo para todos os que se arrependem a tempo de atitudes como a tua, desarrazoadas e infelizes. Por que não renuncias, agora, a semelhantes bruxedos?

— Negar a fé cristã seria trair a própria consciência — replicou o liberto calmamente. — Além disso, nada fiz que me pudesse induzir ao arrependimento.

— Mas não eras um escravo? Se vieste de condição penosa e miseranda, por que não transigir com as tuas ideias pessoais em sinal de gratidão para com aqueles que te deram a independência?

— No cativeiro nunca deixei de cultivar a verdade, como a melhor maneira de honrar os meus senhores, mas, ainda assim, sempre tive um outro jugo, suave e leve – o de Jesus. E agora, acredito que o Divino Senhor me convoca ao testemunho!...

— Cavas o abismo de teus males com as próprias mãos – disse o lictor com indiferença.

E acentuando as palavras, com o mais fundo interesse, acrescentou:

— Agora, faz-se mister digas onde se reúnem essas assembleias, para que as autoridades se orientem na campanha de expurgar a cidade dos elementos mais perigosos.

— Pompônio Gratus – replicou Nestório altivamente –, não posso esclarecer-te neste particular, pois o sincero adepto de Jesus não conhece a delação, nem sabe fugir à responsabilidade da sua fé, acusando seus irmãos.

O lictor irritou-se, revidando com acrimônia:

— E não temes os castigos que te forçarão a fazê-lo em tempo oportuno?

— De modo algum. Chamados ao testemunho de Jesus Cristo, não podemos temer conveniências mundanas.

Pompônio, contudo, esboçou um gesto expressivo, como quem se havia lembrado de uma providência nova, e acentuou:

— Aliás, temos outros recursos para encontrar esses conspiradores idiotas. Ouviremos, ainda hoje, nesta chefia, os que prestaram as devidas informações a teu respeito.

— Sim — replicou o liberto sem se perturbar —, esses poderão esclarecer melhor a justiça do Império.

Em seguida, um grupo de soldados armados a caráter saía da Prefeitura, escoltando os dois acusados até a Prisão Mamertina, onde foram alojados num dos mais úmidos calabouços.

Não bastaram somente os novos informes de Pausânias, que o lictor Pompônio Gratus, conforme autorização do censor Fábio Cornélio, fizera questão de convocar para lhe facilitar as investigações.

Nesse mesmo dia um vulto penetrava na residência de Lólio Úrbico, ao cair das sombras do crepúsculo, para dar idêntica denúncia.

Era Hatéria, que, independentemente de Pausânias, também fora às catacumbas, em desempenho das suas atividades odiosas, pondo em jogo a sua habilidade e astúcia para trazer Claudia Sabina inteirada de quanto ocorria.

Assim que, antes de regressar a Tibur, após uma semana de repouso no lar, a antiga plebeia notificou a Quinto Bíbulo os ajuntamentos do Cristianismo além da Porta Nomentana, pintando-lhe quadros terroristas, de feição a exacerbar o receio das conjuras, que caracterizava os administradores políticos da época.

Numerosos destacamentos de pretorianos compareceram ao cemitério abandonado, na reunião subsequente.

Centenas de prisões foram efetuadas.

Os calabouços escuros do Capitólio e os cárceres do Esquilino ficaram repletos e a circunstância mais grave é que, entre os prisioneiros, figuravam pessoas de todas as classes sociais.

Irritado, o Imperador mandou que se instaurassem processos individuais, a fim de apurar todas as responsabilidades isoladas, designando numerosos dignitários da Corte para a devassa imprescindível.

Élio Adriano nunca procedeu como Nero, que ordenava o extermínio dos cristãos sem cogitar da culpa de cada indivíduo, de conformidade com os dispositivos legais, conforme a evolução jurídica do Estado romano, mas também não perdoou, jamais, aos adeptos do Cristo que tivessem a coragem moral de não trair a sua fé, perante a sua autoridade, ou de seus prepostos.

O inquérito começou terrível e sombrio.

Famílias desesperadas de dor acorriam às prisões, implorando piedade aos algozes.

Quantos abjurassem da crença em Jesus, diante da imagem de Júpiter Capitolino, jurando-lhe eterna fidelidade, podiam regressar livremente ao lar, retomando os bens da liberdade e da vida; os que não se prosternassem ante o ídolo romano, mantendo inabalável a fé cristã, podiam contar com o flagício e, quiçá, com a morte.

Entre mais de três centenas de criaturas, apenas 35 reafirmaram a sua fé em Jesus Cristo, com sinceridade e fervor irredutíveis.

Para essas, as portas do cárcere se fecharam, sem piedade e sem esperança. Entre os condenados, estavam Nestório e seu filho, que, fiéis a Jesus, se fortaleciam nos seus desígnios misericordiosos, convictos de que qualquer sacrifício no mundo, em favor da sua causa, era uma porta aberta para a luz e para a liberdade.

VI
A visita ao cárcere

A notícia desses acontecimentos repercutiu na residência de Helvídio Lucius, originando as mais tristes inquietações e angustiosas expectativas.

Apesar da fé que lhe fortalecia o coração, a jovem Célia sentiu-se tocada de profunda amargura e a sua única consolação era a possibilidade de ouvir o avô paterno, que, a esse tempo, já lia avidamente os *Evangelhos* e as epístolas de Paulo, agasalhando no íntimo a mesma fé que iluminava já tantos heróis e mártires.

Ambos, horas a fio, em confidências cariciosas, deixavam-se ficar no terraço palaciano do Aventino, a observar a fita extensa e clara do Tibre, ou embevecendo-se na contemplação do céu. O venerando Cneio Lucius reconfortava-lhe o espírito abatido, com a sua palavra conceituosa e experiente. Citavam agora os mesmos textos evangélicos, exteriorizando, simultaneamente, análogas impressões.

Quanto a Alba Lucínia, depois de ouvir as mais enérgicas exprobrações do velho pai, concernentes às denúncias de Pausânias, sentia-se mais confortada com a certeza de que o marido regressaria breve e definitivamente ao lar, obedecendo a inesperadas ordens do governo imperial.

A pobre senhora atribuía esse júbilo às preces de Túlia e da filha, agradecendo ao novo deus, na intimidade de seu espírito, porquanto o regresso de Helvídio era um bálsamo para o seu coração atormentado.

Com efeito, decorridos poucos dias, o tribuno voltava aos penates com um suspiro de satisfação e de alívio, depois de cumprir integralmente todas as obrigações que o prendiam ao recanto das predileções do César.

Informado a respeito de Nestório e da sua atitude, o patrício se surpreendeu penosamente, desejando com sinceridade desviar o ex-cativo da situação delicada em que se encontrava, mas, logo que soube que era também o pai de Ciro, ressurgido em Roma para lhe agravar as preocupações morais, Helvídio Lucius fez um gesto de espanto e de incredulidade. Entretanto, ouviu, até o fim, a narrativa do sogro, molestando-se profundamente com a conduta da esposa em permitir que a filha comparecesse a uma reunião condenável, a seu ver.

Alba Lucínia, todavia, soube acatar todas as reprimendas com a humildade necessária à harmonia doméstica e, longe de o desgostar ainda mais com qualquer lamentação, calou as próprias mágoas, ocultando-lhe o procedimento odioso de Lólio Úrbico, bem como os seus receios a respeito de Claudia Sabina, em vista das confidências de Túlia que lhe haviam ferido profundamente o coração. A nobre senhora, nas suas elevadas qualidades de devotamento ao lar e de reflexão nos problemas gerais da vida, operou verdadeiros milagres de afeto e dedicação, para que a tranquilidade espiritual voltasse ao íntimo do esposo amado.

No dia seguinte ao seu regresso, Helvídio Lucius tomou todas as providências para avistar-se com Nestório na Prisão Mamertina.

O aparecimento de Ciro, na capital do Império, representava para ele um fato inverossímil. Não podia crer que o seu liberto de confiança, cujas atitudes lhe haviam conquistado a maior simpatia, pudesse ser o pai de um homem que o seu coração detestava. Queria, assim, certificar-se da verdade por si mesmo. Além do mais, se os acontecimentos não fossem verdadeiros, empenharia todo o seu prestígio pessoal junto do Imperador, a fim de evitar o martírio e a morte do prisioneiro.

A realidade, porém, haveria de contrariar esse intuito, sem resquícios de fantasia.

Chegado ao presídio, conseguiu de Sixto Plócio, oficial que superintendia o estabelecimento, uma licença incondicional, de modo a se avistar com o prisioneiro como bem entendesse.

Dentro em pouco, atravessava corredores e descia escadas subterrâneas, ladeando celas imundas, onde a luz era de uma escassez terrível e clamorosa, e não tardou a encontrar Nestório ao lado do filho. Ambos estavam magros, desfigurados, a tal ponto que o patrício, fosse pelo abatimento físico do rapaz, fosse pelas sombras que os cercavam, não reconheceu Ciro de pronto, dirigindo-se ao liberto nestes termos, que profundamente o comoveram:

— Nestório, já sei os motivos que te trouxeram ao cárcere, mas não hesitei em vir até aqui para ouvir-te pessoalmente, tal a estranheza que me causou a relação das ocorrências!

Havia nas suas palavras um tom de sensibilidade e de simpatia feridas, que o ex-escravo recebeu como bálsamo dulcificante para o seu coração.

— Senhor — respondeu respeitosamente —, agradeço do íntimo da alma o vosso impulso generoso... Nestas celas jazem também loucos e leprosos, e, contudo, não vacilastes em trazer ao vosso mísero escravo a palavra de exortação e de conforto!...

— Nestório — continuou Helvídio com generosa deferência —, meu sogro relatou-me, a teu respeito, certos fatos que me custa acreditar, a despeito de sua honorabilidade de homem público e do seu paternal interesse para comigo.

Nesse ínterim, pai e filho contemplavam, ansiosos, aquele de quem poderia depender a sua liberdade, notando-se que Ciro se encolhera a um canto, temendo a atitude de ansiedade suspeitosa com que Helvídio Lucius o observava.

O tribuno prosseguiu:

— Não pude aceitar, integralmente, o que me disseram e vim certificar-me, por mim mesmo, com o teu depoimento pessoal.

E, acentuando as palavras, perguntou abruptamente:

— És de fato cristão?

— Sim, senhor — murmurou o interpelado, como se respondesse constrangidamente, em face de tão grande generosidade. — Prometi a Jesus, no sacrário da consciência, que não renegaria a minha fé em tempo algum.

O tribuno esfregou o rosto, num gesto muito seu, quando contrariado, acrescentando em tom de mágoa:

— Nunca pensei que houvera colocado um cristão na intimidade do meu lar e, no entanto, vim até aqui sinceramente desejoso de pleitear a tua liberdade.

— Agradeço-vos, senhor, de todo o meu coração e jamais esquecerei o vosso alvitre — ajuntou Nestório com dolorosa serenidade.

— Interessando-me pela tua sorte — prosseguiu Helvídio constrangidamente —, procurei o senador Quirino Brutus, incumbido pela autoridade imperial da instrução do processo atinente aos agitadores do Cristianismo, vindo a saber, ainda ontem, que 13 dos implicados receberam a sentença de banimento perpétuo e 22 foram condenados à morte pelo suplício.

Apesar do seu fervor religioso, ambos os prisioneiros ficaram lívidos.

Helvídio Lucius, porém, continuou imperturbável:

— Entre estes últimos, vi o teu nome e o de um rapaz que me disseram ser teu filho. Que me dizes a tudo isso? Não desejarás, porventura, abjurar uma fé que nada te facultará a não ser a morte infamante pelos suplícios mais atrozes? E esse homem que te acompanha? Será de fato teu filho? Dize uma palavra que me esclareça ou me proporcione elementos para uma defesa justa...

— Senhor — acudiu o liberto invocando todas as suas energias para não fracassar no testemunho —, minha gratidão pelo vosso interesse generoso há de ser eterna! Vossas palavras me sensibilizam todas as fibras do coração!... Ouvindo-vos, sinto que deveria seguir vossos passos com humildade e submissão, através de todos os caminhos, mas é também por amor que não posso ceder em minha fé, à própria tentação da liberdade!... Jesus exerce em mim um jugo divino e suave... Embora vos ame, senhor, não posso trair a Jesus nas atuais circunstâncias de minha vida... Se o Mestre de Nazaré deixou que o imolassem na cruz, puro e inocente, pela redenção de todos os pecadores deste mundo, por que me haveria de escusar ao sacrifício, quando me sinto cheio da lama do pecado? Jamais poderei, em consciência, abjurar uma fé que constitui a luz de minha alma, por toda a vida!... A morte não me atemoriza, porque, além do martírio e do sepulcro, esplende uma alvorada imortal para o nosso espírito!

Helvídio Lucius ouvia, surpreso, aquela demonstração de esperança numa vida espiritual, que sua mentalidade estava longe de compreender, enquanto Nestório continuava a falar, pousando, então, no rapaz que o acompanhava, os olhos úmidos e ternos:

— Entretanto, senhor, sou pai e, como pai, sou ainda muito humano! Não vos interesseis por mim, imprestável e doente, para quem a condenação à morte pela causa de Jesus deve representar uma bênção divina!... Mas, se vos for possível, salvai meu filho, de modo que ele viva para vos servir!...

Ciro acompanhava a atitude paterna com idêntico espírito de fervor e decisão, como que desejoso de protestar contra aquela rogativa, demonstrando também preferir o sacrifício, mas o liberto continuava entre lágrimas mal contidas, dirigindo-se ao tribuno, que o ouvia eminentemente impressionado.

– Agora, senhor, sei de todo o pretérito amargurado e doloroso e lamento o proceder de meu filho na vossa casa de Antipátris!... Mas peço-vos perdão para as inquietudes da sua mocidade!... Meu pobre Ciro obedeceu à impulsividade do coração, sem dar ouvidos ao raciocínio, com que se deveria aconselhar, mas, na amargura destas masmorras sombrias, deu-me a sua palavra de que, se volver à liberdade, nunca mais erguerá os olhos para a criança adorável, que é um arcanjo do Céu no âmbito do vosso lar... Se assim o exigirdes, senhor, Ciro poderá sair de Roma para sempre, de maneira a nunca mais vos perturbar a felicidade doméstica!...

Helvídio Lucius, porém, fechara o semblante, em atitude de quem tomara implacável decisão.

Da generosidade mais pura, passara à negativa mais violenta, dada a presença do seu ex-cativo de Antipátris, a quem os seus princípios não poderiam tolerar, nunca.

– Nestório! – exclamou em tom quase rude – sabes da simpatia que sempre me inspiraste, mas, se nunca te supus cristão e conspirador, muito menos chegaria a pensar que pudesses ter engendrado um homem como esse. Como vês, não posso intervir a favor de ambos... Certas árvores morrem, às vezes, pelo apodrecimento dos galhos!... Vim aqui para socorrer-te, mas encontrei uma realidade intolerável para o meu espírito. Destarte, preferirei esquecê-los, antes de tudo.

– Senhor... – murmurou ainda o liberto, como se desejasse reter a sua amizade, pedindo-lhe perdão, para morrer com a certeza de que o tribuno lhe havia reconhecido o sincero agradecimento.

Helvídio Lucius, contudo, lançando a ambos um olhar contrafeito, ajustava a toga para retirar-se quanto antes, exclamando impulsivamente:

– É impossível!

Dito isso, deu costas aos prisioneiros e, chamando os dois guardas que o acompanhavam, retirou-se apressado, enquanto os dois condenados alongaram o olhar para fixar-lhe o porte firme e austero, e aguçaram o ouvido para escutar os seus derradeiros passos nas lajes da prisão, como se percebessem, pela última vez, a esperança que os poderia reconduzir à liberdade.

Nestório sentia-se sufocado, mas a nuvem de suas lágrimas, como que se rompera para atenuar-lhe as amarguras, enquanto Ciro se lhe lançava aos pés, beijando-lhe as mãos, a murmurar:

– Meu pai! Meu pai!...

Ambos desejavam retornar ao sol claro da vida, sentir as emoções da Natureza, mas o ambiente abafado do cárcere asfixiava.

Todavia, na tarde imediata, Sixto Plócio, recebendo as determinações da justiça imperial, separava os treze prisioneiros destinados ao exílio perpétuo, reunindo os demais numa cela menos triste e largamente espaçosa.

Os dois libertos foram retirados do cubículo em que se encontravam, transportados para junto dos demais condenados.

A nova cela também ficava na parte subterrânea, mas, de um dos seus lados, podia ver-se o céu através de reforçadas grades.

Descera o crepúsculo, entornando sobre a cidade as suas tintas maravilhosas, mas todos aqueles corações atormentados contemplaram o casario e o horizonte, tomados de infinita alegria.

Ao longe, no firmamento, acendiam-se, na tela muito azul, as primeiras estrelas!...

Policarpo, o venerável pregador da Porta Nomentana, transportado do Esquilino para o Capitólio, a fim de reunir-se aos companheiros, traçou no ar uma cruz com a mão calosa e encarquilhada... Então, todos os irmãos de fé, em cujo número se contavam algumas mulheres, se prosternaram e, contemplando o céu romano, formoso e constelado, começaram a cantar hinos de devoção e de alegria. Esperanças versificadas, que deviam subir a Jesus, traduzindo o amor e a confiança daqueles corações resignados, que viviam embevecidos nas suaves promessas do seu Reino...

Aos poucos, as vozes se elevavam, harmoniosas e argentinas, nas estrofes de hosana e de esperança! Seres espirituais, imperceptíveis, ajoelhavam-se junto dos condenados, a cujos ouvidos chegavam os ecos suaves das cítaras do Invisível...

Então, alguns pretorianos que lhes montavam guarda, escutando-lhes os cânticos de fé, compararam a voz daqueles corações angustiados a soluços de rouxinóis apunhalados em pleno luar, na vastidão do espaço.

Enquanto os prisioneiros aguardam o dia reservado ao sacrifício, acompanhemos nossas personagens no desdobramento de sua vida cotidiana.

Depois de uma visita a Tibur, Élio Adriano certificou-se do valioso concurso de Helvídio Lucius às suas caprichosas edificações, convidando-o a visitá-lo com a família, a fim de lhe testemunhar o seu reconhecimento.

No dia aprazado, com exceção de Célia, que não podia dissimular o seu abatimento, compareciam ao ágape, que o Imperador lhes oferecia, o tribuno e sua família, acompanhado de Caius Fabricius e Fábio Cornélio.

Adriano os recebeu com amabilidade extrema, versando as palestras da tarde sobre os mais variados assuntos atinentes à vida social e política do Império.

Em dado instante, após as libações habituais, Adriano dirigiu-se a Helvídio Lucius nestes termos:

— Meu amigo, o principal escopo do meu convite é agradecer-te a preciosa colaboração prestada aos meus planos em Tibur. Francamente, as tuas realizações excederam a minha expectativa mais otimista!

— Obrigado, Augusto! — respondeu o patrício emocionado e satisfeito.

E como se houvera transportado a sua palavra a objetivos diferentes, o Imperador obtemperou com evidente interesse:

— Quando se efetua o enlace de tua filha? Pretendo fazer uma viagem demorada pela Grécia, antes de me recolher a Tibur de modo definitivo, mas não desejaria partir sem contemplar a felicidade dos nubentes.

Designando Caius, que experimentava a maior alegria à vista do interesse imperial pela sua situação, Helvídio replicou:

— Augusto, muito nos honramos com a vossa generosa atenção. O enlace de minha filha depende tão somente do noivo, que está aliciando a experiência da vida, antes de atender aos reclamos do amor.

— Que é isso, Caius? — perguntou o Imperador num largo sorriso. — Que esperas ainda? Se Vênus[21] ainda não te bateu fortemente às portas da alma, não podes entreter com promessas o coração que te aguarda em primaveras de amor.

— Vossa palavra, ó César — respondeu o interpelado como um perfeito augustino —, conforta-me o espírito como os raios do sol, entretanto,

---
[21] N.E.: Deusa romana do amor.

tendo de substituir Vênus por Juno em meu santuário doméstico, aguardo a oportunidade propícia à minha tranquilidade futura.

Élio Adriano fez um gesto expressivo, fixando em Helvídio Lucius o seu olhar enigmático, e acrescentando:

— O ensejo esperado deve estar chegando agora. Afirmava a sabedoria dos antigos que melhor fala aos pais o bem que se faz aos filhos, razão por que tomo o dote da jovem Helvídia ao meu cuidado. Resolvi doar-lhe uma propriedade deliciosa nas imediações de Cápua, ao pé do Vulturno, onde o fruto das vinhas e das oliveiras bastaria para entreter a felicidade de uma família durante um século de existência, sem outras preocupações de ordem material.

Um sopro de alegria animou todos os semblantes, desenhando-se, com especialidade, nos de Helvídio Lucius e sua mulher, que se entreolharam felizes, tomados de sincero reconhecimento pela espontânea generosidade do Imperador, a quem Fábio Cornélio se dirigiu com a mais respeitosa cortesia, agradecendo em nome de todos a régia dádiva.

Caius Fabricius, não podendo conter a sua alegria, apertou as mãos da noiva, exclamando:

— Depois da palavra de Fábio, queremos confirmar nosso reconhecimento à vossa magnanimidade, ó Augusto! Vossa lembrança expressa a generosidade e o poder do senhor do mundo!... E já que depende de mim a fixação do matrimônio, marcá-lo-emos para o mês próximo, como vos apraz!... Todo o nosso desejo é que nos honreis com a vossa presença, porquanto, em face de vossa paternal proteção, sentimos que os deuses nos abençoam e guiam!...

— Sim — ponderou Adriano pensativo —, no mês vindouro pretendo realizar minha última viagem pela Itália e pela Grécia. Prometi aos amigos de Atenas que não me recolheria a Tibur antes de levar-lhes a minha visita derradeira! Antes de me ausentar, pretendo comemorar com festejos públicos a inauguração dos novos edifícios da cidade.[22] Aproveitaremos, então, a oportunidade para que se efetive a tua ventura.

Alba Lucínia tinha os olhos úmidos, abraçando a filha alegremente, e assim terminava o banquete com júbilo inexcedível.

---

[22] Nota do autor espiritual: Entre as numerosas edificações de Adriano, durante o seu reinado, conta-se, entre as mais importantes, o famoso Castelo de Santo Ângelo.

No dia imediato, o Imperador ordenou todas as providências para a doação e, enquanto Helvídio Lucius e família se preparavam convenientemente para o evento familiar, Caius Fabricius dirigia-se à antiga "Terra da Lavoira", a fim de conhecer a região em que ficava a sua futura vivenda.

Todavia, a par dos grandes júbilos, persistiam as graves preocupações e as grandes dores.

Helvídio e sua mulher não podiam forrar-se à contrariedade que os martirizava intimamente, ao verem que Célia definhava, apesar dos esforços que ela mesma fazia, mercê das energias poderosas da sua fé, a fim de não amargurar o coração dos genitores.

Comparando a filha a uma flor mirrada e triste, o tribuno aumentava o seu ódio às ideias cristãs, recordando Ciro com aversão e rancor. O doloroso contraste do destino de suas filhas era-lhe objeto de profundas meditações. Interessava-se por ambas, com o mesmo afeto, contudo, malgrado a boa intenção, a mais nova parecia afastada da sua devoção paternal. Não sabia frequentar os ambientes sociais, nem se integrava convenientemente no ritmo doméstico, como fora de desejar. Seus olhos jamais haviam manifestado qualquer interesse pelas fantasias da juventude e, mergulhados em cismas constantes, pareciam fixar-se noutros rumos, que o seu espírito paternal jamais pudera definir com acerto. Ao seu conceito, ela era vítima de umas tantas fraquezas que, no seu zelo, atribuía à influência dos princípios cristãos, no convívio dos escravos, lá na Palestina... Ainda bem que Helvídia seria ditosa e isso, de algum modo, o consolava!... Quanto a Célia, ele e a esposa mais tarde levá-la-iam a terras estranhas, onde a sua sensibilidade doentia pudesse modificar-se a contento.

Enquanto o tribuno desenvolvia todos os esforços por dissimular tais conjeturas, multiplicavam-se no lar os júbilos festivos.

Todavia, ao passo que aumentavam as esperanças e as alegrias familiares, Célia verificava que os seus padecimentos morais lhe superavam as próprias forças.

A notícia da condenação de Ciro, como conspirador, acabrunhava-lhe profundamente o coração. Além disso, bastaria uma palavra só, do Imperador, para que os terríveis suplícios se consumassem. Aquelas perspectivas angustiosas lhe anulavam todas as esperanças. Ao seu lado, o enxoval da irmãzinha cobria-se de pérolas e de flores! Por si, não lhe invejava a ventura, mas desejava conservar a vida do eleito do seu destino. Orava sempre, mas as suas preces estavam eivadas das angústias terrenas, sem a leveza suave de outros tempos, que as fazia ascenderem ao Céu. Agora, as vibrações espirituais mesclavam-se de ansiedades amargas e dolorosas!... Desejava ver Ciro, ouvir-lhe a palavra, saber da sua boca que o seu coração continuava forte e resignado diante da morte, a fim de que a sua alma haurisse ânimo na coragem dele, mas não podia pensar nisso. Os pais não lho consentiriam nunca. Tão penosas reflexões foram-lhe invadindo o cérebro, enfraquecendo-o.

Em poucos dias, o organismo não se mantinha de pé. Todavia, Alba Lucínia, com o bom senso que lhe caracterizava as iniciativas, lembrou a conveniência de transportá-la para o Aventino, onde se trataria convenientemente junto do velho avô e de Márcia, que a adoravam.

Aceito o alvitre, Cneio Lucius veio buscá-la pessoalmente, com paternal solicitude.

Em sua casa a jovem melhorara do estado febril que tanto a debilitava, mas o singular abatimento moral zombava de todos os cuidados do venerável ancião, que inventava mil modos de restabelecer a alegria da netinha adorável.

Certo dia, pondo em jogo os seus processos psicológicos cheios de ternura, acercou-se da neta, exclamando com profunda bondade:

– Célia, minha querida, pesa-me o coração ver-te assim abatida e doente, apesar de todos os esforços do nosso amor desvelado!

E como lhe visse as lágrimas brilhando à flor dos olhos, continuou carinhoso:

– Também eu, minha filha, no imo da consciência, sou hoje um adepto do Cristianismo, com todo o fervor do meu espírito! Conheço a essência dos evangelhos, levado pelas afetuosas sugestões da tua alma cândida e generosa!... Para mim, não valem mais, agora, os sacrifícios aos nossos velhos deuses silenciosos e frios, mas tão somente as ofertas do nosso próprio coração àquele que vela por nossos destinos, do seu trono das Alturas! Mas ouve, filhinha: não sabes que Jesus não quer a morte do pecador? Não lhe conheces o ensinamento, cheio de vida e de alegria?

E como se adivinhasse as mágoas que laceravam aquele coração afetuoso e crente, tinha também os olhos úmidos.

A neta recebeu-lhe as palavras como se fossem um bálsamo suave, respondendo-o:

— Sim, compreendo tudo isso e rogo a Jesus me conceda forças, a fim de encontrar nos seus exemplos a razão da minha própria vida...

Essa resposta, porém, ficava a meio, uma onda de lágrimas invadia-lhe os olhos grandes, serenos, como se hesitasse em confessar ao venerando velhinho a sua preocupação dolorosa e incessante.

Cneio Lucius, contudo, abraçou-a ternamente, ao mesmo tempo que ela murmurava em voz súplice:

— Avozinho, prometo ter fé e triunfar de todos os sofrimentos, mas desejava ver Ciro antes da sua morte!

O respeitável ancião compreendeu quão difícil seria satisfazer tal desejo, mas respondeu sem pestanejar:

— Vê-lo-ás comigo, amanhã pela manhã. Falarei a teus pais, ainda hoje, a esse respeito.

A jovem lançou-lhe um olhar jubiloso e profundo, no qual se podia ler a mais terna de todas as alegrias, misto de amor e gratidão.

À tarde, uma liteira saía do Aventino, conduzindo o venerável patrício à casa do filho, que, ao lado da esposa, lhe recebeu a rogativa com o mais fundo constrangimento a lhe transparecer no rosto.

Alba Lucínia, na sua sensibilidade de mulher, compreendeu de pronto que a concessão aos desejos da filha era justa, convindo atender àquela súplica ansiosa.

O tribuno, porém, relutava consigo mesmo e, se não opunha uma negativa formal, era tão somente em atenção ao interventor, que, além de pai, era também seu mestre e o melhor amigo de toda a vida.

— Meu pai — obtemperou depois de longa meditação —, esse pedido, articulado pela sua boca, me surpreende profundamente. Tal medida, posta em prática, atrairá sobre nossa casa e nome numerosos comentários e suspeitas. Que diriam os administradores do cárcere se vissem minha filha a interessar-se por um condenado?

— Filho — replicou Cneio Lucius imperturbável —, compreendo e justifico os teus escrúpulos, mas precisamos considerar que Célia pode piorar, fatalmente, se lhe recusarmos a satisfação desse desejo. Além disso, sou eu próprio que me proponho acompanhá-la. Quanto à nossa entrada na prisão, livre da curiosidade maledicente, já pensei no melhor meio de consegui-la. Levarei minha neta na qualidade de pupila da minha casa, como se fora filha de um sentenciado, pois bem sabemos que os prisioneiros não vão morrer como cristãos, mas como conspiradores e revolucionários. Com as prerrogativas de que disponho, penetrarei no cárcere em sua companhia, sem a presença importuna dos funcionários ou dos pretorianos, de modo que somente eu presenciarei o que venha a ocorrer entre ambos!

Helvídio ouvia-o silencioso. O venerável patrício, porém, sem desistir dos seus propósitos, tomou-lhe as mãos entre as suas, murmurando humildemente:

– Concorda! Não negues à tua filha, enferma, a satisfação de um desejo tão justo!... Além disso, filho, recorda-te que se trata de um simples encontro pela última vez...

Ao espírito do tribuno repugnava a ideia de que a filha fosse visitar o servo odiado, com o seu consentimento, mas havia tamanha ternura nas palavras paternas que o seu coração cedeu de chofre àquela atitude de carinho e de humildade.

Fixando o generoso velhinho, como se estivesse anuindo tão só por consideração a ele, seu pai e maior amigo, murmurou um tanto contrafeito:

– Pois bem, meu pai, que se faça a sua vontade! Deixo a seu critério a solução do caso.

E dando a entender que o assunto lhe desagradava, falou de outras coisas, levando o ancião para o interior, onde se intensificavam os preparativos para os esponsais de Helvídia.

Cneio Lucius, que entendia a alma do filho desde pequeno, gabou-lhe todos os empreendimentos com bom humor e alegria, opinando com otimismo sobre todos os seus feitos e regozijando-se, simultaneamente, com as suas iniciativas, a evidenciar no semblante uma satisfação espontânea e sincera, como se nenhuma preocupação lhe povoasse a mente.

Nas primeiras horas do dia imediato, a liteira do venerável patrício estacionava junto à Prisão Mamertina, enquanto ele e a neta, que se disfarçara em trajes muito simples, dentro de um largo peplo que lhe dissimulava os próprios traços fisionômicos, entravam no tenebroso edifício, salientando-se que Sixto Plócio, previamente avisado, vinha receber Cneio Lucius e aquela que ele apresentava como filha adotiva de sua casa, facultando-lhes a máxima liberdade para tratar com os prisioneiros.

Na cela espaçosa onde se aglomeravam os 22 sentenciados, penetravam os primeiros clarões do sol como se fossem uma bênção.

Nestório e Ciro, reunidos aos demais, estavam profundamente desfigurados. A alimentação deficiente, as perspectivas angustiosas, os castigos aplicados no cárcere, tudo se conjugava para lhes abater as forças físicas. Todavia, nos olhos serenos de todos os condenados havia um clarão sublimado e ardente, exteriorizando energias misteriosas. Viviam da fé e pela fé, colocando todas as esperanças naquele Reino Divino que Jesus lhes prometera em cada ensinamento.

Volúsio e Lépido, dois pretorianos de plena confiança dos administradores do presídio, conduziram os visitantes ao apartamento dos condenados.

Um grito de júbilo escapou-se do peito de Ciro ao avistar a figura de Célia, que caminhava para ele com um sorriso carinhoso, embora amargo. Nestório não sabia expressar o reconhecimento que lhe inundava a alma, pois que, embora não se revelasse um companheiro de convicção, Cneio lhes estendia os braços generosos.

A princípio, a emoção e alegria emudeceram uns e outros, mas a jovem patrícia, num impulso natural e muito feminino, observando a penosa situação do bem-amado de sua alma, desatava em pranto convulsivo, enquanto o velho avô murmurava com benevolência e carinho:

— Chora, filha!... as lágrimas fazem-te bem ao coração!...

E, bondosamente, como se deferisse ao moço liberto a tarefa de consolá-la, afastou-se com Nestório para outro ângulo da cela, apresentando-lhe o ex-cativo os demais condenados.

Quase a sós, os dois jovens podiam trocar as suas impressões derradeiras.

— Célia, como te entregas ao sofrimento desse modo? — perguntou o mancebo invocando todas as suas forças para revelar coragem e serenidade. — Não será melhor morrer pelo Mestre, a quem tanto amamos? Estou muito e muito reconhecido a Jesus, ao receber tua visita nesta cela erma e triste. Desde que fui preso, tenho suplicado fervorosamente à sua misericórdia não me permitisse morrer sem consolar-te!...

"Ainda esta noite, querida, sonhei que havia chegado ao Reino do Senhor, aí vendo muitas luzes e muitas flores... Chegando aos pórticos desses paraísos indefiníveis, lembrei-me do teu coração e senti uma saudade profunda!... Queria encontrar-te para penetrar no Céu contigo... Sem a tua companhia, as moradas de luz me pareceram menos belas, mas um ser divino, desses a quem deveremos chamar anjos de Deus, acercou-se, esclarecendo-me com estas palavras: 'Ciro, breve baterás a estas portas, livre de qualquer laço dos que ainda te prendem ao corpo perecível! Manifesta a tua gratidão a esse Pai de Misericórdia que te concede tantas graças, mas não penses em repouso quando as lutas apenas começam! Terás de ressarcir, ainda, muitos séculos de erro e treva, de ingratidão e impenitência!... Reconforta o espírito abatido, na contemplação dos planos sublimados da Criação, para que possas amar a Terra com as suas experiências mais penosas, que valem também por divino aprendizado na escola do amor de Deus!...'

"Então, querida, pedi àquela entidade pura e carinhosa que, depois da morte, me auxiliasse a renascer junto de ti, fosse com a responsabilidade das riquezas terrestres, ou na condição da maior miséria. E sei que Jesus, tão poderoso e tão bom, há de conceder-me essa graça. Não chores mais! desanuvia o coração nas promessas divinas do Evangelho!...

"Suponhamos que vou fazer uma longa viagem, imposta pelas circunstâncias... mas, se Deus permitir, estarei de volta ao mundo, no dia imediato, a fim de nos encontrarmos novamente. Como será esse reencontro? Não importa sabê-lo, porque, de qualquer forma, sempre nos amamos pelo espírito, dentro de nossas realidades imortais!

"Promete-me que serás alegre e forte, esperando a minha volta. Não permitas que energias destruidoras te maculem o coração!..."

E presumindo que a jovem pudesse, mais tarde, enfarar-se do próprio destino, acentuou:

– Confio no teu valor, espero que jamais estranhes a posição social que o Senhor te haja concedido. Nas horas angustiadas da vida, recorda-te de que, depois do amor de Deus, deveremos honrar pai e mãe acima de todas as coisas, sacrificando-nos por eles com a melhor das nossas energias!...

Ela deixara de chorar, mas uma névoa de tristeza lhe invadira os olhos desencantados. Contemplava-o à sua frente, com uma ternura que o coração não saberia jamais definir. Noivo ou irmão? Por vezes, sentia no íntimo que ele deveria também ser filho. As almas gêmeas amam-se em curso de eternidade, confundindo-se na alternativa contingente dos elos do Espírito. Aspiram a uma felicidade pura e imortal e só vivem felizes quando integradas na união eterna e indissolúvel.

Na fortaleza moral que lhe ocultava as mais dolorosas emoções, o mancebo continuava:

— Dize-me, Célia, que amarás sempre a vida, que terás muita fé e me esperarás, cheia de confiança. Quero enfrentar o sacrifício com a certeza de que prosseguirás, como sempre, forte na luta e conformada com os desígnios do Criador!...

— Sim — murmurou ela com uma cintilação de fé a lhe brilhar nos olhos —, por ti, nunca odiarei a vida! Por meio da minha confiança nas promessas do Cristo, rejubilarei quando chegares... tornarei a sentir a branda carícia da tua presença carinhosa, pois meu coração identificará o teu entre mil criaturas, porque te tenho amado como Jesus nos ensinou, com dedicação celestial.

— Assim, querida — murmurou o jovem confortado —, foi sempre assim que idealizei o teu coração humilde e generoso.

— Ciro — disse a donzela candidamente —, rogo a Jesus que nos conserve a fé nas angústias desta hora! Esperarei a tua volta, cheia de confiança em ti, sabendo que me quiseste sempre, tal como te amei!...

Depois de uma pausa, olhos umedecidos, continuou emocionada:

— Sabes? Lembro-me agora de nossa excursão ao lago de Antipátris... Recordas-te? Eu estava surpresa por te ver, quando a onda me colheu, impelida pelo vento... Hoje, pergunto se não seria melhor ter morrido. Aprenderia a amar a Jesus, fora de um mundo como este, e haveria de esperar-te na outra vida com o meu amor grande e santo!... Ainda sinto a emoção do minuto em que me salvaste, trazendo-me à tona!...

— É verdade — atalhou o rapaz fazendo o possível por não trair a emoção daquelas reminiscências —, mas, recordando tudo isso, não somos levados a crer que Jesus, desejava, como ainda deseja, a tua vida? Não fui eu quem te salvou, mas o Mestre Divino, que te queria na Terra.

— Sim — obtemperou comovida —, continuarei implorando a Jesus que te permita voltar, conforme prometes! O mundo, Ciro, é sempre um lago revolvido pelo vento das paixões e, no fundo das águas, há sempre vasa que sufoca as mais nobres aspirações do espírito. Que Jesus não me falte com a tua companhia no futuro, pois quero viver para servi-lo na claridade de tua memória, que honrarei em toda a vida!...

— Célia, não duvides do Senhor, nem descreias da minha volta. Pensarei sempre em ti, como nunca te esqueço...

E para dissipar as amargas expectativas do momento, voltou-se para trás, revolvendo um colchão imundo, ali colocado à guisa de cama, de lá retirando um pedaço de pergaminho que ofereceu à jovem, acrescentando:

— Ainda anteontem escrevemos aqui um hino para glorificar o Mestre no dia do sacrifício. Lembrei que deveria sugerir aquela música que te ensinei, sob os cedros de tua casa, sendo aceita a minha ideia. Desde esse instante, querida, minha grande preocupação foi conseguir os recursos precisos para deixar-te uma cópia, pois tinha convicção de que Jesus me concederia a dita de rever-te. Há aqui um pretoriano chamado Volúsio, bastante simpático ao Cristianismo, que me facultou os elementos precisos para a grafia destes versos.

Entregando-lhe o fragmento de pergaminho, acentuava:

— Guarda este hino que constitui a minha lembrança antes da partida! Todos nós colaboramos na formação do poema, mas, lembrando-me da nossa eterna afeição, encaixei aí algumas rimas, nas quais traduzi minhas esperanças. Dedico-as a ti, para confirmar-te a dedicação de todos os momentos!

— Deus te abençoe e te proteja! – exclamou a jovem patrícia, guardando a preciosa lembrança.

Ambos se entreolharam com a poderosa atração dos seus sentimentos purificados, mas Cneio Lucius, depois de haver conversado longamente com Nestório e seus companheiros, examinando todos os detalhes da prisão, aproximava-se com um sorriso complacente.

Conhecendo a sentimentalidade da neta, dirigiu-lhe a palavra nestes termos:

— Filha, as horas voam, estou à tua disposição para quando desejes regressar.

Ela acercou-se do respeitável ancião, que se fazia acompanhar pelo liberto de seu filho, pousando em Nestório o olhar melancólico, mas o ex--cativo veio-lhe ao encontro com estas palavras:

— Célia, tua vinda a este cárcere representa para nós a visita de um anjo. Não te impressione a nossa condenação, que, aos olhos de Deus, deve ser útil e justa. Dizia a inspiração de Paulo que a morte é o nosso último inimigo. Venceremos, pois, mais essa etapa, com Jesus e por Jesus. Apesar disso, não te esqueças de que a dádiva da vida é um bem precioso que o Céu nos confia. Para a alma fervorosa, o melhor sacrifício ainda não é o da morte pelo martírio, ou pelo infamante opróbrio dos homens, mas aquele que se realiza com a vida inteira, pelo trabalho e pela abnegação sincera, suportando todas as lutas na renúncia de nós mesmos, para ganhar a vida eterna de que nos falava o Senhor em suas lições divinas!

Célia sentiu que a sua fé atingia um grau superior, mediante aquelas exortações amigas e carinhosas, e voltando-se para Ciro, que, com o olhar, parecia recomendar-lhe que as ouvisse, respondeu comovida:

– Sim, guardarei tuas palavras com o respeitoso amor de uma filha.

Acercando-se do avô, pediu-lhe permissão para despedir-se de ambos os condenados, e, aproximando-se do jovem, que ocultava a comoção no imo da alma, guardou-lhe as mãos entre as suas por um momento, beijando-as levemente.

– Deus te proteja! – disse em voz baixa, quase imperceptível.

Em seguida, acercou-se de Nestório, a quem abraçou respeitosamente, depositando-lhe um ósculo na fronte.

Ambos os sentenciados desejavam agradecer, mas não o puderam. Uma força poderosa parecia embargar-lhes a voz. Ficaram imóveis, silenciosos, enquanto Cneio Lucius, tocado pela cena comovedora, se despediu com um leve aceno.

Contudo, até o fim, Ciro mostrava no rosto uma expressão de fortaleza, num sorriso carinhoso que consolava profundamente a alma gêmea da sua...

Mais um gesto de adeus naquele silêncio que as palavras profanariam, e a porta do cárcere rangeu de novo nos seus gonzos sinistros e terríveis.

Nesse instante, o sorriso do moço cristão desapareceu-lhe do rosto desfigurado. Dirigiu-se para as grades da prisão, agarrando-se aos varões como um pássaro sedento de luz e liberdade. Seus olhos ansiosos espraiaram-se pelo exterior, buscando ver, pela última vez, a liteira que deveria reconduzir a sua amada.

Aos poucos, sua juventude inquieta voltava-se para Jesus, com todo o fervor de suas aspirações apaixonadas. Desprendeu-se dos varões rígidos e ajoelhou-se. A luz do sol, que esplendia na manhã alta, banhou-lhe as faces e os cabelos. Orava, rogando a Jesus fortaleza e esperança. A claridade solar parecia inundar-lhe a fronte com as graças do Céu, mas, mesmo assim, deixando pender a cabeça, escondeu o rosto nas mãos emagrecidas, para chorar humildemente.

VII
Nas festas de Adriano

Cneio Lucius notou que a visita da neta aos condenados produzira efeitos grandemente benéficos. Apesar do abatimento, Célia mostrava-se corajosa na fé, mais calma e bem-disposta. Contudo, o velho avô, considerando a sensibilidade do seu afetuoso coração de menina, providenciou junto do filho para que ela ficasse em sua companhia até a passagem das festas do casamento de Helvídia.

Neste ínterim, não podemos esquecer que a esposa de Lólio Úrbico, novamente em Roma, ia frequentes vezes à Suburra, onde mantinha os mais íntimos colóquios com a vendedora de sortilégios, já conhecida.

Horas a fio, Claudia e Plotina trocavam ideias à surdina, assentando providências criminosas ou arquitetando planos sinistros, salientando-se que Hatéria, havendo conquistado o máximo da estima dos patrões, trazia a antiga plebeia informada de todos os fatos atinentes à vida íntima do casal.

Nas vésperas do enlace de Helvídia, vamos encontrar a capital do Império na agitação característica das épocas festivas.

Preparando-se para a sua derradeira romagem a um dos centros mais antigos do mundo, Adriano desejava brindar o povo romano com espetáculos inesquecíveis.

Em tais ocasiões, as autoridades políticas aproximavam-se do sentimento popular, alimentando-lhe as vibrações de extravagância e de alegria. A inauguração de novos edifícios, os preparativos da viagem e a adesão do povo ao programa oficial justificavam os mais altos caprichos da magnanimidade imperial. Por toda parte verificava-se o frêmito dos trabalhos extraordinários, enchendo a cidade de improvisações transformadoras. Construções de novas arcadas, pontes ou aquedutos provisórios, distribuições de trigo e vinho, organização de préstitos religiosos, homenagens a templos especializados, loterias populares e, por fim, o circo com as suas novidades inexcedíveis.

O povo esperava sempre tais manifestações, com júbilo incontido.

Instalado no Palatino, Élio Adriano cogitava de distrair as massas romanas, organizando comemorações dessa natureza, movimentando as autoridades e induzindo a guardar, porém, intimamente, o objetivo principal de todas as atividades, que era o de sua viagem à Grécia, cujas graças já lhe haviam conquistado a mais ampla simpatia. O grande Imperador, classificado na História como o maior benfeitor das cidades antigas, onde se havia erguido o berço da cultura e da civilização, projetava as melhores construções para Atenas, bem como o estudo especializado das ruínas de toda a Hélade, de modo a beneficiar o patrimônio grego na medida de todos os seus recursos.

No limiar dos acontecimentos, vamos encontrar o soberano na intimidade de Claudia Sabina e de Phlegon, seu secretário de confiança, analisando os pormenores do cruzeiro que as galeras imperiais haveriam de fazer pelas águas mediterrâneas.

A certa altura, Adriano interpela o secretário:

– Senécio, já cumpriste minhas ordens concernentes à expedição dos convites?

– Por Júpiter! – exclamou Phlegon satisfeito. – Nunca me esqueceria de cumprir, a preceito, uma determinação de Augusto.

– Como vê – disse o Imperador, dirigindo-se a Claudia –, tudo está pronto e em ordem de marcha. Entretanto, necessito de alguém que me acompanhe, não tanto com o senso de arte ou de crítica, mas com o propósito de trabalho, atento ao meu desejo de transportar para Tibur algumas colunas célebres e outras soberbas relíquias das ruínas de Fócida e Corinto. Tenciono ornar os nossos edifícios com os tesouros do mundo antigo. Não poderei dispensar, no meu retiro de Tibur, as visões do jardim dos deuses, com as suas sugestões preciosas ao meu espírito.

A mulher do prefeito ouviu-o com particular atenção e, aproveitando a oportunidade para realizar seus projetos, aventou, fingindo o maior desinteresse:

— Divino, o filho de Cneio figura na lista dos vossos convidados?

— Não. Helvídio Lucius seria um excelente companheiro, mas abstive-me de incomodá-lo, atento as suas condições especialíssimas de homem casado e chefe de família.

— Ora — replicou displicentemente a antiga plebeia —, haveis de permitir discorde um tanto do vosso pensar, a respeito. Acaso não tenho também um lar a exigir dedicação e cuidados? Não vou separar-me do esposo, que aqui ficará retido pelos deveres do seu cargo? No entanto, considero-me honrada em vos acompanhar, obedecendo alegremente à circunstância de representardes, para nós outros, o soberano e o chefe magnânimo. Acredito que o genro de Fábio pensará comigo, sem discrepância. Daqui a dois dias, realizam-se os esponsais da sua filha mais velha, sob as vossas vistas magnânimas. Ele, que recebeu tantos favores de vossas mãos generosas, poderia desdenhar o ensejo de vos ser útil em alguma coisa?

Depois de uma pausa em que seus olhos fixaram profundamente o Imperador, de modo a recolher o íntimo efeito de suas palavras, continuou:

— Conhecendo pessoalmente as obras de Tibur, que tanto seduzem o gosto artístico, penso que só um esteta como Helvídio poderia operar o milagre de escolher o precioso material e superintender o seu transporte para Tibur. Além do mais, Divino, creio que essa viagem, ausentando-nos de Roma por mais de um ano, seria sobremaneira agradável ao seu ânimo de patrício!... Novas possibilidades, novas realizações e novas perspectivas, penso, lhe granjeariam vantagens para a própria família, visto que o Império, representado em vossa magnanimidade, saberia recompensar-lhe todos os méritos.

Élio Adriano meditou um instante, enquanto o secretário tomou alguns apontamentos.

A seguir, levando em conta as observações de Claudia, que o fixava ansiosa, respondeu solícito:

— Tens razão. Helvídio Lucius é o homem que procuro.

Sabina fazia um gesto expressivo de satisfação, enquanto o Imperador incumbia Phlegon de levar em seu nome o respectivo convite.

Colhido pelo mensageiro no meio das atividades festivas do lar, o tribuno surpreendeu-se grandemente. Não esperava um ato daquela natureza. Outrem poderia honrar-se com a gentileza; ele, porém, sentimental por índole, preferia a paz doméstica, longe do turbilhão de bagatelas frívolas da Corte. A viagem à Grécia, em tais condições, afigurava-se-lhe aborrecida e inoportuna. Além disso, deveria partir dentro de uma semana. E quem poderia pensar no regresso? O soberano estava habituado a fazer excursões longas e frequentes, através do mundo antigo. Na viagem de 124, estivera ausente de Roma por mais de três anos consecutivos, e tanto se apaixonara por Atenas que chegara ao extremo de se iniciar, pessoalmente, nos mistérios de Elêusis.[23]

Todavia, antes que as reflexões penosas lhe anulassem de todo o ânimo, chamou a esposa ao tablino,[24] onde examinaram atentamente o assunto.

— Por mim — exclamou o tribuno com o seu espírito resoluto —, procurarei esquivar-me, desistir do convite! Essas ausências de Roma, com a separação da família, transtornam-me o pensamento. Sinto-me deslocado, aborrecido, insatisfeito.

Alba Lucínia ouvia-lhe as afirmativas com o coração alarmado. Para o seu espírito sensível, semelhantes perspectivas eram assaz amargas e perturbadoras. Certo, Claudia Sabina iria também à Hélade distante, e por tempo que ninguém poderia precisar. Anuir à viagem do esposo era entregá-lo às seduções inferiores daquela mulher, cujos sentimentos inconfessáveis a sua intuição feminina pressentia. Mas não só isso a preocupava. A sua situação em Roma tornar-se-ia novamente penosa durante a ausência do companheiro. Lólio, sem dúvida, voltaria a assediá-la com mais veemência e teimosia.

Pensou em falar a Helvídio, cientificá-lo de todos os fatos ocorridos na sua ausência, expor-lhe com sinceridade os seus escrúpulos, mas, logo, à mente lhe veio a figura paterna. Fábio Cornélio dependia, absolutamente, do prestígio e do apoio do prefeito, e do seu velho genitor dependiam sua mãe e seus irmãozinhos inexperientes.

---

[23] N.E.: Ritos de iniciação ao culto das deusas agrícolas Deméter e Perséfone, que se celebravam em Elêusis, localidade da Grécia próxima a Atenas. Eram considerados os de maior importância entre todos os que se celebravam na Antiguidade.

[24] N.E.: Gabinete de pintura, cartório.

Num relance, a nobre senhora compreendeu a impossibilidade de manifestar suas queixas diretas, em tais circunstâncias da vida, e, recordando-se ainda da gentileza do Imperador para com a filha, assegurando-lhe generosamente o futuro, sentiu que a voz da gratidão deveria falar mais alto que as conveniências pessoais.

– Helvídio – murmurou ela depois de viver intensamente as suas lutas íntimas –, ninguém mais que eu poderá sentir a tua ausência. Sabes que a tua presença no lar constitui a minha proteção e a de nossa família, mas o dever, querido, onde fica o dever nas atuais circunstâncias de nossa vida? O convite do Imperador não deverá representar para nós uma prova de confiança? E a generosidade de Adriano para conosco? A dádiva de Cápua não se verificou de modo a cativar-nos para sempre?

– Tudo isso é verdade – confirmou o tribuno calmamente –, mas eu odeio esse totalitarismo do Império, que nos rouba a autonomia individual e nos anula a própria vontade.

– Contudo, precisamos refletir para nos adaptarmos às circunstâncias – obtemperou a esposa, de maneira a confortar o espírito abatido do companheiro.

– Não é somente a política que me impressiona desagradavelmente – disse Helvídio, desabafando –, é também a perspectiva da nossa separação por tempo indefinido! Longe do teu coração ponderado e carinhoso, sinto-me passível de esmorecimento ante o assédio das tentações de toda espécie, que me dificultam as iniciativas necessárias. Além do mais, terei de partir em companhia de pessoas que me não são simpáticas, e cujas relações sociais detesto sem restrições.

Alba Lucínia compreendeu as alusões indiretas do companheiro exacerbado e, tomando-lhe as mãos afetuosamente, exclamou com meiguice:

– Helvídio, muita vez quem odeia é que não soube amar convenientemente. Façamos por manter a harmonia e a paz na esfera de nossas relações. E porque a concepção do dever fala mais alto nas tradições do nosso nome, acredito que partirás sem te deixares perder nos sentimentos inferiores!... Sê calmo e justo, certo de que ficarei orando por ti, amando-te e esperando-te. Essa doce perspectiva não te será um consolo de todas as horas?

Depois de uma pausa meditativa das ponderações da companheira, o tribuno atraiu-a ao coração, beijando-a agradecido.

— Sim, querida, os deuses hão de ouvir-te as preces pela nossa ventura. Também sinto que o dote de Helvídia exige mais este sacrifício, contudo, ao regressar, tomaremos as providências indispensáveis à modificação de nossa vida.

Alba Lucínia experimentou um brando alívio ao reconhecer que suas palavras haviam tranquilizado o companheiro, mas, voltando ao seu pequeno mundo doméstico, passou a refletir na sua amargurada situação pessoal, considerando as penosas provações que o destino lhe reservava no curso da vida. Debalde isolava-se no santuário do lar, nos intervalos de suas atividades intensas, implorando a proteção das divindades que lhe haviam presidido ao matrimônio. Apesar do fervor com que o fazia, os deuses de marfim pareciam-lhe frios, implacáveis, e, no torvelinho das alegrias domésticas, o sorriso ocultava muitas lágrimas silenciosas, que não lhe borbulhavam dos olhos, mas escaldavam o coração.

Entre as clarinadas do júbilo geral, surgiram as festas adrianinas e, com elas, a data auspiciosa dos esponsais da filha de Helvídio Lucius.

As cerimônias nupciais constituíram um dos acontecimentos mais notáveis para a sociedade de então, a elas concorrendo o que Roma possuía de mais distinto nas camadas do patriciado.

Fábio Cornélio, desejando comemorar a ventura da neta de sua predileção, fora fértil em inventar os mais belos jogos de iluminação, no parque da residência de seus filhos.

Por toda parte, aroma de flores maravilhosas, em todos os recantos cantigas e trovas apaixonadas a confundirem-se com os sons das cítaras e atabales, tangidos por mãos de mestres exímios... Enquanto os escravos se cruzavam apressados em satisfazer o capricho dos convivas, dançavam bailarinos famosos ao estribilho melodioso dos alaúdes. Pequenos lagos, improvisados à guisa de aquários naturais, ostentavam plantas soberbas do Oriente e peixes exóticos provocavam a admiração de quantos se deliciavam com as alegrias da noite.

Todo o cenário festivo fora preparado a caráter, com precisão e requintes de bom gosto, salientando-se a piscina, em que barcos graciosos e leves se pejavam de ninfas e trovadores, e a arena na qual, de remate à festa, dois escravos jovens e atléticos perderam a vida sob os gládios poderosos de lutadores mais fortes.

Nenhuma lacuna se observava, exceto a ausência de Cneio Lucius, que, segundo informavam os anfitriões, permanecia no Aventino, ao lado da outra neta enferma.

No dia seguinte, enquanto Helvídia e Caius partiam para Cápua sob uma chuva de flores e se bem estivessem no zênite as festividades do povo, Alba Lucínia não conseguia dissipar a onda de receios que lhe assaltara o coração. Sua consciência sentia-se tranquila em relação ao que alvitrara ao marido, considerando que a gratidão de ambos, ao Imperador, não admitia tergiversações quanto à viagem à Grécia. Mas Helvídio Lucius lhe falara dos próprios temores, com respeito às tentações... Suas mãos ainda sentiam o calor das dele, ao terminar as confidências amargurosas. Estaria certa, incitando-o a aceitar os novos encargos impostos pelo Império? Não deveria, igualmente, defender o esposo de todas as situações difíceis, determinadas pela política com as suas inquietações perversoras?...

Nasceu-lhe, então, a ideia de procurar Claudia Sabina e pedir, com humildade, a sua interferência. Semelhante atitude não se compadecia com as tradições de orgulho da sua estirpe, mas o desejo do bem, aliado à vibração da sinceridade pura, poderia, a seu ver, modificar as intenções bastardas que, porventura, vivessem no coração daquela criatura fatal.

Desde que percebera a indecisão de Helvídio, sentiu a necessidade de cooperar ativamente para a sua tranquilidade moral, desviando dele todos os perigos, com a mobilização das forças poderosas do seu afeto, que chegava a vencer os imperativos do orgulho inato.

Assim foi que, depois de muito meditar, no dia imediato ao casamento de Helvídia deliberou procurar Claudia Sabina, pela primeira vez, no seu palácio do Capitólio.

Sua liteira foi recebida no átrio com geral alegria, mas a mulher do prefeito, não obstante o esforço sobre-humano para dissimular a contrariedade que lhe causava a visita inesperada, recebeu-a com enfado e altivez.

A mulher de Helvídio, contudo, apesar do orgulho que a hierarquia do nascimento lhe avivara no coração, mantinha-se serena e digna na sua atitude de sincera humildade.

— Senhora — explicou a filha de Júlia Spinther após as saudações usuais —, venho até aqui solicitar seus bons ofícios para nossa tranquilidade doméstica.

— Às suas ordens! — retrucou a antiga plebeia assumindo ares de superioridade e cortando a palavra da interlocutora. — Terei o máximo prazer em lhe ser útil.

Não lhe sendo possível devassar os sentimentos mais íntimos da esposa de Lólio Úrbico, a seu respeito, a nobre senhora prosseguiu com simplicidade:
— Acontece que o Imperador, com o cavalheirismo e a magnanimidade que lhe marcam as atitudes, convidou meu marido para acompanhá-lo à Grécia, onde talvez se demore mais de um ano. Helvídio, porém, tem numerosos trabalhos em perspectiva e que dizem com a nossa tranquilidade futura. A referida excursão, com a honrosa incumbência que lhe foi confiada, representa para nós um motivo de honra e alegria, e, contudo, resolvi apelar para o seu prestígio generoso junto do César, a fim de que dispense meu marido dessa comissão.
— Oh! Mas isso iria transtornar completamente os planos de Augusto — disse Claudia Sabina com visível ironia. — Então a esposa de Helvídio não se alegrará de compartilhar com ele a sagrada confiança do Império? Não me consta que uma patrícia de nascimento fugisse, algum dia, de comungar com o marido nos esforços preciosos que elevam o homem às culminâncias do serviço oficial.

Alba Lucínia escutava-a surpreendida, entendendo integralmente aqueles conceitos irônicos e atrevidos.

— Atender a um pedido dessa natureza é humanamente impossível — prosseguiu com expressões fisionômicas quase brutais. — Helvídio Lucius não poderá esquivar-se ao programa administrativo, julgando, desse modo, que o seu coração de mulher venha a conformar-se com as circunstâncias.

A filha de Fábio Cornélio ouvia-lhe as palavras mordentes, recordando as confidências de Túlia relativamente ao passado do esposo. Atentava para os gestos da antiga plebeia, elevada pelo destino às melhores posições nos círculos da nobreza, e sentia, no todo de suas expressões contrafeitas e estranhas, um vasto complexo de odiosos sentimentos recalcados. Somente o ciúme poderia transformá-la de tal modo, a ponto de modificar os traços mais graciosos da fisionomia.

Não contavam elas a mesma idade, mas possuíam ambas os mesmos atrativos físicos da mulher formosa que ainda não chegou ao outono da vida e guarda as melhores prendas da primavera. Ao passo que Alba Lucínia atingira os 38 anos, Claudia chegara aos 42, apresentando as duas as mesmas disposições de mocidade refletida.

Notando que Alba Lucínia lhe reparava todos os gestos, analisando-lhe as mínimas expressões com a sua observação inteligente e guardando toda a sua superioridade em face dos seus conceitos apressados, a esposa de Úrbico irritou-se profundamente.

— Afinal — exclamou quase ríspida, para a patrícia que a escutava em silêncio —, a senhora pede-me o inexequível! Pois fique sabendo que atravessamos uma época difícil em que as mulheres são obrigadas a abandonar os companheiros ao sabor da sorte. Eu mesma, possuindo o prestígio para o qual vem apelar, não consigo ladear semelhantes contingências. Casada com o prefeito dos pretorianos, já lhe ouvi dos próprios lábios a dolorosa afirmativa de que não poderá querer-me nunca.

Assim falando, fixou na interlocutora os olhos chamejantes de cólera, enquanto Alba Lucínia sentiu o coração pulsar precípite.

— E sabe a senhora quem é a mulher que detém as preferências de meu marido? — perguntou a antiga plebeia com expressão odienta, indefinível.

A nobre patrícia recebeu-lhe a alusão atrevida, de olhos úmidos, nos quais transparecia a dignidade da alma.

— O seu silêncio — murmurou Sabina arrogante — dispensa maiores explicações.

Alba Lucínia levantou-se de faces purpureadas, exclamando com dignidade:

— Enganei-me lamentavelmente, supondo que a sinceridade de uma esposa honesta e mãe dedicada lhe comovesse o coração! Em troca de meus sentimentos leais, recolho insultos de uma ironia mordaz e injustificável. Não a condeno. A educação não é a mesma para todas as pessoas de uma comunidade social e temos de subordiná-la ao senso da relatividade. Além do mais, cada qual dá o que tem.

E, sem mesmo despedir-se, caminhou desassombradamente até o átrio, onde a liteira a esperava, cercada de servos atenciosos, enquanto Claudia Sabina como que petrificada no seu ódio, ante a lição de superioridade e desprezo recebida, esboçou um riso nervoso que explodiria logo após em saraivada de impropérios contra as escravas.

Na intimidade do lar, Alba Lucínia orou, suplicando aos deuses fortaleza e proteção. A viagem do marido se efetuaria sem delongas e ela não julgava oportuna qualquer revelação a Helvídio, acerca das suas contrariedades íntimas. Conformada com os fatos, ficaria em Roma, crente de que mais tarde poderiam florir as suas esperanças de paz e felicidade no ambiente doméstico. Urgia conservar a harmonia e a coragem moral do companheiro, de modo que o seu coração pudesse suportar todas as dificuldades e vencer galhardamente as situações mais penosas. Ocultando as lágrimas íntimas, a pobre senhora lhe preparou todos os petrechos de viagem com o máximo carinho. Helvídio partiria com o seu amor e com a sua confiança e isso lhe devia bastar ao coração sensível e generoso.

Entretanto, o último dia das festividades adrianinas alvorecera e os protocolos da Corte obrigavam Alba Lucínia a acompanhar o esposo, nas derradeiras exibições do circo, onde Nestório e o filho deveriam ser sacrificados.

A perspectiva de semelhante espetáculo gelava-lhe o sangue, antevendo o horror das cenas brutais do anfiteatro, organizadas por espíritos insensíveis.

Recordou-se de que, na antevéspera, acompanhara Helvídia e Caius Fabricius ao Aventino para as despedidas do avô e de Célia, notando que a pobrezinha estava profundamente desfigurada pelas amarguras do seu grande e infortunado amor. O coração materno experimentava, ainda, o calor do abraço afetuoso da filha, que lhe dissera ao ouvido, em voz quase imperceptível: no último espetáculo, Ciro morrerá. Revia-lhe os olhos úmidos ao dar-lhe, resignada, semelhante notícia, lembrando, ao mesmo tempo, a generosidade com que Célia acolhera a ventura da irmã, que, sorridente, feliz, partia para as delícias de Cápua, com os seus votos fraternos de felicidade e de paz.

Alba Lucínia meditou longamente os dolorosos problemas que lhe atormentavam o espírito, ponderando a necessidade de ocultá-los, dia a dia, sob o véu das alegrias disfarçadas e mentirosas, e demorando-se amargurada nos porquês do sofrimento e nos contrastes da sorte.

Era, porém, imprescindível que buscasse modificar as suas disposições espirituais.

Com efeito, daí a poucas horas, Helvídio lhe recordava as obrigações protocolares e não foi sem emoções penosas que ajustou a túnica de gala, entregando-se às escravas para os bizarros arranjos do penteado em voga.

À tarde, observada à risca a tradição dos cortejos, as alegrias populares desbordavam no circo, entre ditérios e gargalhadas.

A caravana do César já havia chegado sob uma chuva de aplausos ensurdecedores.

Num palanque dourado, Élio Adriano cercava-se dos patrícios e dos augustinos de maior nomeada, entre os quais as personagens aristocráticas desta narrativa. Em torno da tribuna de honra estavam as vestais, formando um quadro magnífico, e as fileiras hierárquicas dos mais altos representantes da Corte. Senadores de mantos purpurinos, chefes militares com as suas armaduras prateadas e brilhantes, dignitários imperiais, confundiam-se em linhas ordenadas simetricamente, sobre um verdadeiro oceano de cabeças humanas – a plebe, que dava expansão à sua alegria.

Na tribuna imperial sucediam-se as libações, quando o soberano se dirigiu a Lólio Úrbico nestes termos:

– Decretei o suplício e a execução dos conspiradores para a tarde de hoje, em atenção aos belos serviços com que a Prefeitura dos pretorianos vem ilustrando os feitos do Império.

– Aliás, Divino – retrucou o prefeito com um sorriso –, devemos esse grande esforço a Fábio Cornélio, cuja dedicação extrema aos serviços do Estado se vem tornando cada vez mais notória nos círculos administrativos.

O velho censor agradeceu com um aceno a referência direta ao seu nome, enquanto Adriano obtemperou:

– Tive o cuidado de excluir da sentença todos os elementos reconhecidamente romanos, que figuravam entre os agitadores entregues à justiça. Mandei libertar a maioria no período das primeiras providências processuais, exilando definitivamente para as províncias os 13 elementos mais exaltados, restando apenas 22 estrangeiros, ou seja, judeus, efésios e colossenses.

– Divino, vossas deliberações são sempre justas! – exclamou o censor Fábio Cornélio, ansioso por desviar o assunto, de modo a não recordar o caso de Nestório que, garantido por seu genro, trabalhara nos próprios serviços de pergaminhos da Prefeitura.

Aproveitando a pausa natural, o orgulhoso patrício acentuou:

– A grandeza do espetáculo de hoje é verdadeiramente digna do César!

Ainda não havia terminado a frase quando todos os presentes alongaram o olhar para o centro da arena, onde, após os coleios exóticos dos dançarinos, iam iniciar-se as caçadas fabulosas. Atletas jovens começaram a lutar com tigres ferozes, apresentando-se igualmente elefantes e antílopes, cães selvagens e auroques de chifres pontiagudos.

De quando em quando, um caçador caía ensanguentado sob aplausos delirantes, seguindo-se todos os números da tarde ao som de hinos que exacerbavam o instinto sanguinário da multidão.

Por vezes, os gritos de "cristãos às feras" e "morte aos conspiradores" explodiam sinistramente da turba enfurecida.

Ao fim da tarde, quando os últimos raios do sol caíam sobre as colinas do Célio e do Aventino, entre as quais se ostentava o circo famoso, os 22 condenados foram conduzidos ao centro da arena. Negros postes ali se erguiam, aos quais os prisioneiros foram atados com grossas cordas presas por elos de bronze.

Nestório e Ciro confundiam-se naquele pequeno grupo de seres desfigurados pelos mais duros castigos corporais. Ambos estavam esqueléticos e quase irreconhecíveis. Apenas Helvídio e sua mulher, extremamente compungidos em face do suplício infamante, notaram a presença dos seus antigos libertos entre os mártires, fazendo o possível por esconder o mal-estar que a cena cruel lhes causava.

Os condenados, com exceção de sete mulheres que se trajavam de "indusium", estavam quase nus, munidos somente de uma tanga que lhes cobria a cintura até os rins. Cada qual era colocado a um poste diferente, enquanto 30 atletas negros da Numídia e da Mauritânia compareciam na arena ao som das harpas que se casavam estranhamente com os gritos da plebe.

Havia muito que Roma não presenciava aquelas cenas, dado o caráter morigerado e tolerante de Adriano, que sempre fizera o possível por evitar os atritos religiosos, vendo-se, então, um espetáculo espantoso.

Enquanto os gigantes africanos prepararam os arcos, ajustando-lhes flechas envenenadas, os mártires do Cristianismo começaram a entoar um cântico dulçoroso. Ninguém poderia definir aquelas notas saturadas de angústia e de esperança.

Em vão, as autoridades do anfiteatro mandaram intensificar o ruído dos atabales e os sons estrídulos das flautas e alaúdes, a fim de abafar as vozes intraduzíveis do hino cristão. A harmonia daqueles versos resignados e tristes elevava-se sempre, destacando-se de todos os ruídos, na sua majestosa melancolia.

Nestório e Ciro também cantavam, dirigindo os olhos para o céu, onde o Sol dourava as derradeiras nuvens crepusculares.

As primeiras setas foram atiradas ao peito dos mártires com singular mestria, abrindo-lhes rosas de sangue que se transformavam, imediatamente, em grossos filetes de sofrimento e morte, mas o cântico prosseguia como um harpejo angustiado, que se estendia pela Terra obscura e dolorosa... Na sua melodia misturavam-se, indistintamente, a saudade e a esperança, as alegrias do Céu e os desenganos do mundo, como se aquele punhado de seres desamparados fosse um bando de cotovias apunhaladas, librando-se nas atmosferas da Terra, a caminho do paraíso:

Cordeiro Santo de Deus,
Senhor de toda a Verdade,
Salvador da Humanidade,
Sagrado Verbo de Luz!...
Pastor da paz, da esperança,
De tua mansão divina,
Senhor Jesus, ilumina
As dores de nossa cruz!...

Também tiveste o Calvário
De dor, de angústia, de apodo,
Ofertando ao mundo todo
As luzes da redenção;
Tiveste a sede, o tormento,
Mas, sob o fel, sob as dores,
Redimiste os pecadores
Da mais triste escravidão!

Se também sorveste o cálix
De amargor e de ironia,
Nós queremos a alegria
De padecer e chorar...
Pois, ovelhas tresmalhadas,
Nós somos filhos do erro,
Que no mundo do desterro
Vivemos a te esperar.

Dá, Senhor, que nós possamos
Viver a felicidade
Nas bênçãos da eternidade
Que não se encontram aqui;
O júbilo de reencontrar-te

*Nos últimos padeceres,
Acende em nós os prazeres
De bem morrermos por ti!...*

*Senhor, perdoa os verdugos
De tua doutrina santa!
Protege, ampara, levanta
Quem no mal vive a morrer...
A caminho do teu reino,
Toda a dor se transfigura,
Toda a lágrima é ventura,
O bem consiste em sofrer!...*

*Consola, Jesus amado,
Aqueles a quem queremos,
Que ficarão nos extremos
Da saudade e do amargor;
Dá-lhes a fé que transforma
Os sofrimentos e os prantos
Nos tesouros sacrossantos
Da vida de teu amor!...*

Outras estrofes elevaram-se ao Céu em soluços musicais de resignação e de esperança...

Com o peito crivado de setas que lhe exauriam o coração, e contemplando o cadáver do filho que expirara antes dele, dada a sua fraqueza orgânica, Nestório sentiu que um turbilhão de lembranças indefiníveis lhe afloravam ao pensamento já vacilante, confuso, nas vascas da agonia. Com os olhos sem brilho pelas ânsias da morte arrebatando-lhe as forças, percebeu a multidão que os apupava, escutando-lhe ainda os alaridos animalescos... Fitou a tribuna imperial, onde, certo, estariam quantos lhe haviam merecido afeição pura e sincera, mas, dentro de emoções intraduzíveis, viu-se também, nas suas recordações confusas, na tribuna de honra, com a toga de senador, enfeitado de púrpura... Coroado de rosas[25] aplaudia, também

---
[25] Nota do autor espiritual: Nestório era a reencarnação do orgulhoso senador Publius Lentulus Cornelius. (Vide *Há dois mil anos*.)

ele, a matança de cristãos que, sem os postes do suplício nem flechas envenenadas a lhes traspassarem o peito, eram devorados por feras hediondas e insaciáveis... Desejou andar, mover-se, porém, ao mesmo tempo sentia-se ajoelhado junto de um lago extenso, diante de Jesus nazareno, cujo olhar doce e profundo lhe penetrava os recônditos do coração... Genuflexo, estendia as mãos para o Mestre Divino, implorando amparo e misericórdia... Lágrimas ardentes queimavam-lhe as faces descarnadas e tristes...

Aos seus olhos moribundos, as turbas furiosas do circo haviam desaparecido...

Foi quando um vulto de anjo ou de mulher[26] caminhou para ele, estendendo-lhe as mãos carinhosas e translúcidas... O mensageiro do céu ajoelhara-se junto do corpo ensanguentado e afagou-lhe os cabelos, beijando-o suavemente. O antigo escravo experimentou a carícia daquele ósculo divino e seu espírito cansado e enfraquecido adormeceu de leve, como se fora uma criança.

Em toda a arena vibraram radiações invisíveis, dos mais elevados planos da Espiritualidade... Seres abnegados e resplandecentes estendiam fraternalmente os braços para os companheiros que abandonavam o invólucro perecível, nos testemunhos da fé, pela injúria e pelo sofrimento.

Daí a minutos, enquanto os serviçais do anfiteatro retiravam dos postes de martírio os despojos sangrentos, aos gritos de aplauso da turba ensandecida, Helvídio Lucius, na tribuna de honra, apertava nervosamente as mãos da esposa, dando-lhe a entender as comoções inexplicáveis que lhe vagavam no íntimo, enquanto ela, obrigada a manter as atitudes protocolares, cravava no companheiro os olhos úmidos de pranto.

Mas, no palácio do Aventino, naquela tarde límpida e serena, o espetáculo fora talvez mais comovente pela sua majestade dolorida e silenciosa.

Recolhidos a uma sala de repouso, Cneio Lucius e a neta observavam todos os movimentos externos das festividades adrianinas, reparando que a onda de povo se represara no circo para os derradeiros números do programa.

Ao crepúsculo do céu romano, a jovem buscou o fragmento de pergaminho em que Ciro escrevera as oitavas rimadas do último hino, exclamando para o velhinho, suavemente:

---

[26] Nota do autor espiritual: Lívia. (Vide *Há dois mil anos*.)

— Avô, a esta hora Nestório e Ciro devem estar caminhando para o sacrifício! Acreditas, vovô, que os nossos amados podem voltar do Céu para nos suavizar o destino?

— Como não, minha filha? Pois se Jesus prometeu vir ao encontro de quantos se reúnam, neste mundo, em seu nome, como não permitirá voltarem seus mensageiros, que nos amam já desta vida?

Célia ergueu para o ancião os grandes olhos tristes, iluminados por uma candidez maravilhosa.

Em seguida, levantou-se muito serena, dirigindo-se à larga janela que dava para o Tibre, cujas águas refletiam os matizes da hora crepuscular.

Fixando o pergaminho, leu todo o conteúdo silenciosamente, cantando depois em voz quase imperceptível todos os versos do hino cristão e detendo-se, de modo particular, na última estrofe, relendo-a com uma lágrima e procurando adivinhar nela o pensamento do seu eleito.

O venerando patrício ouvia-lhe a voz terna, como se escutasse uma ave implume, abandonada e só, entre os invernos do mundo, sem poder exteriorizar as emoções que lhe assaltaram o íntimo dolorido.

As mais tristes meditações povoavam-lhe o cérebro, sentia o coração bater acelerado, num ritmo assustador.

De alma confrangida, observava a neta que se voltava agora para o céu, como se buscasse entre as nuvens do azul vespertino o coração que idolatrava.

Alguns minutos rolaram longos e penosos para o seu pensamento exausto e magoado.

Em dado instante, quando o firmamento já havia de todo desmaiado, a jovem fixou no Alto, com mais atenção, os olhos ternos e profundos, como se estivesse vislumbrando alguma visão que a extasiasse.

Parecia abstraída de todas as sensações do mundo exterior, de todos os objetos que a rodeavam, figurando-se não perceber a presença do próprio avô, que lhe acompanhava o êxtase comovidamente.

Decorridos instantes, todavia, os braços moviam-se de novo, como se as expressões que lhe eram características retomassem o curso da realidade e da vida.

— É verdade! — respondeu Cneio Lucius num quase murmúrio.

— Vovô — disse então com uma placidez divina a lhe brilhar nos olhos —, vi um bando de pombas alvas, no céu, como se houvessem saído do circo do martírio!...

— Sim, filha – respondeu Cneio Lucius angustiado, depois de levantar-se para contemplar o azul sereno –, devem ser as almas dos mártires, remontando à Jerusalém celeste!...

Profundo silêncio fizera-se entre ambos.

A ansiedade de seus corações, na grandeza melancólica do momento, falava mais que todas as palavras.

Célia, porém, rompeu aquela divina quietude, interrogando:

— Vovô, já leste o Sermão da Montanha, em que Jesus abençoa todos os que sofrem?!...

— Sim... – respondeu o ancião amargurado.

— Certamente – retornou a jovem com a sua inocência carinhosa e desvelada – Jesus preferiu que eu ficasse no mundo, sem o amor de Ciro, a sofrer o sacrifício da separação e da saudade, a fim de me salvar um dia, para o Céu, onde se reúnem todos os seus bem-aventurados!...

Cneio Lucius sentiu profundamente a doce resignação daquelas palavras. Desejou responder, exortando-a à sublime perseverança daquele sacrifício, mas tinha o velho peito sufocado. Atraiu, contudo, a neta de encontro ao coração, beijando-lhe a fronte enternecidamente. Seus cabelos brancos misturavam-se com a farta cabeleira jovem, como se a sua velhice veneranda fosse uma noite estrelada osculando uma aurora.

Ao longe, ouviam-se ainda as últimas algazarras do povo, mas o firmamento de Roma tocara-se de uma beleza sublimada e misteriosa. A imensa tranquilidade do crepúsculo parecia povoar-se de sagrados apelos do Infinito.

Então, os dois, fitando o Tibre e o céu, em prece silenciosa, começaram a chorar...

Fim da primeira parte

SEGUNDA PARTE

I
A morte de Cneio Lucius

Dois meses havia que o Imperador e seus áulicos preferidos tinham deixado Roma.

Naquele fim de primavera do ano 133, a vida das nossas personagens, na capital do Império, corria em aparente serenidade.

Alba Lucínia concentrava na filha e nos carinhos paternos a sua vida diuturna, sentindo-se, porém, muito combalida, devido às intensas preocupações morais, não somente pela ausência do marido, mas também pela atitude de Lólio Úrbico, que, vendo-se senhor do campo e abusando da autoridade de que dispunha na ausência do César, redobrava os seus assédios com mais empenho e veemência.

A nobre senhora tudo fazia para ocultar uma situação tão amarga e, apesar disso, o conquistador prosseguia, implacável, nos seus propósitos desvairados, mal suportando o adiamento indefinido de suas esperanças inconfessáveis.

Anteriormente, a esposa de Helvídio tinha em Túlia Cevina a amizade de uma irmã carinhosa e desvelada, que sabia reconfortá-la nos dias de provações mais ásperas, mas, antes da viagem do César, o tribuno Maximus Cunctator fora designado para uma demorada missão política na Ibéria distante, levando a esposa em sua companhia.

Alba Lucínia via-se quase só, na sua angústia moral, porquanto não podia revelar aos velhos pais, tão extremosos, as lágrimas ocultas do seu coração atormentado.

Frequentemente, deixava-se ficar, horas a fio, a conversar com a filha, cuja simplicidade de espírito e cujo fervor na crença a encantavam, mas, por maiores que fossem os seus esforços, não conseguia dominar a fraqueza orgânica que começava a preocupar o círculo da família.

Um fato viera perturbar, ainda mais, a existência aparentemente tranquila dos nossos amigos, na capital do Império. Cneio Lucius adoecera gravemente do coração, o que para os médicos, de um modo geral, era coisa natural, atenta a sua idade.

Debalde foram empregados elixires e cordiais, tisanas e panaceias. O venerável patrício dia a dia se mostrava mais debilitado. Entretanto, Cneio desejava viver ainda um pouco, até o regresso do filho, a fim de apertá-lo nos braços antes de morrer. Nos seus extremos de afeição paternal, queria recomendar-lhe o amparo às duas irmãs Publícia e Márcia, esclarecendo a Helvídio todos os seus desejos. Mas o experiente conhecimento das obrigações políticas forçava-o a resignar-se com as circunstâncias. Élio Adriano, de acordo com os seus hábitos, não regressaria antes de um ano, na melhor das hipóteses. E uma voz íntima lhe dizia que, até lá, o corpo esgotado deveria baixar, desfeito em cinzas, à paz do sarcófago. Algo triste, nada obstante os valores da sua fé, o venerável ancião alimentava no cérebro meditações graves e profundas acerca da morte.

Célia, apenas, com as suas visitas, lograva arrancá-lo, por algumas horas, dos seus dolorosos cismares.

Com um sorriso de sincera satisfação, abraçava-se à neta, dirigindo-se ambos para a janela fronteira ao Tibre, e, quando a jovem lhe falava da alegria do seu espírito, com o poder orar num local tão belo, Cneio Lucius costumava esclarecer:

– Filha, outrora, eu sentia a necessidade do santuário doméstico com as suas expressões exteriores... Não podia dispensar as imagens dos deuses, nem prescindir da oferta dos mais ricos sacrifícios; hoje, porém, dispenso todos os símbolos religiosos para auscultar melhor o próprio coração, recordando o ensino de Jesus à samaritana, ao pé do Garizim, de que há de vir o tempo em que o Pai Todo-Poderoso será adorado, não nos santuários de pedra, mas no altar do nosso próprio espírito... E o homem, filhinha, para encontrar-se com Deus no íntimo de sua consciência, jamais encontrará templo melhor que o da Natureza, sua mãe e mestra...

Conceitos semelhantes eram expendidos a cada oportunidade, nos colóquios com a neta.

Ela, por sua vez, transformava as esperanças desfeitas em aspirações celestiais, convertendo o sofrimento em consolo para o coração do idolatrado velhinho. Seu espírito fervoroso, com a sublime intuição da fé que lhe ampliava a esfera de compreensão, adivinhava que o adorado avô não tardaria muito a ir-se também a caminho do túmulo. Lamentava antecipadamente a ausência daquela alma carinhosa e amiga, convertida em refúgio do seu pensamento desiludido, mas, ao mesmo tempo, rogava ao Senhor coragem e fortaleza.

Num dia de grande abatimento físico, Cneio Lucius viu que Márcia abria a porta do quarto, de mansinho, com um sorriso de surpresa. A filha mais velha vinha anunciar-lhe a chegada de alguém muito caro ao seu espírito generoso. Era Silano, o filho adotivo, que regressava das Gálias. O patrício mandou-o entrar, com o seu júbilo carinhoso e sincero. Levantou-se trêmulo, para abraçar o rapaz que, na juventude sadia dos seus 22 anos completos, o apertou também nos braços, quase chorando de alegria.

– Silano, meu filho, fizeste bem em vir! – exclamou serenamente.
– Conta-me! Vens à Roma com alguma incumbência de teus chefes?

O rapaz explicou que não, que havia solicitado uma licença para rever o pai adotivo, de quem se sentia muito saudoso, acrescentando os seus propósitos de se fixar na capital do Império, caso consentisse, esclarecendo que o seu comandante nas Gálias, Júlio Saulo, era um homem grosseiro e cruel, que o submetia a constantes maus-tratos, a pretexto de disciplina. Rogava ao pai que o protegesse junto das autoridades, impedindo-lhe o regresso.

Cneio Lucius ouviu-o com interesse e retrucou:
– Tudo farei, na medida dos meus recursos, para satisfazer teus justos desejos.

Em seguida, meditou profundamente, enquanto o filho adotivo lhe notou o grande abatimento físico.

Saindo, porém, dos seus austeros pensamentos, Cneio Lucius acrescentou:

— Silano, não desconheces o passado e, um dia, já te falei das circunstâncias que te trouxeram ao meu coração paternal.

— Sim — respondeu o rapaz em tom resignado —, conheço a história do meu nascimento, mas os deuses quiseram conceder ao mísero enjeitado do mundo um pai carinhoso e abnegado, como vós, e não maldigo o destino.

O ancião levantou-se e, depois de abraçá-lo comovido, caminhou pelo quarto, apoiando-se com esforço. Em dado instante, deteve os passos vagarosos, diante de um cofre de madeira decorado de acanto, abrindo-o cuidadosamente.

Dentre os pergaminhos dessa caixa-forte, retirou um pequeno medalhão, dirigindo-se ao rapaz com estas palavras:

— Meu filho, os enjeitados não existem para a Providência Divina. Nem mesmo remontando ao pretérito, deves alimentar, no íntimo, qualquer mágoa, em razão da tua sorte. Todos os destinos são úteis e bons, quando sabemos aproveitar as possibilidades que o Céu nos concede em favor da nossa própria ventura...

E, como se estivesse mergulhando o pensamento no abismo das recordações mais longínquas, prosseguiu depois de uma pausa:

— Quando Márcia te beijou pela primeira vez, nesta casa, encontrou sobre o teu peito de recém-nascido este medalhão, que guardei para entregar-te mais tarde. Nunca o abri, meu filho. Seu conteúdo não podia interessar-me, pois, fosse qual fosse, terias de ser para mim um filho muito amado... Agora, porém, sinto que é chegada a ocasião de to entregar. Diz-me o coração que não viverei muito tempo. Devo estar esgotando os últimos dias de uma existência, de cujos erros peço o perdão do Céu, com todas as minhas forças. Mas, se me encontro próximo do túmulo, tu estás moço e tens amplos direitos à existência terrestre... Possivelmente, viverás em Roma doravante, e é bem possível chegue o momento em que terás necessidade de uma lembrança como esta... Guarda-a, pois, contigo.

Silano estava profundamente tocado nas fibras mais sensíveis do coração.

— Meu pai — exclamou comovido, recolhendo o medalhão zelosamente —, guardarei a recordação sem que o conteúdo me interesse! Também eu, de qualquer modo, não reconheceria outro pai senão vós mesmo, em cuja alma generosa encontrei o próprio carinho maternal que me faltou nos mais recuados dias da vida.

Ambos se abraçaram com ternura, continuando a palestra afetuosa, sobre fatos interessantes da província ou da Corte.

Nessa mesma noite, o venerável ancião recebeu a visita de Fábio Cornélio, de quem solicitou as providências favoráveis às pretensões do filho adotivo.

O censor, muitíssimo sensibilizado em vista das solenes circunstâncias em que o pedido lhe era feito, examinou o assunto com o máximo interesse, de modo que, em pouco tempo, obtinha a transferência de Silano para Roma, utilizando-lhe os serviços na própria esfera de sua gestão administrativa e fazendo do rapaz um funcionário de sua inteira confiança.

Considerando o ingresso daquela nova personagem na esfera de suas relações familiares, Alba Lucínia recordou as confidências de Túlia, mas procurou arquivar, com cuidado, as suas impressões íntimas, aceitando de bom grado a amizade respeitosa que Silano lhe demonstrava.

No lar de Helvídio Lucius, contudo, a situação moral se complicava cada vez mais, em face das arremetidas de Lólio Úrbico, que, de modo algum, se decidia a abandonar as suas criminosas pretensões.

Certo dia, à tarde, quando Alba Lucínia e Célia regressavam de um dos habituais passeios ao Aventino, receberam a visita do prefeito dos pretorianos, cuja fisionomia torturada demonstrava inquietação e profundo abatimento.

A jovem recolhia-se ao interior, enquanto a nobre patrícia iniciava a sua conversação amistosa e digna. O prefeito, porém, depois de alguns minutos, a ela se dirigiu, quase desvairadamente, nestes termos:

— Perdoe-me a ousadia reiterada e impertinente, mas não me posso furtar ao imperativo dos sentimentos que me avassalam o coração. Será possível que a senhora não me possa conceder uma leve esperança?!... Debalde tenho procurado esquecê-la... A lembrança dos seus atrativos e peregrinas virtudes está gravada em meu espírito com caracteres poderosos e indeléveis!... O amor que a senhora em mim despertou é uma luz indestrutível, ardente, acesa em meu peito para toda a eternidade!...

Alba Lucínia escutava-lhe as declarações amorosas tomada de temor e espanto, sentindo-se incapaz de traduzir a repugnância que aquelas afirmativas lhe causavam.

Enceguecido, porém, na sua paixão, o prefeito dos pretorianos continuava:

— Amo-a profunda e loucamente... De há muito, e bem jovem, tudo tenho feito para esquecê-la, em obediência às linhas paralelas dos nossos destinos, mas o tempo mais não fez que aumentar essa paixão, que me invade e anula todos os meus bons propósitos. Confio, agora, na sua magnanimidade e quero guardar no peito mísero uma tênue esperança!... Atenda às minha súplicas! Conceda-me um olhar! Sua indiferença me fere o coração com a perspectiva dolorosa de nunca realizar meu sonho divino de toda a vida... Adoro-a! Sua imagem me persegue por toda parte, como uma sombra... Por que não corresponder a essa dedicação sublime que vibra em minha alma? Helvídio Lucius não poderia ser, nunca, o coração destinado ao seu, no que se refere à compreensão e ao amor!... Quebremos o círculo das convenções que nos separam, vivamos os anseios de nossas almas. Sejamos felizes com a nossa união e o nosso amor!...

Estupefata, Alba Lucínia calava-se, sem atinar com as respostas precisas, na tortura de suas emoções.

Todavia, por detrás das cortinas, uma cena significativa se verificara.

Dirigindo-se distraidamente, para a sala de recepções, Célia surpreendera as atitudes de Hatéria, que, qual sombra, se detinha no corredor, à escuta das palavras do prefeito, proferidas em voz alta e imprudente.

Acercando-se do local, ouviu, também ela, as últimas frases apaixonadas do marido de Claudia, fazendo-se pálida de surpresa dolorosa.

Apesar de ouvir, distintamente, quanto o prefeito houvera pronunciado, notou que sua mãe se mantivera em estranho silêncio. Seria possível uma tal afeição sob aquele teto? O coração inocente não desejava dar guarida aos pensamentos inferiores e injuriosos à castidade materna. Desejou orar, antes de tudo, a fim de que o seu espírito não cedesse aos julgamentos precipitados e menos dignos, mas urgia dali afastar a criada antes que a situação se complicasse, a ponto de incidir na maledicência e na curiosidade dos próprios servos.

— Hatéria, que fazes aqui? — perguntou bondosamente.

— Vim trazer as flores da patroa — respondeu, fingindo despreocupação —, entretanto, temia perturbar a tranquilidade da senhora e do senhor prefeito, que tanto se estimam.

A cúmplice de Claudia Sabina frisou as últimas palavras com tamanha simplicidade, que a própria Célia, na santa ingenuidade da sua alma carinhosa, não percebeu qualquer malícia.

— Está bem. Dá-me as flores que eu mesma as entregarei à mamãe.

Hatéria retirou-se imediatamente, para evitar suspeitas, enquanto Célia, colocando as rosas num jarrão da antessala, recolheu-se ao quarto, de coração opresso, extravasando na prece sincera as lágrimas dolorosas da sua alma intranquila.

O silêncio da mãe a impressionara profundamente. Seria possível que ela amasse aquele homem? Teriam surgido divergências íntimas, tão profundas, entre seus pais, para que uma hecatombe sentimental viesse desabar naquela casa sempre bafejada de afeições tão puras?... Não ouvira a palavra materna responder ao conquistador com a energia merecida. Aquele mutismo lhe apavorava o coração. Seria crível que as paixões do mundo houvessem dominado a genitora, tão digna e tão sincera, na ausência de seu pai? As mais dolorosas conjeturas lhe povoavam a mente superexcitada e dolorida.

Todavia, fez o propósito íntimo de não deixar transparecer as suas dúvidas e inquietações. O coração de filha recusava-se a crer na falência materna, mas, mesmo assim, raciocinava no seu foro cristão que, se Alba Lucínia prevaricasse algum dia, seria chegado o momento de, como filha, testemunhar-lhe o mais santificado amor, com as sublimes demonstrações de uma renúncia suprema.

Agasalhando essas disposições, seu espírito carinhoso sentiu-se confortado, relembrando os preciosos ensinamentos de Jesus.

No entanto, a esposa de Helvídio, sem que a filha chegasse a ouvir-lhe as palavras indignadas, depois de longa pausa, revidara com energia:

– Senhor, tenho tolerado sempre os vossos insultos com resignação e caridade, não somente pelos laços que vos ligam a meu pai, como pela expressão de cordialidade entre vós e meu esposo, mas a paciência também tem os seus limites.

"Onde a vossa dignidade de patrício adquiriu tão baixo nível, inconcebível nos mais vis malfeitores do Esquilino?! Lá no ambiente provinciano, nunca supus que, em Roma, os homens de governo se valessem de suas prerrogativas para humilhar mulheres indefesas com a hediondez de paixões inconfessáveis.

"Não vos envergonhais da vossa conduta, tentando nodoar a reputação de uma casa honesta e de uma mulher que se honra em cultivar as mais elevadas virtudes domésticas? Em que condições tentais esse crime inaudito! Vossas incríveis declarações, na ausência de meu marido, valem por vergonhosa traição e a mais torpe das covardias!...

"Atentai bem para o vosso procedimento inacreditável! As portas acolhedoras desta casa, que se abriram constantemente para vos receber como amigo, estão abertas para vos expulsar como a um monstro!..."

De faces incendidas, Alba Lucínia manifestava o seu ânimo resoluto, em tão angustiadas circunstâncias. Indignada, apontava a porta ao conquistador, convidando-o a retirar-se.

– Senhora, é assim que se recebe uma afeição sincera? – resmungou Lólio Úrbico em voz surda.

– Não conheço o código da prevaricação e nunca pude compreender a amizade pelo caminho da injúria – esclareceu a nobre senhora com o heroísmo da sua energia feminina.

Ouvindo-a e percebendo-lhe a virtude indomável, o prefeito dos pretorianos abriu a porta para retirar-se, exclamando colérico:

– Há de ouvir-me com mais benevolência noutra ocasião. Tenho paciência inesgotável!

E saiu precipitadamente, para as sombras da noite, que já se havia fechado sob o céu pardacento.

Vendo-se só, a patrícia deu expansão às lágrimas amargas que se lhe represavam no íntimo. A saudade do marido, as preocupações morais, os insultos do conquistador impiedoso, a falta de um coração amigo que lhe pudesse recolher e compartilhar as amarguras, tudo contribuía para adensar as nuvens que lhe toldavam o raciocínio.

Inutilmente buscou a filha consolá-la em suas angustiosas inquietações. Três dias passaram, amargurados e tristes.

Célia podia, apenas, avaliar a angústia materna, mas não conseguia estabelecer a causa dos seus pesares, sentindo-se ainda atormentada e confusa com as declarações do prefeito. Abstraindo-se, no entanto, de qualquer pensamento que pudesse diminuir a dignidade materna, buscou esquecer o assunto, multiplicando os testemunhos carinhosos.

Alba Lucínia, a seu turno, ponderava com amargura a nefasta influência que Lólio Úrbico e sua mulher exerciam nos destinos de sua família, rogando com fervor aos deuses-lares compaixão e misericórdia.

A situação prosseguia com as mesmas características dolorosas, quando, um dia, o velho servo Belisário, pessoa da confiança de Cneio Lucius e de seus familiares, veio avisar que o estado de saúde do ancião se agravara inesperadamente. Márcia lhes dava ciência do fato, esperando fossem ao Aventino com a urgência possível.

Dentro de uma hora a liteira de Helvídio estava a caminho.

Em pouco tempo, Célia e sua mãe defrontavam o bondoso velhinho, que as recebeu com um largo sorriso, não obstante o visível abatimento orgânico. A cabeça encanecida repousava nos travesseiros, de onde não se podia mais erguer, mas as mãos enrugadas e alvas acariciaram a nora e a neta com inexcedível ternura. Alba Lucínia notou-lhe o esgotamento geral, surpreendendo-se com o seu aspecto. A fulguração estranha dos olhos dava ensejo às mais tristes perspectivas.

Às primeiras perguntas, respondeu o enfermo com serenidade e lucidez:

– Nada houve que justificasse tantos temores de Márcia... Acredito que, amanhã mesmo, terei recuperado o ritmo normal da vida. O médico já veio e providenciou o necessário e oportuno...

E, notando o profundo abatimento da esposa de Helvídio, acrescentou:

– Que é isso, minha filha? Vens atender a um doente, mais enferma e abatida que ele próprio?... Tua fraqueza dá-me cuidados... Tens os olhos fundos e as faces descoradas e tristes!...

A esse tempo, percebendo que o avô desejava dirigir-se mais particularmente a sua mãe, Célia retirou-se para junto de Márcia, que lhe confiava as suas apreensões sobre o estado de saúde do venerável ancião.

Alba Lucínia, sentando-se à beira do leito, beijou a destra do enfermo com amor e enternecimento.

Queria desculpar-se da impressão que lhe causara, pretextar uma enxaqueca ou alegar outro motivo banal com que pudesse justificar o seu abatimento, mas soberana tristeza apoderara-se do seu espírito. Além de todos os pesares, algo lhe segredava ao coração que o velho sogro, amado como um pai, estava a partir para as névoas do túmulo. Diante dessa dolorosa perspectiva, seus olhos o contemplavam com a ternura piedosa do seu coração feminino. Em vão procurou um pretexto, no íntimo, para não incomodá-lo com as suas realidades amargas e, todavia, o olhar estranho e fulgurante de Cneio Lucius parecia perscrutar a verdade em si mesma.

– Calas-te, filha?... – murmurou ele, depois de esperar por minutos a resposta às carinhosas interpelações. – Alguém chegou a ferir-te o coração afetuoso e desvelado? Teu silêncio dá-me a entender uma dor moral muito grande...

Sentindo que o enfermo lhe identificara o angustioso estado da alma, Alba Lucínia deixou rolar uma lágrima, filha do seu coração dilacerado.

– Meu pai, não vos preocupeis comigo nem vos assuste esta lágrima! Sinto-me presa dos mais estranhos e torturantes pensamentos... A ausência de Helvídio, os problemas do lar e agora a vossa saúde abalada constituem para mim um complexo de pensamentos amargos e indefiníveis!... Mas os deuses hão de apiedar-se da nossa situação, protegendo Helvídio e restituindo-vos a saúde preciosa!...

– Sim, filha, mas não é só isso o que te acabrunha – retrucou Cneio Lucius com o seu olhar sereno e percuciente –, outras mágoas te constringem o coração!... Há muito venho meditando no contraste da vida que levavas na província, com a que experimentas aqui, no báratro das nossas convenções sociais... Teu espírito sensível, por certo, vem ferindo-se nos espinhos das estradas ásperas dos nossos tempos de decadência e contrastes dolorosos!...

E, como se a sua análise sondasse mais fundo, acrescentou:

– Sinto, ainda, que determinadas pessoas do nosso círculo social hão dilacerado teu coração profundamente... Não é verdade?...

Fixando-lhe os olhos calmos e luminosos, cuja transparência não admitia subterfúgios, a esposa de Helvídio replicou com um suspiro de angústia:

– Sim, meu pai, não vos iludis, contudo, espero que confieis em mim, pois, dentro da grandeza dos nossos códigos familiares, saberei cumprir os deveres de esposa e mãe, acima de quaisquer circunstâncias.

O venerável patrício meditou longamente como se buscasse, no íntimo, uma solução para consolo da nora, sempre considerada como filha extremosa e digna.

Em seguida, como se houvera escutado as vozes silenciosas do próprio coração, acrescentou:

– Já ouviste dizer que temos várias vidas terrenas?

– Como, meu pai? Não compreendo.

– Sim, alguns filósofos mais antigos nos deixaram no mundo essas verdades consoladoras. Lutei contra elas, desde os estudos da mocidade, fiel às nossas tradições mais respeitáveis, contudo, a velhice e a enfermidade possuem também as suas grandes virtudes!... As experiências humanas ensinaram-me que precisamos de várias existências para aprender a nos purificarmos... Agora que me encontro no limiar do sepulcro, as mais profundas meditações me visitam a mente. A questão das vidas sucessivas aclarou-se, com toda a beleza de suas prodigiosas consequências. A velhice faz-me sentir que o Espírito não se modifica tão só com as lições ou com as lutas de um século, e a enfermidade me fez reconhecer no corpo uma vestimenta pobre, que se desfaz com o tempo. Viveremos além-túmulo com as nossas impressões mais vivas e mais sinceras, e retornaremos à Terra para continuar as mesmas experiências, em favor de nossa evolução espiritual.

Percebendo que a nora lhe ouvia a palavra filosófica, tomada de profunda surpresa, o venerando ancião acentuou:

— Estas considerações, filha, vêm-me do íntimo para esclarecer-te que, apesar da decrepitude portadora da morte, tenho o espírito vivaz e repleto das mesmas disposições e esperanças. Sem a certeza da imortalidade, a vida terrestre seria uma comédia estúpida e dolorosa. Mas eu sei que além do túmulo outra vida floresce e novas possibilidades felicitarão o nosso ser.

"Por essa razão, vibro com as tuas dores de agora, crendo, porém, que no futuro a Providência Divina nos concederá novas experiências e caminhos novos... Os que hoje nos odeiam ou nos perseguem, poderão ser convertidos ao bem com o nosso amor desvelado e compassivo. Quem sabe? Após esta vida, poderemos voltar, resgatando os nossos corações para o Céu e auxiliando a redenção dos inimigos. Tenhamos fé, piedade e esperança, considerando que o tempo deve ser para nós um patrimônio divino!... De acordo com o elevado princípio das vidas múltiplas, os laços do sangue ensejam as mais sublimes possibilidades de transfundirmos a torpeza do ódio, ou dos sentimentos inconfessáveis, em algemas cariciosas de abnegação e de amor...

"Sem forças físicas para defender os filhos queridos das ciladas e perigos do mundo, guardo as minhas esperanças afetuosas para o porvir ainda longínquo, sem descrer da sabedoria que rege os trabalhos e provações da existência terrena."

Cneio Lucius estava fatigado. As palavras sábias e inspiradas saíam-lhe da garganta, com dificuldade indefinível. Além disso, Alba Lucínia não lhe compreendeu as exortações carinhosas e transcendentes. Atribuiu-as, intimamente, a possíveis alterações mentais, decorrentes do seu estado físico. Mostrando-se mais forte, em face das próprias amarguras, fez sentir ao ancião que o seu estado requeria repouso e deveria abster-se de esforços prolongados e inadequados ao momento.

O sábio patrício percebeu a incompreensão da nora, esboçando um sorriso carinhoso e resignado.

Daí a momentos, a esposa de Helvídio confiava aos de casa as suas impressões, relativamente ao estado mental do enfermo, o que, conforme esclarecera Márcia, não era surpresa, desde que o generoso velhinho manifestara as suas simpatias pelas doutrinas cristãs.

Somente Célia compreendeu a situação, correndo a consolá-lo. Com a sua ternura imensa, abraçou-se ao avô, enquanto ele lhe advertiu:

– Sei porque assim me beijas e abraças... É pena que todos os nossos não possam compreender os princípios que nos esclarecem e consolam o coração!... Aos outros, não deverei falar com a franqueza com que permutamos nossos pensamentos... A ti, portanto, cumpre-me confessar que meu corpo está vivendo as derradeiras horas. Daqui a pouco, terei partido para o mundo da verdade, onde cessam todos os convencionalismos humanos. Em vez de confiar-te a teus pais, confio os meus filhos ao teu coração!... Sinto que Helvídio e Lucínia experimentam muitas desditas no ambiente de Roma, do qual, há muito, se desabituaram... Sacrifica-te por eles, filhinha... Se sobrevierem situações difíceis, ama-os ainda mais... Tu, que me levaste ao evangelho, deverás recordar que Jesus afirmava-se como remédio dos enfermos e pecadores... Sua palavra misericordiosa não vinha para os sãos, mas para os doentes, e as mãos para salvar as ovelhas tresmalhadas do seu aprisco divino... Não temas a renúncia ou o sacrifício de todos os bens do mundo... A dor é o preço sagrado de nossa redenção... Se Deus apiedar-se de minha indigência espiritual, virei do mistério do túmulo para te fortalecer com o meu amor, se tanto for preciso...

Enquanto a neta lhe ouvia a palavra, altamente emocionada, mas serena em sua fé, o venerando patrício continuava, depois de longa pausa:

– Desde ontem, sinto que vou penetrando em uma vida nova e diferente... Ouço vozes que me chamam ao longe, e seres luminosos e imperceptíveis para os outros me cercam o leito, desolados... Pressinto que o corpo não tardará a cair na agonia... mas, antes disso, quero dizer-te que estarás sempre no coração do avozinho, seja onde e como for.

Sua palavra tornava-se morosa e arquejante, a jovem, porém, compreendendo a situação do querido enfermo, amparou-lhe a cabeça alva de neve, com mais cuidado e maior ternura.

— Célia — murmurou com dificuldade —, todos os meus desejos referentes à vida... material... estão expressos... em carta a Helvídio. No cofre de minhas... lembranças... Minha consciência de pecador... está em preces e sei... que Jesus não desprezará minhas súplicas... Mas desejaria... recitasses a oração do Senhor, nesta hora extrema...

Seus lábios moviam-se ainda, como se a queda súbita das energias impedisse a elocução, mas a neta, alma temperada na fé ardente e nas grandes emoções das angústias terrestres, compreendeu o olhar calmo e profundo do agonizante, e começou a murmurar, retendo as próprias lágrimas:

— Pai nosso, que estais no Céu, santificado seja o vosso nome, venha a nós o vosso Reino, seja feita a vossa vontade, assim na Terra, como nos Céus...

Tranquilamente, terminou, como se as suas palavras houvessem alcançado o paraíso.

O ancião fixou nela o olhar carinhoso, como se, no silêncio da hora extrema, houvesse concentrado na sua afeição os derradeiros pensamentos.

Cheia de cuidados, Célia ajeitou-lhe os travesseiros, depois de um beijo molhado de pranto, dirigindo-se em seguida ao interior, onde cientificou sua mãe do que ocorria.

Cneio Lucius havia caído em abatimento profundo. A dispneia[27] implacável interceptara-lhe de todo a palavra e ele entrou em agonia lenta, que devia durar mais de setenta horas...

De nada valeram os recursos médicos do tempo, com as suas fricções e beberagens. O moribundo perdia o "tônus vital", aos poucos, em meio das mais dolorosas aflições.

As lágrimas de Márcia e Publícia misturaram-se às de Alba Lucínia e filha, ante os rudes padecimentos do velhinho adorado. Um servo foi expedido a toda pressa para Cápua, requisitando a presença de Caius Fabricius e sua mulher, que poderiam, talvez, chegar a Roma para as derradeiras homenagens.

Na manhã do terceiro dia de agonia dolorosa, como sói acontecer com as pessoas de idade avançada, Célia percebeu que o avô estava nas derradeiras impressões da existência terrestre... a respiração era quase imperceptível, um frio intenso começava a invadir-lhe os pés e as mãos.

Todos os familiares compreenderam que chegara o instante supremo... Márcia, nas suas expressões de amargura resignada, sentou-se junto

---

[27] N.E.: Dificuldade de respirar caracterizada por respiração rápida e curta, geralmente associada a doença cardíaca ou pulmonar.

do venerando genitor, aconchegando-lhe a cabeça entre os joelhos, carinhosa, enquanto Célia lhe segurou as mãos frias e enrugadas... com a alma em prece fervorosa, suplicando a Jesus recebesse o avô na luz de sua misericórdia, a jovem cristã, no êxtase da sua fé, sentiu que a câmara espaçosa se enchia de claridades estranhas e indefiníveis. Figurou-se-lhe divisar seres luminosos, aéreos, a cruzarem a alcova em todas as direções... Por vezes, chegava a lhes fixar os traços fisionômicos, embora não os identificasse, surpreendendo-se com a visão de túnicas alvinitentes, semelhantes a largos peplos de neve translúcida...

Todavia, entre aqueles seres radiosos entreviu alguém que lhe era conhecido. Era Nestório, que a confortava com um afetuoso sorriso. Compreendeu, então, que os bem-amados que nos precedem no túmulo vêm dar as boas-vindas aos que atingiram o último dia na Terra... Naquele minuto luminoso, seu coração enchia-se de carinhoso júbilo e de radiosas esperanças... Desejou falar ao vulto de Nestório, perguntando-lhe por Ciro, mas absteve-se de pronunciar qualquer palavra, receosa de que a sua abençoada visão se desfizesse... Contudo, como se os pensamentos mais íntimos fossem ouvidos pelo amigo desencarnado, percebeu que o ex-escravo lhe falava, ouvindo a sua voz, estranhamente, como se o fenômeno obedecesse a um novo meio de audição intracerebral.

– Filha – parecia-lhe dizer o Espírito Nestório afetuosamente –, Ciro já veio e vê-lo-ás breve!... Acalma o coração e guarda a tua fé sem desdenhar o sacrifício!... Adeus!... Junto de alguns amigos desvelados, aqui viemos buscar o coração de um justo!...

Com os olhos marejados de pranto, a filha de Helvídio notou que Nestório abraçava-se ao moribundo, enquanto uma força invencível a arrancava do êxtase, fazendo-a voltar à vida comum.

Como se houvera chegado de outro plano, ouviu que Márcia e sua mãe choravam e certificou-se de que o moribundo deixara escapar o último suspiro.

Cneio Lucius, com a consciência edificada nos largos padecimentos de uma longa vida, partira ao amanhecer, quando o maravilhoso Sol romano começava a dourar as eminências do Aventino com os primeiros beijos da aurora...

Então, um luto pesado se abateu sobre o palácio que, por tantos anos, havia servido de ninho aos seus grandes sentimentos. Durante oito dias, seus despojos ficaram expostos à visitação pública, na qual se confundiam nobres e plebeus, por lhe trazerem, todos, um pensamento agradecido.

A notícia do infausto acontecimento foi mandada a Helvídio pelo correio do próprio Imperador, enquanto Caius e a esposa chegaram da Campânia, a fim de assistir às derradeiras homenagens ao morto ilustre e querido.

Cneio Lucius não tivera o conforto da presença de Helvídio, mas Fábio Cornélio fez questão de tomar todas as providências para que não lhe faltassem as honras do Estado. Assim, o venerando patrício, justamente conhecido e estimado por suas virtudes morais e cívicas, antes de baixar ao túmulo, recebeu as homenagens da cidade em peso.

II
Calúnia e sacrifício

Helvídio Lucius encontrava-se entre a Tessália e a Beócia, quando lhe chegou a notícia do falecimento do pai. Inútil cogitar de uma visita a Roma, com o fim de confortar o coração desolado dos seus, não somente porque muitos dias já se haviam passado, como também devido aos seus labores intensos, no cargo a ele confiado pelos caprichos do Imperador.

Entre os mármores e preciosidades da antiga Fócida, em cujas ruínas era obrigado a utilizar os seus talentos na escolha de material aproveitável às obras de Tibur, sentiu no coração um vácuo imenso. O genitor era para ele um amparo e um símbolo. Aquela morte deixava-lhe na alma uma saudade imorredoura.

Os longos meses de separação do ambiente doméstico decorriam pesadamente.

Debalde atirava-se ao trabalho para fugir ao desalento que, assiduamente, lhe invadia o coração.

Embora a comitiva imperial permanecesse em Atenas, junto de Adriano, ele nunca estava livre das convenções sociais e políticas, no ambiente de suas atividades diuturnas. Sobretudo Claudia Sabina nunca o abandonava na faina do esforço comum, cooperando na sua tarefa com decisão e com êxito, reconquistando-lhe a simpatia e amizade de outros tempos. Helvídio Lucius, porém, se lhe admirava a capacidade de trabalho, não poderia transigir no tocante aos sagrados deveres conjugais, guardando a imagem da esposa no santuário de suas lembranças mais queridas, com lealdade e veneração. Recebia as suas cartas afetuosas e confiantes, como um estímulo indispensável aos seus feitos e acariciava a esperança de regressar a Roma em breve tempo, como alguém que aguardasse ansioso o dia de paz e liberdade.

Desde muito, porém, o generoso patrício trazia o íntimo pleno de preocupações e de sombras.

A esposa de Lólio Úrbico, modificando os processos de sedução, apresentava-se agora, a seus olhos, como amiga devotada e fiel, irmã dos seus ideais e de suas preocupações. No fundo, a antiga plebeia conservava a paixão desvairada de sempre, acompanhada dos mesmos propósitos de vingança para com Alba Lucínia, considerada, por ela, como usurpadora da sua ventura.

O tribuno, entretanto, observando-lhe as dedicações reiteradas e aparentemente sinceras, começou a acreditar no seu desinteresse, verificando a confortadora transformação dos sentimentos, transformação que era fruto apenas da sua profunda capacidade para o artificialismo. Claudia Sabina, contudo, continuava a querê-lo desvairadamente. O constante adiamento de suas esperanças represava-lhe a paixão com mais violência. No íntimo, experimentava os padecimentos de uma leoa ferida, mas a verdade é que, a cada investida do seu afeto, Helvídio lhe fazia perceber o caráter sagrado das obrigações matrimoniais de ambos, indiferente ao seu olhar ansioso e às suas aspirações inconfessáveis. A mulher de Lólio Úrbico desejava ser amada, assim, com tanta fidelidade e devotamento, mas os sentimentos grosseiros do coração não lhe deixavam perceber as vibrações mais nobres do espírito. Sabia, tão somente, que amava Helvídio Lucius com todos os impulsos do seu temperamento lascivo. Para realizar os seus propósitos inconfessáveis, não recuaria. Odiava Alba Lucínia e não trepidaria em lhe impor a vingança mais cruel, desde que conseguisse voltar às delícias do antigo amor, feito de exclusividade e violência.

Claudia percebeu que o tribuno, apegado às concepções do dever, poderia ser vencido tão somente por uma dissimulação a toda prova, e por isso cercava Helvídio de atenções carinhosas e constantes dedicações. Quando, acidentalmente, se referia à esposa ausente, tinha o cuidado de elogiá-la, esforçando-se por colorir os conceitos com o melhor tom de sinceridade.

Desse modo, o filho de Cneio Lucius se foi prendendo, novamente, na teia de encantos daquela mulher, concedendo-lhe uma atenção indevida, sensibilizado nas fibras mais íntimas do coração, embora nunca chegasse a olvidar as suas obrigações mais sagradas.

Claudia Sabina, contudo, afagava novas esperanças. Aos seus olhos, bastaria afastar do caminho a figura incômoda de Alba Lucínia, para assegurar a sua bastarda felicidade.

Certo dia, a esposa do prefeito, fingindo distração nas palavras, como de costume, asseverou a Helvídio, em íntima palestra:

– A última carta de uma das minhas amigas de Roma, dava-me a conhecer um pormenor curioso da vida de meu marido. Musônia avisa-me de que Úrbico passa em sua casa quase todo o tempo de que dispõe nos seus labores de Estado.

– Em minha casa? – perguntou o tribuno ruborizado, adivinhando a malícia de semelhante informação.

– Sim – respondeu Claudia, aparentando a maior indiferença –, sempre notei em meu marido singular predileção por sua família. Lucínia e sua filha sempre foram alvo de suas gentilezas especiais. Aliás, isso não nos pode surpreender. Fábio Cornélio, desde muito tempo, tem sido o seu melhor amigo.

– Sim, isso é incontestável! – exclamou Helvídio algo desapontado com semelhantes alusões ao seu lar.

Claudia Sabina percebeu que aquele instante era favorável para iniciar o tenebroso plano e, fingindo interesse pela paz doméstica de Helvídio Lucius, acrescentou sem piedade:

– Meu amigo, aqui entre nós, devo dizer-lhe que meu marido não é um homem que justifique os mais preciosos costumes do ambiente romano. Avalie quanto me custa fazer-lhe esta confidência, mas desejo zelar pela paz do seu lar, acima de tudo. Hipócrita e impulsivo por índole, Lólio Úrbico tem feito numerosas vítimas, no campo de suas aventuras de conquistador inveterado. Temo-lhe a frequência à sua casa, por sua mulher e por sua filha.

Helvídio fez-se pálido, mas Claudia, percebendo o efeito de suas palavras, prosseguia impiedosamente:

— Vivemos uma época de surpresas temerosas, na qual as mais sólidas reputações baqueiam imprevistamente... Desde que me casei com o prefeito, venho experimentando uma série de provações. Suas aventuras amorosas têm-me acarretado grandes dissabores, dado o clamor das vítimas, a me repercutirem no coração...

— Por Júpiter! — murmurou o tribuno fortemente impressionado. — Não posso contestar as suas apreciações, mas quero crer que Fábio Cornélio não se poderia enganar por tanto tempo, elegendo no prefeito um de seus melhores amigos.

— Sim, esse argumento parece forte à primeira vista — respondeu Sabina com argúcia —, mas convém lembrar que o meu amigo recomeça a sua vida na capital do Império, depois de muitos anos acostumado à tranquilidade da província. O tempo demonstrará que o censor e o prefeito se identificaram muito em uns tantos negócios do Estado. Ambos são compelidos a se respeitarem e a se quererem mutuamente, mas, quanto à conduta individual, sabem os deuses da realidade de minhas afirmativas.

Helvídio Lucius desviou a palestra para outros assuntos, reconhecendo a delicadeza daquelas observações sobre a honorabilidade de outrem e a propósito do seu lar, mas, quando Sabina se retirou, sentiu-se envenenado de preocupações injustificáveis e profundas. Que significariam as visitas reiteradas de Lólio Úrbico a sua casa? Porventura Alba Lucínia ter-se-ia esquecido dos seus sagrados deveres? Fábio Cornélio prender-se-ia tanto aos interesses materiais, a ponto de olvidar o nome e as respeitáveis tradições da família? Na mente do tribuno, as numerosas cogitações íntimas se baralhavam em tormenta. Ainda bem que aquela ausência dolorosa estava prestes a findar. Élio Adriano já expedira as ordens para que largassem da Itália as galeras para o regresso.

Em Roma, porém, a situação de Alba Lucínia e da filha chegava ao auge do sofrimento moral. Várias vezes, Célia percebera os colóquios de sua mãe com o impiedoso conquistador, mas, dada a sua timidez, não podia perceber a repulsa da genitora, diante da infâmia e da cruel ousadia. Lucínia, a seu turno, algumas vezes, deparava com o prefeito dos pretorianos em visita à sua casa, quando de suas curtas ausências junto das amigas, encontrando o implacável perseguidor em conversação com a filha, que o acolhia com a tolerância dos seus bons sentimentos, de modo a não ferir o coração materno, salientando-se que a esposa de

Helvídio temia, sinceramente, a presença daquele homem cruel, transformado em demônio do seu lar.

A nobre senhora, abatida e doente, pensou em expor a situação ao velho pai e, todavia, considerou que o censor já deveria ter percebido, de longa data, a sua posição angustiosa, do ponto de vista moral, supondo, portanto, que, se ele silenciava, é que lhe sobravam ponderosas razões para fazê-lo.

Muitas vezes tentou falar à filha sobre tão delicado assunto, supondo-a também vítima das perseguições insidiosas do inimigo da sua paz, todavia, Célia, com a sua natural pudicícia, jamais deu ensejo às confidências maternais, desviando o curso das conversações e multiplicando os carinhos para com ela, em cujo coração adivinhava as mais dilacerantes inquietações.

Afinal, quando faltavam dois meses para o regresso definitivo de Helvídio, Alba Lucínia acamou-se, extremamente abatida.

Mais de um ano fazia que o Imperador se ausentara.

Foram catorze meses de angústias para a filha de Fábio Cornélio, cuja saúde não pudera resistir ao embate das provações mais penosas. Célia, igualmente, tinha as faces descoradas e tristes. Pelos seus traços, podia observar-se o enfraquecimento orgânico. As preocupações filiais se traduziam por longas noites de insônia, que acabaram por lhe arruinar a saúde, antes vigorosa. Com a sua ternura inata, ela tudo fazia por consolar a mãezinha combalida.

Dos portos da Itália foram enviadas quatro grandes galeras para o regresso de Adriano e sua comitiva. A primeira embarcação, chegada ao litoral da África, foi disputada pelos elementos mais ávidos de retornar ao ambiente romano, entre os quais Claudia Sabina, que pretextava a necessidade de voltar quanto antes, considerando os apelos do seu círculo doméstico.

Helvídio Lucius estranhou aquela pressa, mas não podia adivinhar o alcance de seus planos. Ele também desejaria regressar, urgentemente, mas era obrigado a atender ao convite do Imperador, para fazer-lhe companhia na embarcação de honra, que chegaria a Óstia oito dias depois das primeiras galeras.

Daí a alguns dias, a mulher do prefeito dos pretorianos chegava à capital do Império, com o avanço de uma semana, de molde a cogitar da realização dos sinistros projetos de vingança que lhe trabalhavam a mente. O marido recebeu-a com a frieza habitual e os servos da casa, com a tribulação que a sua presença lhes causava.

Claudia Sabina teve meios de fazer chegar a Hatéria a notícia de sua volta, encarecendo-lhe a visita com a possível urgência.

Em frente de sua cúmplice, a quem dispensava o máximo de generosidade, a antiga plebeia disse-lhe ansiosamente:

— Hatéria, chegou o momento de jogar a última cartada na minha partida. Realizarei meu projeto sem vacilar nas minhas atitudes, e, quanto a ti, receberás agora o prêmio da tua dedicação.

— Sim, senhora — retrucava a serva com o olhar cúpido, imaginando a propina.

— Como vai a mulher de Helvídio?

— A patroa vai muito abatida, e doente.

— Ainda bem — murmurou Sabina satisfeita —, isso favorece a execução dos meus planos.

E depois de fixar na companheira os olhos ansiosos, acentuou de maneira singular:

— Hatéria, estás preparada para o que possa acontecer?

— Sem dúvida, minha senhora. Entrei em casa do patrício Helvídio Lucius, para vos servir, exclusivamente.

— Não te arrependerás por isso — disse Sabina com decisão. — Ouve-me: estamos ao termo da missão que te retém junto de Alba Lucínia. Espero do teu esforço o último serviço de colaboração na minha tarefa de amplo desagravo do passado doloroso. Tenho sido generosa contigo, mas desejo assegurar o teu futuro pelos bons serviços que me hás prestado. Que desejas para descanso da tua velhice no seio da plebe desamparada?

Depois de pensar um momento, a velha serva murmurou satisfeita, como se já houvesse realizado, no íntimo, todos os cálculos imprescindíveis a uma resposta mais exata.

— Senhora, sabeis que tenho uma filha casada, cujo marido vem arcando com a maior miséria nos seus dias de tormento e de pobreza. Valério, meu genro, teve sempre grande amor à vida do campo, mas, em sua penosa condição de liberto pobre, jamais conseguiu amealhar o suficiente para adquirir um trato de terra, onde pudesse fazer a felicidade da família. Meu ideal, portanto, é possuir um sítio longe de Roma, onde me recolhesse junto dos filhos e dos netos que me estimarão, como hoje, nos dias próximos da decrepitude e da invalidez para o trabalho.

— Teus desejos serão satisfeitos — exclamava a mulher do prefeito, enquanto Hatéria a escutava, cheia de alegria —, vou indagar o custo de um sítio aprazível e, no momento oportuno, dar-te-ei a quantia necessária!

— E que devo fazer agora para lograr semelhante ventura?

— Escuta — disse Claudia com gravidade. — De hoje a uma semana Helvídio Lucius deverá estar de volta. Na tarde de sua chegada, deverás procurar-me para receber instruções. Nesse mesmo dia, terás o dinheiro necessário para realizar teus desejos. Por agora, vai-te em paz e confia em mim.

Hatéria estava radiante com as perspectivas do futuro, sem levar em conta os meios criminosos que haveria de empregar para atingir seus fins.

No dia seguinte, pela manhã, uma liteira modesta saía da residência de Lólio Úrbico, em direção à Suburra.

Será inútil esclarecer que se tratava de Claudia Sabina, dirigindo-se à conhecida casa da vendedora de sortilégios, com quem haveria de concluir os seus projetos sinistros.

A feiticeira de Cumas recebeu-a sem surpresa, como se estivesse à sua espera.

Depois de mergulhar as mãos ávidas na aluvião de sestércios que Claudia lhe trazia, Plotina concentrou-se diante da trípode que já conhecemos, falando em seguida:

— Senhora, o momento é único! Devemos cuidar de todos os pormenores, quanto ao que vos cumpre fazer, a fim de que se não percam os nossos melhores esforços.

Claudia Sabina pôs-se a meditar num plano minucioso que a feiticeira submetia ao seu critério.

Plotina falava em voz muito baixa, como se receasse as próprias paredes, tal a ignomínia das sugestões criminosas.

Finda a longa exposição, a consulente retrucou pensativa:

— Não seria melhor exterminar a rival? Tenho alguém em sua casa que se poderá incumbir do último golpe. Sei que conheces os filtros mais violentos e que mos podes fornecer hoje mesmo.

— Senhora, as vossas ponderações são razoáveis, mas deveis recordar que a morte do corpo só aproveita aos assuntos de ordem material; e, em nosso caso, eles são de ordem espiritual, tornando-se indispensável um golpe infalível. Quem nos dirá que o homem amado voltará aos vossos braços se a companheira descer às cinzas de um túmulo? Os que partem para o Além costumam deixar uma saudade duradoura, alimentando sempre uma paixão inextinguível.

E enquanto a esposa do prefeito considerava as estranhas insinuações como certas e justas, Plotina continuava:

— É preciso instilar o ódio no coração do homem desejado, para que a vossa ventura seja efetiva. Para atingirmos esse fim, necessário se torna flagelar a alma, abatendo-a e destruindo-a.

— Sim, as tuas advertências são assaz judiciosas e não devo desprezá-las, mas, de conformidade com o teu plano, meu marido deverá desaparecer...

— E que vos importa isso, se a sua morte se faz necessária? Não forçais o destino para gozar a felicidade possível com outro homem?

— Sim, teu projeto é o melhor, porquanto chegaste a prever todas as consequências.

E, como se apostrofasse a figura imaginária da rival, vítima da sua insânia e do seu ódio, acentuou com os olhos perdidos no vácuo:

— Alba Lucínia deverá viver!... Relegada a um plano inferior, com a sua vergonha, padecerá o desprezo e a execração que tenho padecido!...

Plotina levantara-se. De um armário esquisito, retirou frascos e pacotes que entregou à cliente, com observações especializadas.

Aceitando de alma aberta o plano odioso, Claudia Sabina saiu, prometendo voltar.

Daí a dias, Élio Adriano com a sua imponente comitiva entrava pela Porta Óstia, aclamado pela onda espessa do patriciado e do povo.

O Imperador, com a sua predileção pelas relíquias da Antiguidade, recomendou a Helvídio superintendesse todo o serviço de descarga das peças curiosas da Fócida, destinadas a Roma. O tribuno, porém, delegando a incumbência a um dos seus prepostos de confiança, dirigiu-se à cidade, para abraçar a esposa e a filha.

Lucínia e Célia receberam-no com transportes de júbilo indizível.

O tribuno, porém, abraçou-as tomado de enorme surpresa. Ambas se encontravam desfiguradas e doentes. Apesar disso, trocaram-se impressões carinhosas, cheias do encantamento e do júbilo de se reverem. Assinalando essa comovedora alegria, o generoso patrício, amante do lar, retirou de pequena caixa um soberbo bracelete de pedras preciosas, que entregou à esposa como lembrança de Atenas e deu à filha uma formosa pérola adquirida na Acaia, como recordação da Grécia longínqua.

Depois, foi um longo desfiar de reminiscências amigas e doces. Alba Lucínia teve de confiar ao marido todas as peripécias da enfermidade, agonia e morte de Cneio Lucius.

Enquanto a cidade se repletava de espetáculos para ilustrar o regresso do Imperador, Helvídio Lucius e os seus entretinham-se em palestra cariciosa, matando as saudades recalcadas.

Todavia, quando os derradeiros clarões do sol preludiavam o crepúsculo, o patrício disse à esposa, com grande ternura:

— Agora, querida, regressarei a Óstia, onde sou obrigado a pernoitar ainda hoje. Amanhã estarei definitivamente reintegrado em casa, a fim de organizarmos a nossa vida nova. Já me avistei com Fábio Cornélio, que acompanhou o Imperador ao lado do prefeito, mas somente amanhã poderei estar com Márcia, para ouvi-la acerca de meu pai e dos seus últimos desejos.

— Mas as responsabilidades em Óstia são assim tão imperiosas? — perguntou Alba Lucínia preocupada. — Para os serviços do Imperador não teria bastado a ausência de mais de um ano?

— Sim, querida, faz-se mister cumprirmos o dever nas suas características mais severas. Adriano incumbiu-me da verificação de todas as relíquias transportadas da Grécia e não posso confiar tão somente no trabalho dos servos, dado o valor considerável da carga em apreço. Mas não te amofines com isso!... Lembra-te de que amanhã aqui estarei para concertar os nossos planos familiares.

Alba Lucínia aquiesceu com um sorriso triste, como se estivesse em face do inevitável. Seu coração, porém, desejava a presença do companheiro para confiar-lhe, imediatamente, os seus íntimos dissabores.

Ao cair da tarde, a liteira de Helvídio saía de casa apressadamente.

Alba Lucínia recolhia-se ao leito, cheia de novas esperanças, enquanto a filha voltava às suas meditações.

Alguém, contudo, saía da residência do tribuno, cautelosa e apressadamente, sem despertar a curiosidade dos serviçais domésticos. Era Hatéria que se dirigia para o Capitólio.

Claudia Sabina recebeu-a sôfrega, fazendo-a entrar num gabinete mais discreto e falando-lhe nestes termos:

— Ainda bem que vieste mais cedo! Tenho de tomar muitas providências.

— Aguardo as vossas ordens — respondeu a criatura na sua fingida humildade.

— Hatéria — volveu Sabina com voz quase imperceptível –, estou vivendo horas decisivas para o meu destino. Confio em ti como se confiasse em minha própria mãe.

E entregando-lhe pesada bolsa, com o preço da traição, acrescentava:

— Aqui está o prêmio da tua dedicação em favor da minha felicidade. São economias com que poderás adquirir um sítio, longe de Roma, conforme desejas.

Hatéria, cúpida, recebia a pequena fortuna, deixando transparecer estranha alegria nos olhos fulgurantes.

A mulher de Lólio Úrbico, todavia, continuava em tom discreto:

— Em troca da minha generosidade, exijo-te, contudo, segredo tumular, ouviste?

— Essa exigência me é muito grata, creia — dizia a cúmplice.

— Confio na tua palavra.

E depois de uma pausa, olhos perdidos no vácuo, como a antever os seus feitos horríveis, acentuou:

— Conheces a coluna lactária, no mercado de legumes?[28]

— Sim, não fica longe do Pórtico de Otávia. Há muito tempo, por ali perambulei, a fim de observar as criancinhas abandonadas.

— Neste caso não me será difícil explicar-te o que pretendo.

Começava a falar com a velha serva em voz muito baixa, expondo-lhe os seus projetos, enquanto Hatéria a ouvia muito admirada, mas aquiescendo a todas as sugestões.

Claudia Sabina parecia alucinada. Olhar abstrato, a expressão fisionômica tinha um quê de sinistro. Como que concentrada no único propósito de efetivar os seus planos, dirigia-se à velha serva maquinalmente:

— Hatéria — disse, entregando-lhe um pequenino frasco –, esse filtro dá repouso físico e sono prolongado... Ao ministrá-lo, é preciso que Alba Lucínia descanse tranquilamente...

Confiando-lhe outro frasco, afoitamente acrescentava:

---

[28] N.E.: A coluna lactária no mercado de legumes, ou Forum Olitorium, era o local onde se expunham, diariamente, os recém-nascidos enjeitados.

— Leva também este! Terás necessidade de tudo isso!...

E, enquanto a serva guardava os elementos do crime, acentuava:

— Que os deuses da minha vingança nos protejam... Até que enfim, chegou o instante da desforra... Sim, Hatéria, amanhã Helvídio Lucius saberá, para todos os efeitos, que a esposa lhe foi infiel, apresentando-lhe o fruto de um crime... A escolha da criança ficará ao teu critério... Poderei contar absolutamente contigo?

— Pela fé no poder de Júpiter, podeis confiar em mim, senhora. Irei à coluna lactária, depois da meia-noite, e levarei comigo a criança. Os recém-nascidos são ali abandonados diariamente, às dezenas...

Assentada a combinação sinistra, a noite já havia desdobrado sobre Roma o seu manto de sombras espessas.

Todavia, enquanto Hatéria retornava à casa dos amos, Claudia Sabina privava-se das festas noturnas do Imperador, encaminhando-se à Porta de Óstia apressadamente.

Encontrando-se lá com o filho de Cneio Lucius, solicitou-lhe o favor de uma palavra em particular, no que foi imediatamente atendida.

— Helvídio – falou a perversa criatura com a sua facilidade de dissimulação –, aqui estou para prevenir-te, reservadamente, de graves acontecimentos, aliás, já por mim previstos, quando na Grécia.

— Mas que acontecimentos? – interrogou o patrício com ansiedade.

— Deves estar preparado para ouvir-me, pois acredito que o prefeito dos pretorianos, com a bruteza dos seus sentimentos, chegou a macular a honra da tua casa.

— Impossível! – exclamou o tribuno com veemência.

— Entretanto, deves ouvir Alba Lucínia imediatamente, verificando até que ponto conseguiu Lólio Úrbico introduzir-se no teu lar.

— Eu não posso duvidar de minha mulher sequer um minuto – revidou com sinceridade.

— Queres ou não ouvir-me até o fim, para conheceres os pormenores do fato? – perguntou Sabina encolerizada.

— Ouvi-la-ei com prazer, desde que o assunto não se refira à minha família e à honra da minha casa.

— É possível que tua opinião amanhã se modifique.

E, despedindo-se bruscamente do homem de suas paixões, que sabia defender as tradições do lar e da família, a antiga plebeia regressava ao

Capitólio, mais que nunca interessada no desdobramento dos seus sinistros desígnios. O gênio do mal, que lhe falava no coração, preparava para aquela noite os acontecimentos mais terríveis.

Enquanto a vemos, pela madrugada, a examinar documentos e pergaminhos no gabinete de Lólio Úrbico, acompanhemos Hatéria até o mercado de legumes.

A sociedade romana já se havia habituado a ver junto da coluna lactária os míseros enjeitadinhos. Esse local de triste memória, onde muitas mães abnegadas acolhiam pobres crianças abandonadas, constituía como que os primórdios das famosas "rodas de expostos", nos estabelecimentos de caridade cristã, que floresceriam mais tarde para o mundo.

À claridade mortiça da Lua, antes do amanhecer, a velha serva verificou a presença de três míseros pequeninos. Um deles, porém, chamou-lhe a atenção pelos seus suaves vagidos de recém-nado. Era uma criancinha de traços delicados e nobres, que a cúmplice de Claudia pôde examinar, minuciosamente, à luz de uma tocha. O enjeitadinho, com roupas muito pobres, parecia nascido de poucas horas. Hatéria tomou-o nos braços, quase com enlevo, considerando intimamente: esta criança deve ser um digno rebento de patrícios romanos!... Que penoso romance não se ocultará no seu vestidinho roto e ordinário...

Levou-o consigo, penetrando na casa dos amos com todo o cuidado.

Amanhecia...

À noite, a criminosa adicionara o narcótico aos remédios de sua senhora.

Entrou no quarto onde a esposa de Helvídio repousava tranquilamente, depôs a criança ao seu lado, envolvendo-a no ambiente tépido das coberturas. Em seguida, preparou ali toda a encenação necessária, sem que a pobre vítima do filtro que a mergulhara em longo e pesado sono pudesse perceber o que se passava.

Todavia, o pequenino começou a chorar fracamente, embora a serva criminosa fizesse o possível por acalmá-lo.

No quarto contíguo ao de sua mãe, dado o ruído insólito, Célia despertava.

Acordou aturdida e sensibilizada. Acabava de sonhar que se encontrava, novamente, no cemitério triste da Porta Nomentana, como na memorável noite em que pudera rever o bem-amado de sua alma. Figurava-se-lhe contemplar Ciro a seu lado, enquanto Nestório mantinha a mesma atitude das suas antigas prédicas, perguntando: 'Quem é minha mãe e quem são os meus irmãos?' Tinha o cérebro ainda preso de emoções carinhosas, e as mais ternas lembranças no coração de menina e moça...

Nesse instante, o ruído insólito chegava-lhe aos ouvidos. Vagidos de criança? Que significaria aquilo?

Levantou-se apressada, com o pensamento ansioso, mergulhado em dolorosas perspectivas.

Notando o movimento de alguém que se aproximava, Hatéria fez menção de retirar-se à pressa, mas a jovem já havia transposto a porta, verificando-lhe a presença.

Contemplando a criança ao lado de sua mãe adormecida e os sinais evidentes de quanto caracteriza o lugar de um parto, presumiu adivinhar o drama com as amargas suspeitas do seu coração filial.

Um turbilhão de pensamentos penosos surpreendeu-lhe o cérebro enfraquecido. Sim, aquela criancinha deveria ter nascido ali, como consequência fatal de uma tragédia inesquecível.

– Hatéria – exclamou num gemido –, que significa tudo isso?!

– Vossa mãe, esta noite, minha boa menina – respondeu a serva criminosa, sem se perturbar –, deu à luz um pequenino...

– É incrível! – soluçou a filha de Helvídio, com a voz estrangulada.

– Entretanto é a verdade – revidou Hatéria em voz muito baixa –; não dormi, auxiliando a senhora em seus sofrimentos!

E, apontando para a infortunada consorte do tribuno, exclamava quase tranquila:

– Agora ela dorme... e precisa repousar!

Célia não podia definir a intensidade dolorosa dos pensamentos que a empolgavam. Nunca acreditara que sua mãe pudesse prevaricar na ausência paterna. Seu coração carinhoso sempre fora, a seu ver, um modelo de virtudes, um símbolo de honestidade. Certamente Lólio Úrbico levara a infâmia aos mais pavorosos extremos. Ela bem que lhe ouvira as palavras de conquistador desalmado e cruel! Além de tudo, sua mãe há muito que andava doente. Com certeza, seu coração bondoso e honesto estava cheio de tormentos da compunção e do arrependimento. Sentia pela mãe um enternecimento infinito. Seu pai regressara na véspera, cheio de novas esperanças. Ela surpreendera lágrimas nos olhos maternos, pranto esse que deveria ser de júbilo intenso e de comovedora alegria. Quanto não haveria sofrido o coração materno naqueles longos meses de expectativas angustiosas! Alba Lucínia, porém, sua mãe e melhor amiga, tinha agora um filhinho que não era uma flor do tálamo conjugal. Helvídio Lucius não lhe perdoaria nunca. Célia conhecia a enfibratura do pai, assaz generoso, mas demasiadamente impulsivo. Além de tudo, a sociedade romana não admitia transigências tratando-se de tragédia como aquela, no seio do patriciado. Com as lágrimas a borbulharem-lhe dos olhos, naquelas rápidas e singulares meditações, a jovem cristã lembrou-se do sonho daquela noite, e pareceu-lhe ainda ouvir Nestório a repetir as palavras do evangelho – 'Quem é minha mãe e quem são meus irmãos?' – Levando as suas lembranças ainda mais longe, recordou a exortação nas vésperas do sacrifício, quando afirmara que a melhor renúncia por Jesus não era propriamente a da morte, mas a do testemunho que o crente fornece com os exemplos da sua vida. Depois, a figura do avô surgiu espontânea em sua mente. Parecia-lhe que Cneio voltava do túmulo para recomendar-lhe, mais uma vez, a tranquilidade do pai e a ventura da mãe, nas provas aspérrimas...

De olhos marejados de pranto, aproximou-se do pequenino, que abrira os olhos, pela primeira vez, às primeiras claridades do dia... O enjeitadinho fez um movimento com os braços minúsculos, como se os levantasse para ela, suplicando-lhe conforto e afeto. Célia sentiu que as lágrimas caíam-lhe no rosto alvo e minúsculo, experimentando no coração uma ternura infinita. Retirou-o com cuidado como se o fizesse a um irmãozinho... Sentiu que o coraçãozinho batia-lhe de encontro ao seu, como o de uma ave assustada, sem direção e sem ninho... Seu espírito, como que tocado de sentimentos misteriosos e inexplicáveis, estava também povoado das mais profundas emoções maternas...

Depois de alguns minutos, em que Hatéria a contemplava surpreendida, Célia ajoelhou-se aos pés da serva, exclamando comovedoramente no seu sublime espírito de sacrifício:

– Hatéria, minha mãe é honesta e pura! Esta criança que vês nos meus braços é meu filho! Se-lo-á meu filhinho agora e sempre, compreendes?

– Jamais o direi – respondeu a cúmplice de Claudia aterrada.

– Ouve! Tu que foste a confidente de minha mãe, ajuda-me a salvá-la!... Pelo amor de tuas crenças, confirma os meus propósitos!... Minha mãe precisa cuidar de meu pai no curso da vida e meu pai a adora! Se ela errou, porque não auxiliarmos a sua felicidade, devolvendo à sua alma a ventura merecida? Minha mãe nunca erraria de moto próprio!... Foi sempre boa, carinhosa e fiel... Só um homem muito perverso poderia induzi-la a uma falta dessa natureza, pelos caminhos do crime!...

Lacrimejante, enquanto a criada a escutava estarrecida, continuava:
— Cede aos meus desejos! Esquece o que viste esta noite, considerando que os tiranos dos nossos tempos costumam raptar nobres damas, aplicando-lhes filtros de esquecimento! Minha pobre mãe deve ter sido vítima desses processos miseráveis!... Quero salvá-la e conto contigo!... Dar-te-ei todas as minhas joias mais preciosas. Meu pai não costuma dar-me dinheiro em espécie, mas tenho dele e de meu avô as lembranças mais ricas... Ficarão contigo! Vendê-las-ás, onde quiseres... Arranjarás uma pequena fortuna...

— Mas e a menina? — murmurou Hatéria espantada com o imprevisto dos acontecimentos — já pensou que essa ideia do sacrifício é impossível? Com quem ficaríeis no mundo? Vosso pai, porventura, suportaria ver-vos assim, mãe de uma criança infeliz?!...

— Eu... — exclamou a jovem com atitudes reticenciosas, como se desejasse lembrar alguém que a pudesse valer em tão dolorosas circunstâncias — eu... ficarei com Jesus!...

Em seguida, ante o silêncio de Hatéria, que lhe obedecia maquinalmente, todo o cenário era transportado ao seu quarto, enquanto Célia conchegava o pequenino ao coração, entregando à serva ambiciosa todas as joias mais preciosas e guardando, apenas, a pérola que Helvídio lhe dera na véspera.

Alba Lucínia, contudo, saíra do seu torpor, repentinamente. Aturdida com os efeitos do narcótico, estava surpresa, ouvindo no quarto da filha os vagidos da criança.

Divisando o vulto de Hatéria através de uma cortina, chamou-a em voz alta para certificar-se do que ocorria.

A criada criminosa, porém, apareceu-lhe de frente, lívida e aterrada...

Levando as mãos à cabeça num gesto de fingido desespero, exclamava com esgares estranhos:
— Senhora!... Senhora! Que grande desgraça!...

A esposa do tribuno, com o coração a lhe saltar do peito, pálida e aturdida, ia interrogar a serva, quando alguém transpôs a porta e penetrou no aposento.

Era Helvídio. O genro de Fábio não conseguira conciliar o sono. Depois das insinuações pérfidas de Claudia Sabina, parecia que veneno atroz lhe destruía todas as forças do coração. Trabalhou intensamente para que as horas da noite lhe fossem menos amargurosas e, todavia, ao dealbar da aurora, montara um cavalo veloz que o transportou, célere, a casa, para consolidar a sua tranquilidade espiritual, junto da mulher e da filhinha.

Lá chegando, ainda ouviu a velha serva exclamar desesperada:

– Uma desgraça!... uma grande desgraça!...

Enquanto Lucínia o contemplava aflita e transfigurada, Helvídio Lucius caminhava para ela e para a criada, com o semblante carregado e triste...

– Explica-te, Hatéria!... – teve forças para murmurar a pobre senhora aflitamente.

Nesse instante, porém, depois de longa prece, a jovem cristã surgiu, quase cambaleante, à porta da alcova materna.

Tinha os olhos vermelhos e tristes, a roupa malposta, os cabelos em desalinho. Acalentado em seus braços afetuosos, o pequerrucho se acalmara, qual pássaro que houvesse reencontrado o ninho tépido.

Helvídio e sua mulher contemplaram a filha, surpresos e aterrados.

– Mas que significa tudo isso? – explodiu o tribuno, dirigindo-se à serva.

Célia queria explicar-se, mas a voz estrangulara-se-lhe na garganta, enquanto Hatéria esclarecia:

– Meu senhor, a menina, esta noite...

Contudo, ante o olhar duro do patrício, a sua voz se perdia nas reticências dos remorsos e das dúvidas, quanto às terríveis consequências da sua infâmia.

Célia, porém, cheia de fé na Providência Divina e sinceramente desejosa de sacrificar-se por sua mãe, ajoelhara-se humilde, exclamando com voz quase firme:

– Sim, meu pai... minha mãe... pesa-me a confissão da minha falta, mas esta criança é meu filho!...

O tribuno sentiu que uma comoção desconhecida invadiu-lhe todo o ser. A cabeça andava-lhe à roda, ao mesmo tempo que lividez de mármore cobria-lhe as feições, vincadas de cólera e angústia. Os mesmos fenômenos fisiológicos passavam-se com sua mulher, cujos olhos aterrados não encontravam lágrimas para chorar. Alba Lucínia, contudo, ainda teve energia para murmurar, olhando o Alto:

— Deus do Céu!...

Célia, porém, genuflexa, enquanto Hatéria erguia a cabeça, fria e impassível, exclamava com o pranto da sua humildade:

— Se puderdes, perdoai à filha que não conseguiu ser feliz! Sei o crime cometido e aceito de boa vontade as consequências da minha falta!

De olhos baixos, com as lágrimas a aljofrarem a face do inocentinho, a jovem continuava dirigindo-se ao pai, que a ouvia estarrecido, como se o pavor daquela hora o houvesse petrificado:

— Na vossa ausência, andou nesta casa o espírito de um tirano!... Recebido como amigo, assediou minha mãe com todos os seus processos de infâmia... Ela, porém, como sabeis, foi sempre fiel e pura!... Reconhecendo-lhe a virtude incorruptível, o prefeito dos pretorianos abusou da minha inocência, levando-me ao que vedes!... Nunca confessei à mamãe as faltas de minha alma, mas, esta noite, senti a realidade da minha desventura! No auge dos sofrimentos, busquei o auxílio de Hatéria, para salvar a vida deste inocentinho!...

E erguendo os olhos súplices para a criada impassível, a jovem acrescentava:

— Não é verdade, Hatéria?

Lucínia e o esposo não queriam acreditar no que viam, mas a serva criminosa confirmava com fingida amargura:

— É verdade!...

— Sei que as nossas tradições não me perdoam a falta – continuava Célia tristemente –, mas toda a minha mágoa vem do fato de haver maculado o lar paterno, aceitando uma afronta e dando margem à desonra!... Não posso ser perdoada, mas vede o meu arrependimento e tende compaixão do meu espírito abatido! Expiarei o crime como as circunstâncias exigirem, e, se for indispensável a morte para lavar a mácula, saberei morrer com humildade!...

As lágrimas embargavam-lhe a voz, não obstante sentir-se amparada por braços intangíveis do plano espiritual, no instante penoso do sacrifício.

Helvídio Lucius, saindo do seu pasmo, deu alguns passos em direção à esposa trêmula, perguntando com voz estranha e quase sinistra:

— Lólio Úrbico é, de fato, esse infame?

Alba Lucínia, experimentando a queda de todas as suas energias, recordava o seu calvário doméstico, em face das investidas do conquistador, cuja perseguição à filha o seu espírito adivinhara. Longe de sentir toda a realidade tenebrosa daquelas cenas que o gênio criminoso de Claudia Sabina havia idealizado, murmurou fracamente:

– Sim, Helvídio, o prefeito tem sido o verdugo impiedoso da nossa casa!

– Mas meu coração não quer acreditar no que os meus olhos veem – murmurou o tribuno surdamente.

Célia continuava genuflexa, olhos nevoados de lágrimas, amparando o pequenino que chorava.

Alba Lucínia contemplava a filha, tomada de amargura e de assombro. Agora, presumia compreender as esquivanças da filhinha a todos os passeios, nos derradeiros tempos, para só entregar-se ao insulamento do seu quarto, engolfada em preces e meditações. Atribuía o retraimento de Célia à morte do avô, que lhes deixara a ambas as mais penosas saudades. Entretanto, sua desconfiança de mãe entendia, agora, que o conquistador covarde havia abusado da inexperiência de sua filha. Muitas vezes, receara sair deixando-a só, no lar, porquanto a intuição materna há muito lhe advertia que Lólio Úrbico buscaria vingar-se, executando as suas terríveis ameaças. Agora, a realidade amarga torturava-lhe o espírito.

– Lucínia – continuou Helvídio sombriamente –, explica-te!... Não terias exercido nesta casa a preciosa vigilância materna? É verdade que o prefeito dos pretorianos insultou a tua dignidade?...

– Helvídio – soluçou com voz tremente –, tudo que ocorre é absolutamente estranho e incrível, mas o fato aí está patente, atestando a realidade mais amarga! Desconfiava que a nossa pobre filha fosse também vítima do perverso amigo de meu pai, porquanto, de minha parte, venho sofrendo, desde que partiste, as mais atrozes perseguições, traduzidas em contínuas ameaças, dada a minha resistência aos seus inconfessáveis desejos...

Ante o esboroar de suas últimas esperanças, com a palavra sincera da esposa, que se mostrava tão desolada e surpreendida, o orgulhoso patrício deixou-se dominar completamente pelas realidades aparentes daquela hora trágica.

De punhos cerrados, olhos duros e sombrios a revelarem disposições inflexíveis de vingança, Helvídio Lucius exclamou com voz terrível, dominadas todas as suas expressões fisionômicas por um ricto de angústia:

– Vingar-me-ei do infame, sem piedade!...

E, contemplando a filha que permanecia de joelhos e de olhos baixos, como se evitasse o olhar paterno, acentuou terrivelmente:

— Quanto a ti, deverás morrer para resgatar o crime hediondo!... Iniciando os meus desgostos, com o preferir aos escravos, acabaste arruinando o meu nome, levando esta casa a uma situação execrável! Mas saberei lavar a mancha criminosa com as minhas decisões implacáveis!...

Dito isso, o orgulhoso tribuno arrancou acerado punhal, que reluziu à luminosidade do sol matinal, mas Alba Lucínia, de um salto, prevendo-lhe a resolução inflexível, susteve-lhe o braço, exclamando angustiada:

— Helvídio, pelos deuses e por quem és... Não basta a dor imensa da nossa vergonha e da nossa desventura?!... Queres agravar nossos padecimentos com a morte e com o crime? Não! Isso não!... Acima de tudo, Célia é nossa filha!

Nesse instante, o tribuno lembrou-se repentinamente das rogativas amoráveis do genitor, na mais profunda recordação, como a pedir-lhe calma, resignação e clemência. Pareceu-lhe que Cneio Lucius regressava das sombras do sepulcro para lhe suplicar pela neta idolatrada, cooperando nas exortações da esposa.

Então, sentindo o coração saturado de um sofrimento moral indefinível, acentuou com voz cavernosa:

— Os deuses não permitirão seja eu um miserável filicida... Mas esmagarei o traidor como se esmaga uma víbora!

E, voltando-se de repente para a filha humilhada, sentenciou com energia:

— Poupo-te a vida, mas, doravante, estás definitivamente morta para a nossa desdita imensurável!... Vai-te desta casa, com o fruto da tua infâmia, porque tua indignidade não te permite viver mais um minuto sob o teto paterno!... És maldita para sempre!... Foge para qualquer parte, sem te lembrares de teus pais ou do teu nascimento, porque Roma assistirá ao teu funeral em breves dias! Serás estranha ao nosso afeto!... Não nos recordes, nunca, nem busques o passado, pois eu poderia exterminar-te nos meus impulsos!...

Célia continuava na sua atitude humilde, de joelhos, mas aos seus ouvidos ressoavam as palavras decisivas do pai orgulhoso e ofendido no seu amor-próprio...

— Vai-te, foge, maldita!...

Ergueu-se ela, então, cambaleante, endereçando à mãe um derradeiro olhar, no qual parecia concentrar toda a sua crença e toda a sua esperança... Alba Lucínia retribuiu-lhe o gesto afetuoso, fixando-a com a sua ternura dolorosa. Pareceu-lhe descobrir na limpidez daquele olhar toda a inocência da alma piedosa e cristã da desventurada filha, todavia, o seu coração maternal agradecia intimamente aos deuses o lhe haverem poupado a vida...

Compreendendo a inflexibilidade da ordem paterna, Célia deu alguns passos vacilantes e, saindo por uma porta lateral, encontrou-se em plena rua, sem direção nem destino, enquanto atrás dela se fecharam as portas do lar paterno, para sempre.

Depois de exprobrar a conduta da esposa, culpando-a pela indiferença e falta de vigilância, e após prometer recompensar o silêncio de Hatéria, ameaçando-a também com o cárcere, caso viesse a verificar-se o contrário, mandou um servo dos mais prestimosos à residência dos sogros, chamando-os a sua casa com a maior urgência.

Dentro de uma hora, Fábio Cornélio e sua mulher encontravam-se junto do casal, inteirando-se de todo o acontecido.

Enquanto o coração de Júlia Spinther se sentia tocado das mais dolorosas emoções, o velho e orgulhoso censor exclamava convictamente:

— Sim, Helvídio, vamos procurar o traidor quanto antes, a fim de o exterminar, sejam quais forem as consequências, mas devias ter aniquilado a filha, pois o sangue deve compensar os prejuízos da vergonha, segundo os nossos códigos de honra!... Mas, enfim, ela estará moralmente morta para sempre. Depois de exterminarmos Lólio Úrbico, faremos que as cinzas de Célia venham de Cápua para serem recolhidas, em Roma, ao jazigo da família.

Ao passo que as duas senhoras, mãe e filha, ficavam no aposento, sucumbidas, consolando-se reciprocamente e rogando a proteção dos deuses para a tragédia inesperada e dolorosa, Fábio e Helvídio dirigiram-se apressadamente para o Capitólio, a fim de exterminarem o inimigo, como se o fizessem a uma serpente imunda e venenosa.

Todavia, uma surpresa, tão grande quanto à primeira, os esperava.

No palácio do prefeito dos pretorianos o movimento era desusado e estranho.

Antes de atingirem o átrio, os dois patrícios foram informados de que Lólio Úrbico havia falecido minutos antes, acreditando-se que se tratava de um suicídio.

A morte do marido constava do programa sinistro de Claudia, agora dona de opulento patrimônio financeiro, porquanto, desse modo, não ficaria voz alguma que pudesse elucidar Helvídio Lucius, quanto à infâmia que a antiga plebeia acreditava haver atirado ao nome de sua esposa. Além disso, alta madrugada, Claudia Sabina tomara de um dos pergaminhos em branco, assinados pelo prefeito, e escrevera, com perfeita imitação caligráfica, um bilhete lacônico, no qual se confessava enfarado da vida, e rogava a Fábio Cornélio, amigo de todos os tempos, perdoasse o dano moral que lhe causara.

Penetrando, aturdidos, na casa do inimigo morto, Fábio e Helvídio foram abordados por Claudia Sabina, que lhes apareceu lacrimosa, naquela manhã trágica.

Depois de se lastimar, comentando a tétrica resolução do esposo em desertar da vida, Claudia entregava ao censor o último bilhete de Úrbico, que dizia grafado pelo marido à última hora, deixando transparecer curiosidade a respeito daquele pedido de perdão, injustificável e estranho. Desejava, assim, conhecer os primeiros resultados do trabalho tenebroso de Hatéria, esperando ansiosamente, dos lábios de Helvídio ou de alguma alusão de Fábio, as informações indiretas que o seu espírito vingativo ansiosamente aguardava.

O censor e o genro, entretanto, receberam o suposto bilhete de Úrbico com secura e indiferença. E como era preciso dizer alguma coisa em face daquele imprevisto, Fábio Cornélio acrescentou:

— Guardarei este bilhete como prova do seu desequilíbrio mental nos últimos momentos, pois só assim se justifica este pedido. E agora, minha senhora — acentuou enigmaticamente para Claudia, que o ouvia com atenção —, há de perdoar a nossa ausência, porquanto cada qual tem os seus infortúnios...

O velho patrício estendia-lhe as mãos em despedida, mas, sentindo a sua curiosidade fundamente aguçada por aquelas expressões, a antiga plebeia interrogou com interesse, como a provocar algum esclarecimento de Helvídio Lucius, que se fechara em mutismo enigmático.

— Infortúnios? Mas que desejais dizer com isso? Pretendeis abandonar-me nesta situação? Qual a razão de sairdes assim, desta casa, quando o cadáver de um amigo e chefe exige testemunhos de veneração e amizade? Porventura aconteceu algo de grave a Alba Lucínia?...

Notava-se que a última pergunta transpirava um sentido misterioso. Ela esperava que Helvídio lhe falasse da sua tragédia doméstica, dos seus profundos desgostos conjugais, da infidelidade da esposa, conforme previa e decorria dos seus planos. Seu coração bastardo aguardava que o homem amado, naquele instante, fosse dispensar-lhe as atenções amorosas tão ardentemente aneladas naqueles últimos meses, em que os seus sentimentos mesquinhos haviam acariciado tão grandes esperanças. O tribuno, porém, mantinha-se impassível, como se tivesse os lábios petrificados.

Fábio Cornélio, todavia, sem trair a fibra orgulhosa, esclarecia Sabina nestes termos:

— Minha filha vai bem, graças aos deuses, mas também nós acabamos de ser feridos no mais íntimo do coração! Um emissário da Campânia nos trouxe, esta manhã, a dolorosa notícia da morte repentina de Célia, minha neta solteira, que se encontrava junto da irmã, numa estação de repouso. Esta a razão que nos impede prestar ao prefeito as derradeiras homenagens, porquanto vínhamos justamente comunicar-lhe a imediata partida para Cápua, a fim de promover o transporte das cinzas!...

Dito isso, os dois homens despediram-se secamente, saindo a passo firme, no burburinho dos amigos e dos servos apressados, que emulavam no patentear a Lólio Úrbico a bajulação derradeira.

Ante a cena enigmática, Claudia Sabina deixava vagar o pensamento em conjeturas. Hatéria ter-se-ia esquecido de cumprir cegamente as suas ordens? Que ocorrera com a rival, cujas notícias a deixavam perplexa, quando tudo premeditara com tanta segurança? Os preconceitos sociais, contudo, as obrigações daquela hora extrema, que a sua própria maldade havia provocado, não lhe permitiam correr feito louca no encalço da cúmplice, fosse onde fosse, para matar a curiosidade.

Enquanto o seu espírito se perdia em divagações ansiosas, Fábio Cornélio e o genro dirigiam-se ao Imperador, obtendo a necessária licença para a precisa viagem a Campânia, cedendo-se-lhes, incontinente, uma galera confortável que os receberia em Óstia, de modo a abreviar a viagem o mais possível.

Naquela mesma tarde, a embarcação saía do porto mencionado, conduzindo a família ao seu destino, salientando-se que Helvídio Lucius não se esquecera de levar Hatéria com os outros serviçais de sua confiança.

Enquanto o patriciado romano rende homenagens ao prefeito dos pretorianos e a galera de Helvídio se afasta, conduzindo em seu bojo quatro corações angustiados, sigamos a jovem cristã nas suas primeiras horas de amargura e sacrifício.

Saindo da casa paterna, Célia atravessou ruas e praças, receosa de encontrar alguém que a reconhecesse no seu doloroso caminho...

Conchegava o pequenino de encontro ao coração, como se ele fora seu próprio filho, tal o enternecimento que a sua figurinha lhe inspirava.

Depois de errar longamente, presa de acerbas meditações, sentiu que o Sol ia muito alto e precisava cuidar da nutrição do inocentinho. Atravessara os bairros aristocráticos, encontrava-se agora junto à ponte Fabricius,[29] cheia de cansaço, extenuada. Além do Tibre, surgiam as modestas edificações dos judeus e dos libertos pobres; ali estava a famosa Ilha do Tibre, onde outrora se erguiam os templos de Júpiter Licaônio e o de Esculápio... A seu lado passavam os filhos da plebe, inquietos e apressados. De vez em quando, surgiam soldados da marinha, da frota de Ravena, aquartelados no Trastevere e que lhe deitavam olhares libidinosos. Cansada, dirigiu-se a uma casa de judeus, onde uma mulher do povo lhe deu de comer, provendo-a de tudo quanto necessitava o pequenino. Mais confortada, levando uma pequena provisão de leite de jumenta, a filha de Helvídio continuou a dolorosa peregrinação pelas vias públicas, como se aguardasse uma inspiração feliz para o seu penoso destino.

À tarde, porém, voltou ao mesmo ponto, nas proximidades do qual fora socorrida pelos mais humildes.

Triste e só, descansou num dos ângulos da ponte Fabricius, ora contemplando os transeuntes malvestidos, ora fixando as águas do Tibre, com o coração envolto em dolorosas cismas.

Aos poucos, o Sol se escondia lentamente, dourando ao longe as derradeiras nuvens do horizonte.

Um vento frio, cortante, começava a soprar em todas as direções. Contemplando os operários pobres que se recolhiam aos lares, a jovem cristã aconchegou mais fortemente ao peito a mísera criancinha. Sentindo-se desalentada, começou a orar e lembrou-se de que Jesus também andara

---

[29] Nota do autor espiritual: A Ponte Fabricius foi depois denominada *Ponte dei Quattro Capi*, em vista de uma estátua de Janus Quadrifrons posta à entrada da praça. Foi construída de pedra, depois da conjuração de Catilina.

no mundo, ao desamparo, experimentando um suave consolo nessa reminiscência evangélica. Contudo, pungente saudade do lar feria-lhe o coração sensível e carinhoso. Mulheres do povo, depois das fainas penosas do dia, regressavam a casa com uma auréola de júbilo tranquilo a lhes transparecer no rosto, enquanto ela, filha de patrícios, se sentia acabrunhada ante as incertezas da sorte e exposta ao frio cortante do crepúsculo...

Estreitando sempre o pequenino, como se quisesse furtá-lo ao ar glacial da tarde, malgrado à sua fé e resignação, não pôde conter o pranto, refletindo amargamente no seu dramático destino!...

As grandes nuvens, batidas de sol, esmaeciam-se pouco a pouco, dando lugar às primeiras estrelas.

III
Estrada de amargura

Desembarcando num porto da Campânia, nas proximidades de Cápua, Helvídio Lucius adiantou-se a todos os familiares, a fim de preparar os filhos para a consecução dos seus desejos.

Caius Fabricius e sua mulher sofreram rude golpe com as revelações inesperadas a respeito da irmã, e, obedecendo às determinações do tribuno, criaram o ambiente necessário para que os círculos aristocráticos da cidade recebessem a notícia da casa, enquanto os sacerdotes do templo, sem desprezarem as largas compensações financeiras que Helvídio oferecia, facilitaram a solução do assunto, guardando-se assim, para sempre, todas as recordações da jovem num punhado de cinzas.

Após receberem as homenagens da sociedade patrícia de Cápua, que não deixou de estranhar o misterioso acontecimento, Fábio Cornélio e todos da família retornaram prestes a Roma, onde promoveram o funeral com a maior simplicidade, embora ao gosto da época e consoante as exigências da tradição familiar.

Todavia, enquanto as supostas cinzas de Célia baixavam ao sarcófago, nova dor assaltava o círculo doméstico das nossas personagens.

Profundamente ferida nas fibras mais sensíveis do coração materno, Júlia Spinther, não conseguindo suportar tão fundo desgosto, acrescido aos muitos que lhe minavam a existência, abandonara a Terra inopinadamente, sem que os íntimos pudessem, ao menos, prever-lhe a aproximação da morte, que se verificou dentro de uma noite, em consequência de um colapso cardíaco.

Novo luto envolveu a casa de Helvídio, experimentando Alba Lucínia os mais atrozes padecimentos íntimos. A esse tempo, Fábio Cornélio, dado o desaparecimento de Lólio Úrbico, havia recebido novos encargos do Imperador, encargos que lhe deferiram grandes poderes e graves responsabilidades na solução de todos os problemas financeiros.

A morte da esposa encheu-lhe o coração de estranho pesar. Buscou, contudo, reagir às forças que lhe deprimiam o ânimo, prosseguindo na sua tarefa de domínio, com o mesmo orgulho que lhe temperava o caráter.

Sentindo-se muito a sós, Helvídio Lucius e a esposa planejaram voltar à tranquilidade provinciana da Palestina, mas o falecimento imprevisto da nobre matrona impedia-lhes, de novo, a execução dos projetos há muito acarinhados, atento o insulamento em que ficaria o velho censor, cujo coração orgulhoso e frio lhes dera sempre as mais inequívocas provas de amor e dedicação.

Elucidando a situação de todas as personagens, resta-nos lembrar de Claudia Sabina, após o desfecho singular dos acontecimentos dolorosos que ela mesma sinistramente engendrara. Morto o marido e sabendo frustrados todos os seus planos, procurou em vão ouvir Hatéria, que, elevada a uma posição de redobrada confiança no lar de Helvídio Lucius, dispusera-se a não abandonar jamais a casa, receosa das suas represálias. De posse da grande soma que lhe dera o tribuno em troca do seu silêncio, a velha serviçal chamara o genro e a filha à residência dos patrões, onde lhes entregou parte da pequena fortuna, com a qual adquiriu, em seu nome, um belo sítio em Benevento, lá arrumando os filhos, até que ela se dispusesse a partir para a vida rural.

Claudia Sabina, apesar dos esforços despendidos, nunca mais pôde ouvir-lhe a palavra, porquanto, se Hatéria jamais se ausentava de casa, também Fábio Cornélio detinha poderes cada vez mais fortes, na cidade imperial, obrigando-a, indiretamente, a manter-se em silêncio e a distância. Foi assim que a antiga plebeia se retirou de Roma para Tibur, acompanhando as futilidades da Corte de Adriano, cujos últimos tempos de reinado se caracterizaram por uma indiferença cruel.

Rodeada de servos, mas em pleno ostracismo social, a viúva do prefeito dos pretorianos adquirira uma chácara tranquila, onde devia passar largo período, requintando o seu ódio em detestáveis meditações.

Depois destas notícias breves, retomemos o caminho de Célia para acompanhar-lhe a dolorosa peregrinação.

Deixando a ponte Fabricius, ela caminhou ao léu, procurando alcançar a Ilha do Tibre, onde se acotovelava a multidão dos pobres.

Aos derradeiros clarões da tarde, buscou atravessar a Ponte Cestius, encontrando num trecho do caminho uma mulher do povo, de semblante alegre e humilde. Célia assentara-se, por instantes, ajeitando o pequenino. Sentiu, porém, que o olhar da desconhecida lhe penetrava brandamente o coração.

Nesse comenos, experimentando a secreta confiança que lhe inspirava aquela mulher simples, traçou com a destra, na poeira do solo, um pequeno sinal da cruz, mediante o qual todos os cristãos da cidade se reconheciam.

Ambas trocaram, então, um olhar expressivo de simpatia, enquanto a desconhecida se aproximou, perguntando bondosamente:

– És cristã?

– Sim – sussurrou Célia em surdina.

– Estás desamparada? – perguntou a desconhecida discretamente, revelando nas palavras breves a máxima cautela, de modo a não serem surpreendidas como adeptas do Cristianismo.

– Sim, minha senhora – revidou Célia, algo confortada com aquele interesse espontâneo –, estou só no mundo com este filhinho.

– Então, vem comigo, é possível que te seja útil em alguma coisa.

A neta de Cneio Lucius seguiu-a, sôfrega de proteção, no pélago de incertezas em que se achava. Atravessaram a Ponte Cestius, calmamente, como velhas amigas que se houvessem encontrado, dirigindo-se para um quarteirão de casas pobres.

Distanciadas da multidão, a mulher do povo, sempre carinhosa, começou a falar:

– Minha boa menina, chamo-me Orfília e sou tua irmã na fé! Logo que te avistei, compreendi que estavas só e desamparada no mundo, precisando do auxílio de teus irmãos! Estás moça e Jesus é poderoso... Surpreendi lágrimas nos teus olhos, mas não deves chorar quando tantos irmãos nossos têm padecido atrozes sacrifícios nos tempos amargos que atravessamos...

Célia ouvia-a consolada, mas, intimamente, não sabia como proceder em tão difíceis circunstâncias, nas quais uma companheira de crença se lhe revelava com toda a sinceridade.

Enquanto Orfília calava um instante, a filha de Helvídio agradecia-lhe em breves palavras:

– Sim, minha senhora, estou comovida e não sei como agradecer-lhe.

– Sou lavadeira – continuou a plebeia com a sua simplicidade de coração –, mas tenho a ventura de possuir um marido piedoso e cristão, que não se cansa de me proporcionar no trabalho e no conchego do lar os mais sagrados testemunhos de nossa fé! Vais conhecê-lo!... Chama-se Horácio e terá prazer quando souber que te podemos ser úteis de algum modo... Tenho, também, um filho de nome Júnio, que constitui a nossa esperança para o futuro, quando em nossa pobreza material estivermos imprestáveis para o trabalho!...

E, aproximando-se cada vez mais da casinha pobre, acrescentava:

– E tu, minha irmã, que te aconteceu para trazeres um semblante tão triste e amargurado assim?... Tão jovem e com um filhinho nos braços, tão formosa e tão desventurada?...

– Fiquei viúva e abandonada – exclamou Célia de olhos molhados –, mas espero em Jesus alcançar o necessário a mim e a meu filho!...

Ainda não havia terminado as explicações timidamente formuladas, quando transpuseram o umbral de uma sala muito pobre e quase desguarnecida.

Dois homens conversavam à claridade frouxa de uma tocha e logo se ergueram para recebê-las.

Devidamente apresentada ao pai e ao filho, Célia notou que Horácio tinha, de fato, um aspecto conselheiral e bondoso, observando, porém, no filho, algo que a desagradou de pronto, um olhar de moço leviano e frívolo, cheio de fantasia e de loquacidade.

– Sabes, mãe – exclamou o rapaz como se guardasse todas as qualidades de um porta-novas –, o grande acontecimento que abalou toda a cidade?!

Enquanto Orfília fazia um gesto de estranheza, Júnio continuava:

– A primeira notícia que abalou hoje as proximidades do Fórum, pela manhã, foi a da morte do prefeito Lólio Úrbico, que se suicidou escandalosamente, obrigando o governo a numerosas homenagens!...

— É estranho — exclamou a interpelada —, muitas vezes vi em público esse homem fidalgo, de porte orgulhoso e varonil! Ainda ontem eu o vi nos carros de triunfo, nas festas do Imperador. Seu rosto transbordava de alegria e, no entanto...

— Ora — interpôs o chefe da casa —, atravessamos uma fase dolorosa de terríveis surpresas para todas as classes sociais. Quem nos poderá afiançar, com certeza, que o prefeito dos pretorianos se tenha suicidado realmente? No mês findo, a cidade assistiu a dois acontecimentos como esse e, no entanto, soube-se depois que os dois patrícios suicidas foram assassinados cruelmente por sicários da sua própria grei.

Célia, encostada a um canto, como se fora uma jovem mendiga, ouvia aquelas notícias, amargamente impressionada. A estranha morte de Lólio Úrbico aterrava-a. Embora inquieta, fazia o possível para não trair as mais vivas emoções.

— Mas o dia não se caracterizou somente por isso — continuava Júnio loquaz —; disseram-me no Fórum que alguns cristãos foram presos quando reunidos próximo do Esquilino, bem como que o censor Fábio Cornélio e família partiram para Cápua, a fim de trazerem para aqui as cinzas de uma filha do tribuno Helvídio Lucius, lá falecida recentemente...

A jovem cristã recolheu a notícia com espanto, compreendendo a gravidade da sua condição perante os parentes orgulhosos e inexoráveis. Seu espírito chocava-se tristemente, em face de notícias tão amargurosas... À mente lhe veio a ideia de regressar a casa e repousar o corpo alquebrado... Nunca se afastara do lar, a não ser quando descansava junto do avô enfermo, no palácio do Aventino. Lembrou os servos amigos e dedicados, invocou todos os recantos do ninho paterno com os seus aspectos peculiares. Uma saudade imensa de sua mãe invadia-lhe o íntimo e, contudo, o coração lhe afirmava, por secreta intuição, que seus olhos nunca mais voltariam a refletir a placidez do lar paterno, a não ser quando abandonasse o ergástulo do mundo. Consoante as informações de Júnio, compreendeu que as portas da casa paterna lhe estavam fechadas para sempre... Simbolicamente morta, não poderia voltar aos seus senão como sombra...

Observando-a de olhos úmidos e reconhecendo-lhe o enorme cansaço, Orfília procurou quebrar a frivolidade dos assuntos, dirigindo-lhe a palavra bondosamente:

— E tu, minha querida menina, por pouco não continuávamos a nossa história. Afirmas-te viúva? Mas que lástima!... Assim tão nova?!

Tomando-a pela mão, para conduzi-la ao interior sob o olhar surpreso dos dois homens que reparavam a nobreza de traços da desconhecida, continuava:

— Entremos, filha!... Está muito frio e pareces fatigada. Além disso, precisamos cuidar da alimentação do pequeno. Vem!

Enquanto Célia exorava a Jesus que a inspirasse em tão difíceis circunstâncias, compreendendo, após as notícias de Júnio, que não poderia expor àquela amiga ocasional a realidade da sua situação, Orfília prosseguia com interesse:

— Como te chamas, minha irmã? Enviuvaste há muito tempo? E não tens outra amizade por ti?...

A filha de Helvídio, medindo a delicadeza do momento, deu um nome suposto, exclamando:

— Enviuvei há quatro meses apenas e estou inteiramente desamparada, com este filhinho de poucos dias. Tenho experimentado todos os sofrimentos de uma infortunada filha da plebe, mas tenho guardado a fé em Jesus, como único refúgio. Ainda agora, a sua caridade fraterna, recolhendo-me a esta casa, foi para mim o testemunho vivo da proteção do Mestre Divino, a cuja misericórdia tenho endereçado todas as minhas súplicas!...

Não somente Orfília, mas o marido e o filho a ouviram penalizados.

— E quais os teus projetos, minha filha? — perguntou a dona da casa compungida.

A tal pergunta, Célia lembrou-se de Cneio Lucius, que lhe havia prometido amparo em todos os momentos difíceis, se o Senhor o permitisse, e, implorando-lhe um alvitre valioso, com as vibrações silenciosas do seu pensamento, retrucou com certa firmeza:

— Tenho necessidade de sair de Roma na primeira oportunidade. Infelizmente, faltam-me os recursos necessários, mas espero que Jesus me ajudará... Tenho alguns parentes nos arredores de Nápoles e nos confins da Campânia. Quero recorrer a todos eles, porquanto não poderia aqui viver sem elementos para me sustentar e ao meu pobre filhinho.

— Isso é justo — respondeu Orfília brandamente —, eu e Horácio poderemos ajudar-te nas primeiras providências.

— Aliás — replicou o chefe da família, com um gesto paternal —, Júnio terá de viajar ainda este mês, como empregado do Fórum, levando documentos de pouca importância até Gaeta! Munida dos pequenos recursos que poderemos arranjar, estarás habilitada a encetar nova diligência para te reunires aos teus parentes.

Célia ouvia-lhe a palavra, confortada e agradecida, enquanto Orfília tomava a criança para nutri-la convenientemente, obrigando a jovem a tomar, por sua vez, um prato de caldo.

— Essa ideia é bem lembrada — disse Orfília, dirigindo-se ao marido —; os nobres poderão dirigir-se a Nápoles no bojo de luxuosas galeras, mas nós, os humildes, temos de nos valer dos mais pobres recursos.

— Tudo, porém, está na pauta da misericórdia divina — glosou Horácio convicto.

E dirigindo-se ao filho, enquanto a mulher silenciava, perguntou:

— Quando partes?

— Acredito que dentro de duas semanas.

— Pois bem, Orfília, até lá, buscaremos prover nossa irmã do indispensável à sua viagem.

Célia esboçou um sorriso de agradecimento, sentindo-se bem, ao lado daqueles corações simples e generosos.

Daí a pouco repousava com o pequenito, em uma cama humilde, mas muito limpa, que a dona da casa lhe preparou, junto do seu próprio aposento de dormir.

A filha de Helvídio Lucius, ajeitando carinhosamente a criancinha entre as coberturas pobres, começou a orar, meditando nas dolorosas peripécias daquele dia inolvidável. Quando se sofre, a vida é qual turbilhão de pesadelos intensos. Ao seu espírito combalido, pareceu-lhe estar apartada dos seus há muitos anos, tal a angústia martirizante das horas intermináveis em que vagara pelas vias públicas, sem destino e sem nenhuma esperança... Sem perder de vista a criancinha, sentiu que aos poucos o organismo exausto cedia ao sono reparador. Adormeceu, então, tranquila, como se nas asas da noite o espírito fugisse temporariamente do ergástulo, livre da realidade dolorosa.

Durante duas semanas, valendo-se da proteção de Orfília e seu esposo, a jovem cristã preparou o seu vestuário e o do pequeno. Com os elementos que os amigos lhe proporcionaram, talhou fatos pobres e singelos, com os quais empreenderia o seu roteiro de humildade.

Aonde iria? Não poderia sabê-lo ao certo.

Não conhecia Nápoles senão por meio das descrições do velho avô, quando fazia viagens imaginárias no intuito de ilustrar a neta estremecida.

Possivelmente, não chegaria até Nápoles, nem mesmo à Campânia, onde guardava a recordação da irmã e de Caius Fabricius, domiciliados em Cápua. Inútil presumir qualquer auxílio da irmã, porquanto, certamente, Helvídia e o esposo, cientes do que ocorrera em Roma, não lhe poderiam perdoar, em hipótese alguma.

Entretanto, predispunha-se a partir, cheia de confiança em Deus. No instante oportuno Jesus haveria de abençoar-lhe os passos, guiando-os a um destino certo. No complexo de suas meditações, recordava-se, incessantemente, da palavra do avô no dia do sacrifício de Ciro e Nestório, esperando que os mensageiros do Senhor ou as almas dos entes queridos regressassem do túmulo para lhe orientar o coração no dédalo das ansiedades angustiosas.

Receosa de complicações, a jovem nunca saiu do humilde quarteirão transteverino, onde fora acolhida, até que um dia, ao dealbar da aurora, despediu-se da amiga com lágrimas nos olhos.

O carro de Júnio fora preparado de véspera, de modo que a partida se efetuasse ao amanhecer. Orfília e Horácio estavam igualmente comovidos, mas, obedecendo ao imperativo das provações terrenas, Célia aboletava-se no interior da viatura, construída à guisa de diligência dos tempos medievais, na qual acomodou o saco de roupas e a larga provisão de alimentos para o inocentinho, que Orfília não se esquecera de preparar carinhosamente.

Abraços carinhosos, votos de ventura e, daí a instantes, sob o frio intenso da manhã, Júnio estalava o pequeno chicote no dorso dos animais, através das vias públicas.

Célia rogava a Jesus que lhe fortalecesse o espírito angustiado, dando-lhe coragem para enfrentar as sendas procelosas da vida... Ao despedir-se de Roma, olhos nevoados de pranto, pareceu-lhe mais intenso o martírio íntimo, sentindo o coração fustigado pelas saudades impiedosas. Contemplando, porém, o pequenino meio adormecido em seus braços, experimentava uma força incoercível que a sustentaria em todos os sacrifícios.

Os primeiros raios do sol começavam a invadir o céu límpido, quando o carro transpôs a Porta Caelimontana,[30] entrando os cavalos, logo após,

---

[30] Nota do autor espiritual: A Porta Caelimontana foi chamada, mais tarde, Porta de São João.

a largo trote, na Via Ápia... Defrontando as campinas romanas no trecho em que se erguia o admirável aqueduto de Claudio, a filha de Helvídio embevecia-se na contemplação da Natureza, com o espírito mergulhado em preces carinhosas e profundas meditações.

Passava pouco de dez horas quando defrontaram Alba Longa, com o seu casario simples e confortável.

Júnio, com reflexos enigmáticos no olhar, fez que a companheira de viagem e o pequenino tomassem ligeira refeição, antes de iniciarem a ascensão dos montes do Lácio.

Prosseguindo pelos caminhos orlados de árvores e flores silvestres, atingiram Arícia, cercada de oliveiras viçosas e de hortos imensos. Mais tarde alcançavam Genciano, vila graciosa e afortunada, ao pé do lago Nemi, em cujas bordas floriam intérminos roseirais.

Célia trazia o espírito engolfado em meditações cariciosas, em face do encanto maravilhoso da paisagem, cuja beleza ultrapassava todos os quadros da Palestina, guardados na sua retentiva para sempre. Por toda parte, oliveiras amigas, laranjeiras em flor, hortos imensos e bem cuidados, roseiras perfumadas e detalhes preciosos que o homem do campo organizara.

Fosse pela influência cariciosa do ar embalsamado de aromas, ou pelo cansaço da longa excursão, a criança adormecera no colo da jovem mãezinha que o céu lhe dera, ao passo que ela lhe acariciava o rosto minúsculo com os mais ternos desvelos.

Enquanto a sombra do arvoredo atenuava os raios quentes do sol vespertino, Júnio, que nunca estava silencioso, chamando a atenção da companheira de viagem para esse ou aquele pormenor do caminho, começava a falar-lhe de assunto estranho. A jovem corou, pediu-lhe recordasse a tradição cristã dos pais, que a haviam tratado generosamente, suplicando--lhe que a deixasse em paz na sua dolorosa viuvez, ao léu da sorte. Notou, porém, que o rapaz estava saturado dos vícios da época, figurando-se-lhe que o filho dos seus protetores era insensível às suas rogativas mais ardentes. Repelido nas suas propostas indecorosas, o filho de Horácio exclamava para a sua vítima, deixando transparecer no semblante uma repugnante expressão de abutre ferido:

— Estamos próximo de Velitrae, onde pernoitaremos, e como terás de prosseguir comigo até Gaeta, espero convencer-te amanhã! Do contrário...

Célia engoliu o insulto, lembrando-se dos seus deveres de orar e vigiar, e conservando o pensamento em preces fervorosas, a fim de que o Divino Mestre, por seus mensageiros, lhe inspirasse o melhor caminho.

Daí a instantes, entravam na bela cidade, edificada em tempos remotos pelos volscos e berço do grande Augusto. Velitrae, mais tarde Velletri, assenta num grande outeiro, oferecendo as mais formosas perspectivas topográficas ao viajante. Seus crepúsculos são tocados de suave e maravilhosa beleza... Contemplando o Oriente, veem-se os montes da Sabina unidos aos barrancos profundos da cidade e, à tarde, quando o Sol desaparece, a neve das montanhas mistura-se à neblina da noite, proporcionando prismas visuais dos mais deslumbrantes efeitos.

Júnio colheu as rédeas à frente de uma hospedaria do mais humilde aspecto. Recebido com demonstrações de alegria por seus antigos conhecidos, providenciava imediatamente a hospedagem de Célia com a criança, recolhendo os animais à estrebaria.

A jovem cristã, após a refeição da tarde, buscou o silêncio do quarto para refletir e orar. Júnio marcara o prosseguimento da viagem, ao alvorecer. Todavia, ela estava tomada de temor e de incerteza. O filho de seus benfeitores não parecia dotado dos elevados sentimentos paternos. Aquele olhar arisco parecia indicar a peçonha de um ofídio. Seus gestos eram atrevidos, as ideias indiferentes às noções do dever e da responsabilidade.

Noite alta, uma serva da casa veio saber se a hóspede reclamava alguma coisa, encontrando-a inquieta e aflita, pensando no que pudesse acontecer ao seu amanhã doloroso e cheio de ameaças.

Depois de amargas reflexões, deliberou, inspirada pelos amigos do Invisível, retirar-se da estalagem nas primeiras horas da madrugada, por fugir a qualquer perversidade do inimigo de sua paz íntima.

Assim, antes do alvorecer, afastou-se a medo do casarão desconhecido. Apertando o pequenino de encontro ao peito, experimentava o coração a lhe bater aceleradamente. Jamais enfrentara situações tão difíceis e, todavia, confiava que Jesus a socorreria com os alvitres necessários.

Deixando Velletri à esquerda, tomou corajosamente um largo caminho, sobraçando o pequenino e o seu saco de bagagens pobres, caminhando até o completo alvorecer e encontrando-se na antiga vila de Cora, famosa pelo seu templo de Castor e Pólux. Ali, uma mulher do povo recolheu-a por minutos, munindo-a de novas provisões, considerando a sua penosa jornada, com o inocentinho ao colo.

Continuando a caminhar, possuída de estranha força, como se alguém lhe guiasse os passos, apesar do rumo incerto, achou-se em breve à margem do rio Astura, atravessando aldeias pequeninas, onde havia sempre um bom coração a lhe prodigalizar uma gentileza fraterna.

Antes do meio-dia, defrontou humildes carreteiros, assalariados pelos ricos senhores da região nos trabalhos de transporte, salientando-se que um deles, de aspecto patriarcal, ofereceu-lhe um lugar a seu lado, mitigando-lhe a dor dos pés.

Em breve, assim instalada num veículo bastante ligeiro para a época, a jovem cristã divisava, à frente, as famosas Lagoas Pontinas, vasto terreno sem inclinação, para onde convergem as pesadas massas d'água de alguns rios.

Célia atravessava numerosos grupos de casas, aldeias nascentes ou antigas cidades em ruínas, detendo os olhos tristes, com mais insistência, nas humildes edificações de Forápio [Forum Appii], onde as tradições cristãs de Roma asseveravam que se dera o encontro de Paulo de Tarso com os seus irmãos da cidade de César.

Dentro de suas meditações, a viajante defrontava Anxur, mais tarde Terracina, de onde saía por escarpada encosta da montanha, passando pelas ruínas bem conservadas de castelos antigos, dos mais remotos dominadores. Da culminância, seus olhos abrangiam toda a região das Lagoas célebres, bem como vasta extensão do mar Tirreno.

Aí, porém, sentiu o coração gelado e dolorido. Era dali, daquela estrada hostil e montanhosa, que o idoso cocheiro, benfeitor e amigo deveria retroceder em obediência às ordens recebidas.

Entardecia. O velho lidador da gleba despediu-se da companheira, com os olhos umedecidos. Por todo o caminho, Célia se conservara triste e silenciosa, mas, percebendo que o seu benfeitor estava receoso e sensibilizado por ter de abandoná-la em sítio tão ingrato, e a tais horas, disse-lhe corajosamente:

– Adeus, meu bom amigo! Que o céu lhe recompense a bondade. Seu oferecimento generoso evitou-me grande cansaço pelo caminho!...

– Ides a Fondi? – perguntou o bom velho com carinhoso interesse.

– Não precisarei chegar até lá! – respondeu a jovem com inaudita coragem. – A propriedade de meus parentes está muito próxima.

— Ainda bem — replicou ele mais conformado —, temia que precisásseis caminhar ainda muito, pois estas regiões são infestadas de feras e bandidos.

— Fique descansado — disse Célia, ocultando a própria angústia —, estas estradas não me são desconhecidas. Além do mais, estou certa de que o Céu me protegerá, amparando o meu filhinho.

O generoso carreiro, ao ouvir a invocação do Céu, descobriu-se respeitoso na sua simplicidade de alma devotada a Deus e, depois de estender a destra à jovem desconhecida, preparou-se para descer a montanha, onde fora tão somente para atender a solicitação da sua graciosa passageira, descendo pelas mesmas sendas escarpadas, a fim de cumprir em Anxur a incumbência que levava.

Célia viu-o desaparecer nas curvas íngremes, acompanhando-lhe o veículo com o olhar triste e ansioso. Desejava também retroceder, mas um receio imenso dos homens impiedosos, que não saberiam respeitar-lhe a castidade, a impelia a buscar o desconhecido, entre as sombras espessas das florestas do Lácio.

Com o pensamento em prece, caminhou quase mecanicamente, observando, aflita, que se avizinhavam as sombras do crepúsculo...

A estrada corria por um vale apertado, vendo-se-lhe de um lado o oceano, e do outro a cadeia das montanhas. Os derradeiros raios do sol douravam a cúpula imensa, quando seus olhos divisaram, à esquerda, uma gruta providencial, formada pelos elementos da Natureza. Era, porém, uma edificação natural tão importante, que bastou um exame mais acurado para que se recordasse das lições do avô, em outros tempos, identificando o local com as suas reminiscências dos estudos com o avozinho. Aquela gruta era o local famoso onde Sejano havia salvado a vida de Tibério, quando o antigo Imperador, ainda príncipe, se dirigia com alguns amigos para as cidades da Campânia. Sentindo-se rodeada pelos clarões mortiços da tarde, dirigiu-se para o interior, onde uma cavidade natural parecia bem--disposta para o descanso de uma noite. Agradecendo a Jesus o encontro de um pouso como aquele, ajeitou as roupas pobres que trazia para acomodar o pequenino, colhendo, em seguida, grandes braçadas de musgo selvagem, que caíam das árvores idosas e forrando o leito de pedras com o maior carinho. Quando procurava interceptar a passagem para a cavidade em que repousaria, com pedras e ramos verdes, encarando a possibilidade do aparecimento de algum animal bravio, eis que lhe chega aos ouvidos o tropel de cavalos trotando, aceleradamente, ao longo do caminho...

Guardando o pequerrucho nos braços, correu para a frente, desejosa de se comunicar com alguém, para afastar do espírito aquela triste impressão de soledade, esperançosa de que a Providência Divina, por intermédio de um coração bondoso, lhe evitasse a desolação daquela noite que se prefigurava angustiosa e dolorida...

Seria um carro, ou seriam cavaleiros generosos que lhe estenderiam mãos fraternas? Também podiam ser ladrões a cavalo, perdidos na floresta em busca de aventuras... Considerando esta última hipótese, tentou retroceder, mas três vultos destacaram-se ao seu lado, na sombra da noite, impedindo-lhe a retirada, porquanto, sofreados com força, os garbosos cavalos interromperam o trote acelerado e ruidoso.

Criando novo alento, ao influxo das energias poderosas que fluíam do Invisível para o seu espírito, a filha de Helvídio perguntou:

– Ides a Fondi, cavalheiros?

Ao ouvir-lhe a voz, alguém, que parecia o chefe dos dois outros, exclamou com voz aterrada:

– Urbano! Lucrécio! acendam as lanternas.

Célia reconheceu aquela voz dentro da noite, com uma nota de terrível espanto.

Tratava-se de Caius Fabricius, que regressava de Roma, deixando a esposa em companhia dos pais, compelido por suas obrigações imperiosas em Cápua, depois do suposto funeral de Célia, conforme as combinações da família.

Reconhecendo-o pela voz, a jovem cristã experimentou os mais penosos receios, entremeados de esperanças. Quem sabe a sua situação poderia modificar-se, em face daquele encontro imprevisto?

Antes que as suas cogitações tomassem longo curso, duas lanternas brilharam no ambiente.

O esposo de Helvídia contemplou-a aterrado. A visão de Célia, sozinha e abandonada, sustendo nos braços a criança que ele supunha seu filho, comoveu-lhe o coração, todavia, compreendendo a gravidade dos acontecimentos de Roma, de conformidade com as informações dolorosas do sogro, tratou de disfarçar a emoção, imprimindo no rosto a mais fria indiferença:

– Caius!... – implorava a jovem com uma inflexão de voz intraduzível, enquanto a luz lhe banhava o semblante abatido.

– Conheceis-me? – perguntou o orgulhoso patrício.

— Porventura me desconheces, tu?
— Quem sois?
— Pois será preciso abrir-te os olhos?
— Não vos reconheço.
— Estarei, acaso, com a fisionomia transformada a tal ponto? Não te recordas da irmã de tua mulher? — perguntou súplice.
— Minha esposa — concluía o viajante, enquanto os dois servos o contemplavam altamente surpreendidos — possuía apenas uma irmã, que morreu há 18 dias. Estais evidentemente equivocada, porquanto, ainda agora, venho de Roma, onde assisti ao seu funeral.

Aquelas palavras foram pronunciadas com frieza indefinível.

A filha de Helvídio Lucius fixou nele os olhos mareados de lágrimas e o semblante transfigurado de infinita tristeza. Compreendeu que era inútil afagar qualquer esperança de voltar ao seio da família. Para todos os afetos estava morta, e para sempre. Figurou-se-lhe acordar, mais intensamente, para a sua realidade dolorosa, mas, sentindo que alguém lhe amparava o espírito em tão angustioso transe, exclamou:

— Compreendo!...

O esposo de Helvídia, contudo, aparentando máxima frieza, de modo a não trair seus sentimentos diante dos servos, replicou:

— Senhora, se vos valeis desse expediente para obter o dinheiro preciso às vossas necessidades, eu vo-lo dou de bom grado.

Todavia, quando o orgulhoso romano revolvia a bolsa para cumprir esse desígnio, ela lhe respondeu com grande nobreza e dignidade:

— Caius, segue em paz o teu caminho!... Guarda o teu dinheiro, pois uma bênção de Jesus vale mais que um milhão de sestércios!...

Extremamente confundido, o marido de Helvídia recolheu a bolsa, dirigindo-se contrariado aos servidores, nestes termos:

— Apaguem as lanternas e prossigamos a viagem!

E observando a consternação de ambos os escravos, eminentemente impressionados com aquela cena, acrescentou com altanaria:

— Que esperam mais para cumprir minhas ordens? Não nos impressionemos com os incidentes do caminho. Nunca passei pelas estradas de Anxur sem encontrar uma louca como esta!

Como se fossem repentinamente despertados por ordens mais severas, Urbano e Lucrécio obedeceram às exigências do senhor, apagando as luzes que bruxuleavam na escuridão da noite e, daí a instantes, os três cavaleiros recomeçavam a marcha, como se coisa alguma houvesse acontecido.

Caius Fabricius era generoso, mas a falta de Célia, aos olhos da família, era assaz grave para que pudesse ser perdoada. A ninguém revelaria aquele encontro, ainda porque, entre ele e sua mulher, havia o compromisso de absoluto sigilo a tal respeito. Resolveu, assim, sufocar todos os gestos de compaixão pela infeliz cunhada.

Quanto a esta, com os olhos mareados de lágrimas, ficou como petrificada, a ouvir o compassado trote dos animais que se afastavam, até que um silêncio profundo e misterioso se fez sentir por toda parte, dentro da floresta sombria.

Vendo que Caius se afastava, teve ímpetos, na sua fragilidade feminina, de suplicar o seu auxílio, rogando-lhe a caridade de conduzi-la até o povoado de Fondi, onde, por certo, encontraria alguém que a abrigasse por uma noite. Todavia, permaneceu muda, como se a insensibilidade do cunhado lhe houvesse enregelado a própria alma.

Chorou longamente, misturando em orações as lágrimas amargas, de olhos fitos no céu, onde apenas luciavam raras estrelas...

A passos vacilantes, voltou à gruta selvagem que a Natureza havia edificado.

Lá dentro, acomodou a criança da melhor maneira, e entrou a meditar amargamente.

Os ventos do Lácio começaram a sussurrar uma sinfonia triste, estranha, e, de longe em longe, até os seus ouvidos chegavam os ecos dos lobos selvagens, ululando na floresta...

Célia sentiu-se abandonada mais que nunca. Profundo desânimo se lhe apoderou do espírito, sentindo que, apesar da fé, a fortaleza moral desfalecia em face de tão penosos padecimentos... Lembrou, uma a uma, todas as suas alegrias domésticas, recordando cada familiar, com as particularidades encantadoras do seu extremoso afeto. Nunca o sofrimento moral lhe atingira tão fundo o coração sensível!... Enquanto as lágrimas silenciosas lhe rolavam dos olhos, lembrava-se, mais que nunca, das exortações de Nestório nas vésperas do sacrifício, rogando a Jesus lhe concedesse forças para as renúncias purificadoras.

Mergulhada em profunda escuridão, acarinhava o rosto do pequenino, receosa de um ataque de répteis, enxugando as lágrimas, para melhor pensar no futuro, sem perder a sua confiança na misericórdia de Jesus.

Foi então que, com surpresa e pasmo dos seus olhos aflitos, emergiu da sombra um ponto luminoso, avultando com rapidez prodigiosa, sem que ela atinasse, de pronto, com o que se passava... Aturdida e surpresa, acabou por divisar a seu lado a figura do avô, que lhe enviava ao coração atormentado o mais terno dos sorrisos...

Tamanha era a sua adversidade, tanto o fel do seu coração desditoso, que não chegou a manifestar a menor estranheza. Dentro das claridades da sua fé, recordou, imediatamente, a lição evangélica das aparições do Divino Mestre a Maria Madalena e aos discípulos, estendendo para o avô os braços ansiosos. Para o seu espírito dolorido, a visão de Cneio Lucius era uma bênção do Senhor aos seus inenarráveis martírios íntimos. Quis falar, mas, ante a figura radiosa do velhinho bom, a voz morria-lhe na garganta sem conseguir articular uma palavra. Todavia, tinha os olhos aljofrados de pranto e havia em seu rosto uma tal expressão de sublimidade, que dir-se-ia mergulhada em profundo êxtase.

– Célia – sussurrou o Espírito carinhoso e benfazejo –, Deus te abençoe nas tormentas aspérrimas da vida material!... Feliz de ti, que elegeste o sacrifício, como se houvesses recebido uma determinação grata do Mestre!... Não desfaleças nas horas mais amargas, pois, entre as flores do Céu há quem te acompanhe os sofrimentos, fortalecendo as fibras do teu espírito desterrado! Jamais te suponhas abandonada, porquanto, do Além, nós te estendemos mãos fraternas. Todas as dores, filhinha, passam como a vertigem dos relâmpagos ou como os véus da neblina desfeitos ao Sol... Só a alegria é perene, só a alegria alcança a eternidade. Realizando-nos interiormente para Deus, nós compreendemos que todos os sofrimentos são vésperas divinas do júbilo espiritual nos planos da verdadeira vida! Conhecemos a intensidade dos teus padecimentos, mas, coerente com a tua fé, conserva o pensamento sempre puro! Crendo sacrificar-te por tua mãe, estás cumprindo uma das mais formosas missões de caridade e de amor, aos olhos do Cordeiro... Jamais agasalhes a ideia de que o sentimento materno se houvesse desviado algum dia do código da lealdade e da virtude doméstica, mas recebe todos os sofrimentos como elementos sagrados da tua própria redenção espiritual! Tua mãe nunca faltou à fidelidade conjugal e o teu espírito de abnegação e renúncia receberá de Jesus a mais farta messe de bênçãos.

Ouvindo aquelas palavras que lhe caíam como bálsamo divino no coração desalentado, a filha de Helvídio deixava que as lágrimas de conforto íntimo lhe rolassem das faces, como se o pranto, somente, lhe pudesse lavar todas as desventuras. Ela identificava o avô carinhoso e amigo, ali, a seu lado, como nos dias mais venturosos da sua existência. Nimbado de uma luz suave e doce, Cneio Lucius sorria-lhe com a benevolência de coração que sempre lhe demonstrara. Escutando-lhe a revelação da integridade moral da genitora, Célia reconsiderou as ocorrências dolorosas do lar. Bastou que esboçasse tais pensamentos, sem exprimi-los verbalmente, para que a respeitável entidade espiritual a esclarecesse, nestes termos:

– Filha, não cogites senão de bem cumprir os desígnios do Senhor a teu respeito... Não permitas que os teus pensamentos voltem ao passado para se eivarem de aflições e amarituras da vida terrestre! Não queiras estabelecer a culpa de alguém ou apontar o desvio de quem quer que seja, porque há um tribunal de justiça incorruptível, que legisla acima das nossas frontes!... Para ele não há processos obscuros, nem informações inexatas! Se essa justiça sublime determinou a tua marcha pelos carreiros da calúnia e do sacrifício, é que essa estrada conviria mais ao teu aperfeiçoamento e às fórmulas de trabalho que te competem. Nunca mais voltarás ao aconchego do lar paterno, ao qual te sentirás ligada pelos elos inquebrantáveis da saudade e do amor, através de todos os caminhos, mas essa separação de tua alma dos nossos afetos mais queridos será como um ponto de luz imorredoura, assinalando a transformação dos nossos destinos! Teu sacrifício, filhinha, há de ser para todo o sempre um marco renovador de nossas energias espirituais no grande movimento das reencarnações sucessivas, em busca do amor e da sabedoria! Ampliando os meus recursos para regressar às lutas terrestres, abençoo a tua dor, porque a tua renúncia é grande e meritória aos olhos de Jesus.

Foi aí que ela, conseguindo romper as emoções que a asfixiavam, exclamou com voz amargurada e dolorida:

– Mais do que as palavras, meu coração, que o vosso espírito pode perscrutar, pode dizer-vos da minha alegria e reconhecimento!... Protetor e amigo, guia desvelado de minha alma, já que vindes das sombras do túmulo para trazer-me as mais consoladoras verdades, ajudai-me a vencer nos embates dolorosos da vida!... Animai-me! Inspirai-me com a vossa sabedoria e o vosso amor compassivo! Não me deixeis desorientada, nestas penas escabrosas!... Avô, meu coração tem andado triste como esta noite, e o desalento e a infortúnio clamam no meu íntimo qual lobos ferozes que uivam nestas selvas!... Doravante, porém, saberei que vos tenho junto a mim!... Caminharei consciente de que me seguireis os passos em busca da felicidade real!... Rogai a Jesus que eu desempenhe austeramente todos os meus deveres! E, sobretudo, amparai também o inocentinho, cuja vida buscarei proteger em todas as circunstâncias!...

A voz de Célia, todavia, experimentava um estacato.[31] Ouvindo-lhe as súplicas, com a mesma expressão de serenidade e de carinho no olhar, Cneio Lucius avançou vagarosamente até o leito improvisado do pequenino, iluminando-lhe o rostinho alvo com um gesto da sua destra radiosa e exclamando num sorriso:

— Eis, filhinha — disse apontando a criancinha —, que Ciro cumpriu a promessa, regressando prestes ao mundo para estar mais perto do teu coração, sob as bênçãos do Cordeiro!...

— Como não mo revelastes antes? — monologou a jovem intimamente possuída de sublime alvoroço.

— É que Deus — exclamou a entidade generosa, adivinhando-lhe os pensamentos — quer que todos nós espiritualizemos o amor, buscando-lhe as expressões mais puras e mais sublimes. Recebendo um enjeitadinho como teu irmão, sem te deixares conduzir por qualquer disposição particular, soubeste santificar, ainda mais, tua afeição por Ciro, no laço indissolúvel das almas gêmeas, a caminho das mais lúcidas conquistas espirituais na redenção suprema!...

— Sim — falou a jovem patrícia dentro do seu júbilo espiritual —, agora compreendo melhor o meu enternecimento, e já que me trouxestes ao coração uma alegria tão doce, ensinai-me como devo agir, dai-me uma orientação adequada, para que eu possa cumprir irrepreensivelmente todos os meus deveres!...

— Filha, a orientação de todos os homens está delineada nos exemplos de Jesus Cristo! Não temos o direito de tolher a iniciativa e a liberdade dos entes que nos são mais caros, porque, no caminho da vida, o esforço próprio é indispensável! Luta com energia, com fé e perseverança, para que o Reino do Senhor floresça em luz e paz na tua própria vida... Mantém a tua consciência sempre pura e, se algum dia a dúvida vier perturbar teu coração, pergunta a ti mesma o que faria o Mestre em teu lugar, em idênticas

---

[31] N.E.: Neologismo. Provavelmente do italiano *staccato*: separado, destacado. Figuradamente, "suspense, pausa".

circunstâncias... Assim aprenderás a proceder com firmeza, iluminando as tuas resoluções com a luz do Evangelho!...

Depois de uma pausa em que Célia não sabia se fixava a personalidade sobrevivente do avô, ou se despertava o enjeitadinho para rever nos seus olhos, mais uma vez, as recordações do bem-amado, Cneio Lucius acentuou:

– Depois de tantas surpresas empolgantes e de tanta fadiga, precisas descansar! Repousa o corpo dolorido que ainda terá de sustentar muitas lutas... Continua com a mesma oração e vigilância de sempre, pois Jesus não te abandonará no mar proceloso da vida!...

Então, como se um poder invencível lhe anulasse as possibilidades de resistência, Célia sentiu-se envolvida num magnetismo doce e suave. Aos poucos, deixou de ver a figura radiosa do avô, que se postara a seu lado qual sentinela afetuosa contra a incursão de todos os perigos... Um sono brando cerrou-lhe as pálpebras cansadas e, abraçada ao pequenito, dormiu tranquilamente até que os primeiros raios do sol penetraram na gruta, anunciando o dia.

IV
De Minturnes[32] a Alexandria

Enquanto a vida familiar de Fábio Cornélio transcorre, na cidade imperial, sem acidentes dignos de menção, sigamos a filha de Helvídio Lucius na sua via dolorosa.

Levantando-se pela manhã, Célia alcançou a povoação de Fondi, em cujas cercanias uma criatura generosa acolheu-a por um dia, com ternura e bondade. Foi o bastante para se reconfortar das caminhadas ásperas e longas e, no dia seguinte, punha-se novamente a caminho, em direção de Itri, a antiga *Urbs Mamurrarum*, aproveitando o mesmo traçado da Via Ápia.

No caminho, teve a satisfação de encontrar a carreta de Gregório, o mesmo carreiro humilde que a deixara, na antevéspera, nas montanhas de Terracina, circunstância que lhe trouxe ao coração muita alegria. Nas dificuldades e dores do mundo, a fraternidade tem elos profundos, jamais facultados pelos gozos mundanos, sempre fugazes e transitórios.

Gregório ofereceu-lhe o mesmo lugar ao seu lado, num gesto de proteção que a jovem aceitou, considerando-o uma bênção do Alto.

Desta vez, reconheceram-se qual se fossem dois bons amigos de outros tempos. Falaram da paisagem e dos pequenos acidentes da viagem, rematando Gregório com uma pergunta cheia de interesse:

---

[32] N.E.: *A Enciclopédia Delta Larousse* registra Minturnae como nome original da localidade, atual Minturno.

— Tem a senhora outros parentes além de Fondi? Não me pareceu pequeno o sacrifício em aventurar-se a uma jornada tão longa como a de anteontem... Como consentiram prosseguisse outra viagem a pé?

— Sim, meu amigo — respondeu buscando desviar a sua afetuosa curiosidade —, meus parentes de Fondi são paupérrimos e não desejo voltar a Roma sem rever um tio enfermo, que reside em Minturnes.

— Ainda bem — murmurou o generoso plebeu, satisfeito com a resposta —, sendo assim, poderei levá-la hoje até o fim da sua jornada, pois vou além das lagoas da cidade.

A marcha continuou entre as gentilezas de Gregório e os agradecimentos de Célia, que lhe apreciava a bondade comovida.

Somente ao cair da tarde o veículo atingiu os arredores da cidade famosa.

Despedindo-se do carinhoso companheiro, a jovem cristã atentou na paisagem soberba que se desdobrava aos seus olhos. Uma formosa vegetação litorânea repontava dos terrenos alagadiços, num dilúvio de flores. A primeira porta da cidade estava a alguns metros, porém, o seu amor pela Natureza fê-la estacionar junto das grandes árvores do caminho. O Sol, em declínio, enviava à tela florida os seus raios agonizantes. Dominada por grandiosos pensamentos e experimentando um novo alento de vida, com a palavra de verdade e de consolação que o avô lhe trouxera na véspera, dos confins do túmulo, começou a orar, agradecendo a Jesus as suas graças sublimes e infinitas.

No seu caricioso embevecimento, contemplou a figurinha mimosa que se agitava em seus braços e beijou-lhe a fronte num arroubo de espiritualidade.

Na véspera, haviam recebido a hospitalidade da Natureza, mas, agora, ante as fileiras de casebres ali próximos da estrada, consultava a si mesma sobre o melhor meio de recorrer à piedade alheia, contando, porém, como das outras vezes, com o amparo de Jesus, que lhe forneceria a inspiração mais acertada, por intermédio dos seus lúcidos mensageiros.

Foi então que reparou numa choupana rodeada de laranjeiras, onde a vida parecia ser a mais simples e mais solitária. Seu aspecto singelo emergia do arvoredo a 200 metros do local em que se encontrava, mas, como que atraída por algum detalhe que não poderia definir, Célia alcançou a trilha e bateu à porta. Brilhavam no céu as primeiras estrelas.

Depois de muito chamar, sentiu que alguém se aproximava com dificuldade, para dar voltas ao ferrolho.

E não tardou tivesse diante dos olhos surpresos uma figura patriarcal e veneranda, que a acolheu com solicitude e simpatia.

Era um velho de cabelos e barbas completamente encanecidos. As cãs prateadas realçavam-lhe os nobres traços romanos, irrepreensíveis. Aparentava mais de 70 invernos, mas o olhar estava cheio de ternura e de vida, como se os seus raciocínios estivessem em plenitude de maturidade. Estendendo-lhe as mãos encarquilhadas e trêmulas, Célia notou pequena cruz a pender-lhe do peito, fora da toga descolorida e surrada.

Grandemente emocionada e compreendendo que se encontrava à frente de um velho cristão, murmurou humilde:

– Louvado seja nosso Senhor Jesus Cristo!

– Para sempre, minha filha! – respondeu o ancião, esboçando num sorriso o júbilo que aquela saudação lhe causava. – Entra na choupana do mísero servo do Senhor e dispõe dele, teu servo, igualmente.

A filha de Helvídio Lucius explicou, então, que se encontrava no mundo ao desamparo, com um filhinho de poucos dias, abençoando a hora feliz de bater à porta de um cristão, que, desde aquele instante, passaria a encarar como um mestre. Desde logo, estabeleceu-se entre ambos uma cordialidade e um afeto mútuos tão expressivos, tão puros, que pareciam radicados na eternidade.

Ouvindo-lhe a história, o ancião de Minturnes falou-lhe com brandura e sinceridade:

– Depois de examinar a tua situação, minha filha, hás de permitir te assista como um pai ou irmão mais velho, na fé e na experiência. É que, também, tive uma filha, perdida há pouco tempo, justamente quando vinha buscá-la para acompanhar-me no meu voluntário e bendito degredo na África... Parecia-se extraordinariamente contigo e terei grande ventura se me olhares com a mesma simpatia que me inspiraste. Ficarás nesta casa o tempo que quiseres, ou necessitares... Vivo só, após uma existência fértil de prazeres e de amarguras... Antigamente, a afeição de uma filha ainda me prendia o coração a cogitações mundanas, mas agora vivo somente na minha fé em Jesus Cristo, esperando que a sua palavra de misericórdia me chame breve ao seu Reino, para a verificação da minha indigência!

Sua voz entrecortava-se de suspiros, como se os mais atrozes padecimentos íntimos lhe azorragassem o coração, ao evocar reminiscências.

— Há mais de um ano — continuou —, aguardo oportunidade para regressar a Alexandria, mas o deperecimento físico parece advertir-me que em breve serei forçado a entregar o corpo à terra da Campânia, malgrado o desejo de morrer no pouso solitário a que transportei o meu espírito...

Enquanto ele fazia uma pausa, a jovem aventava despreocupadamente:

— Sois romano, presumo, pelos traços inconfundíveis da vossa fisionomia patrícia.

Fitando-a bem nos olhos, como se quisesse certificar-se de toda a pureza e simplicidade da alma da sua interlocutora, o ancião respondeu pausadamente:

— Filha, tua condição de cristã e a candidez que se irradia de tua alma obrigam-me a maior sinceridade para contigo!...

"Nesta cidade ninguém me conhece, tal como sou!... Desde o dia em que me consagrei à instituição cristã, da qual participo no Egito longínquo, chamo-me Marinho para todos os efeitos. Dentro da nossa comunidade de homens sinceros e crentes, desprendidos dos bens materiais, fizemos voto solene de renúncia a todas as regalias efêmeras da Terra, a todas as suas alegrias, de modo a nos unirmos ao Senhor e Mestre com a compreensão clara e profunda da sua doutrina. Enquanto os déspotas do Império tramam a morte do Cristianismo, supondo aniquilá-lo com o suplício dos adeptos, fora de Roma organizam-se as forças poderosas que hão de agir no futuro, em defesa das ideias sagradas! Em todas as províncias da Ásia e da África os cristãos se articulam em sociedades pacíficas e laboriosas, e guardam os escritos preciosos dos discípulos do Senhor e dos seus seguidores abnegados, protegendo o tesouro dos crentes para uma posteridade mais piedosa e mais feliz!..."

Enquanto Célia o escutava com carinhoso interesse, o ancião de Minturnes continuava, depois de uma pausa, como que preparando o próprio pensamento para maior clareza das suas recordações.

— A outrem, filha, não poderia confiar o que te revelo esta noite, levado por um impulso do coração... Talvez meu espírito esteja acercando-se do sepulcro e o Mestre amado queira advertir, indiretamente, a alma culpada e dolorida. Há qualquer coisa que me compele a confessar-te o passado com as suas inquietudes e incertezas... Não poderia explicar-te o que seja... Sei, apenas, que a inocência do teu olhar de cristã, de filha piedosa e meiga, faz nascer-me no peito exausto os bens divinos da confiança!...

"Meu verdadeiro nome é Lésio Munácio, filho de antigos guerreiros, cujos ascendentes se notabilizaram nos feitos da República... Minha mocidade foi uma esteira longa de crimes e desvios, aos quais se entregou o meu espírito frágil, visto o desconhecimento do ensino de Jesus... Não trepidei, noutros tempos, em brandir a espada homicida, disseminando a ruína e a morte entre os seres mais humildes e desprezados... Auxiliei a perseguição aos núcleos do Cristianismo nascente, levando mulheres indefesas ao martírio e à morte, nos dias das festas execráveis!... Ai de mim, porém!... Mal sabia que um dia ecoaria em meu íntimo a mesma voz divina e profunda que soou para Paulo de Tarso a caminho de Damasco! Depois dessa vida aventurosa, casei-me tarde, quando as flores da juventude já se despetalavam no outono da vida! Antes não o fizesse!... Para conquistar o afeto da companheira, fui compelido a gastar o impossível, lançando mão de todos os recursos! Sem preparação espiritual, construí o lar sobre a indigência mais triste! Em pouco tempo, uma filhinha graciosa vinha iluminar o âmago escuro das minhas reflexões sobre o destino, mas, atormentado pelas necessidades mais duras a fim de mantermos em Roma o nosso padrão de vida social, senti que a pobre esposa, tomada de ilusões, não beberia comigo o cálice da pobreza e da infelicidade! Com efeito, em breve o meu lar estava ultrajado e deserto!...

"O questor Flávio Hylas, abusando da amizade e da confiança que eu lhe dispensava, seduziu minha mulher, desviando-a ostensivamente do santuário doméstico, para escárnio de minhas esperanças e de meus sofrimentos... Desejei sucumbir para furtar-me à vergonha, mas o apego à filhinha me advertia de que esse gesto extremo significava apenas covardia... Pensei, então, em procurar Flávio Hylas e a esposa infiel, para trucidá-los sumariamente com um golpe de espada, porém, quando buscava realizar o sinistro intento, encontrei um velho mendigo junto ao templo de Serápis, que me estendeu a destra dilacerada, não para implorar esmola, mas para dar-me um fragmento de pergaminho, que tomei sôfrego, como se recebesse secreta mensagem de um amigo. Depois de alguns passos, reconheci com assombro que ali se achavam grafados alguns pensamentos de Jesus Cristo e que, depois, vim a saber serem os do Sermão da Montanha... Junto a esse hino dos bem-aventurados, estava a participação de que alguns amigos do Senhor se reuniriam junto dos velhos muros da Via Salária, naquela noite!... Retrocedi para colher informes do mendigo, não o encontrei, porém, nem pude jamais obter notícias dele.

"Aqueles ensinamentos do Profeta galileu encheram-me o coração... Parece que somente nas grandes dores pode a alma humana sentir a grandeza das teorias do amor e da bondade... Voltei a casa sem cumprir os malsinados propósitos, e, considerando a inocência de minha filha, cujos carinhos infantis me concitavam a viver, fui à assembleia cristã, onde tive a felicidade de ouvir pregadores valorosos e abnegados, das verdades divinas.

"Lá se congregavam homens sofredores e humilhados, entre os quais alguns conhecidos meus, que as fúrias políticas haviam atirado ao sofrimento e ao ostracismo... Criaturas humildes ouviam a Boa-Nova, de mistura com elementos do patriciado, que as circunstâncias da sorte haviam conduzido à adversidade... Para todos, a palavra de Jesus constituía um consolo suave e uma energia misteriosa... Em todos os semblantes, à claridade triste das tochas, surgia uma expressão de vida nova, que se comunicou ao meu espírito cansado e dolorido... Naquela noite regressei a casa como se houvera renascido para enfrentar a vida!

"No dia seguinte, porém, quando menos o esperava na quietação de minha alma, eis que um pelotão de soldados me cercava a residência e conduzia-me ao cárcere, sob a mais injusta acusação... É que, naquela noite, o inditoso Flávio Hylas fora apunhalado em misteriosas circunstâncias. Diante do seu cadáver, minha própria mulher jurou fora eu o assassino. Arguida a calúnia, busquei interpor minhas relações de amizade para recuperar a liberdade e poder cuidar da pobre filha recolhida, então, por mãos generosas e humildes do Esquilino, mas os amigos responderam-me que só o dinheiro poderia movimentar, a meu favor, os aparelhos judiciários do Império, e eu já não o possuía...

"Abandonado no cárcere, impossibilitado de justificar-me, visto haver comparecido à assembleia cristã naquela noite, preferi silenciar a comprometer os que me haviam proporcionado consolação ao espírito abatido... Espezinhado nos meus sentimentos mais sagrados, esperei as decisões da justiça imperial, tomado de indefinível angústia. Afinal, dois centuriões foram notificar-me a sentença iníqua. As autoridades, considerando a extensão do crime, cassavam-me todos os títulos e prerrogativas do patriciado, condenando-me à morte, visto o questor assassinado ter sido homem da confiança de César... Recebi a sentença quase sem surpresa, embora desejasse viver para servir àquele Jesus, cujos ensinos grandiosos haviam sido a minha luz nas sombras espessas do cárcere, e cumprir, igualmente, os deveres paternais para com a filhinha abandonada pela ternura materna...

"Esperei a morte com o pensamento em prece, mas, a esse tempo, existia em Roma um homem justo, pouco mais moço que eu, cujo pai fora camarada de infância do meu genitor. Esse homem conhecia o meu caráter defeituoso, mas leal. Chamava-se Cneio Lucius e foi pessoalmente a Trajano advogar a causa da minha liberdade. Afrontando as iras de Augusto, não trepidou em lhe solicitar clemência para o meu caso e conseguiu que o Imperador comutasse a pena para o meu banimento da Corte, com a supressão de todas as regalias que o nome me outorgava..."

Enquanto o ancião fazia uma pausa, a jovem começava a chorar comovidamente, em face da alusão ao avô, cuja lembrança lhe enchia o íntimo de vivas saudades.

– Uma vez livre – prosseguiu o velho de Minturnes –, aproximei-me de antigos companheiros que comigo haviam provado do mesmo cálice com as perseguições de ordem política e que já partilhassem da mesma fé em Jesus Cristo... Banidos de Roma e humilhados, dirigimo-nos à África, onde fundamos um pouso solitário, não longe de Alexandria, a fim de cultivarmos o estudo dos textos sagrados e conservar, simultaneamente, os tesouros espirituais dos apóstolos.

"Deixando a capital do Império, confiei minha única filha a um casal amigo, cuja pobreza material não lhe deslustrava os sentimentos nobres. Provendo o futuro da filhinha com todos os recursos ao meu alcance, parti para o Egito cheio de novos ideais, à luz da nova crença! Nas severas meditações e austeros exercícios espirituais a que me submeti, cheguei a olvidar as grandes lutas e penosas amarguras do meu destino!...

"O descanso da mente em Jesus aliviou-me de todos os pesares. O único elo que ainda me prendia à Península era justamente a filha, então já moça, e cuja afetividade desejava transportar para junto de mim, na África longínqua... Depois de vinte anos no seio da nossa comunidade, em preces e meditações proveitosas, solicitei do nosso diretor espiritual a necessária permissão para recolher um familiar ao nosso retiro. Referi-me a um familiar, pois desejava convencer minha pobre Lésia de que deveria partir em minha companhia, em trajes masculinos, considerando o ensino de Jesus de que existem no mundo os que se fazem eunucos por amor a Deus...

"Os estatutos da comunidade não permitem mulheres junto de nós outros, por decisão de Aufídio Prisco, ali venerado como chefe, sob o nome de Epifânio... Não era meu propósito menosprezar as leis da nossa ordem, e sim arrebatar a filhinha ao ambiente de seduções desta época de decadência em que as intenções mais sagradas são colhidas pelos lobos da vaidade e da ambição, que ululam no caminho... Desejaria conservá-la, junto de mim, no mais santo dos anonimatos, até que conseguisse modificar as disposições de Epifânio, acerca dos regulamentos da nossa ordem, atentas as circunstâncias especiais da minha vida!...

"Obtendo a necessária permissão para vir à Península, aqui aportei há quase dois anos, experimentando a angústia de reencontrar minha Lésia nos derradeiros instantes de vida... Descrever-te meu sofrimento com a separação da filha querida, depois de ausente tanto tempo e de haver acariciado tão grandes esperanças, é tarefa superior às minhas forças... Acompanhei-lhe os despojos ao sepulcro, para onde mandei transportar, pouco depois, os dos carinhosos amigos que lhe haviam servido de pais, também vitimados pela peste, que, não há muito, flagelou toda a população de Minturnes!...

"Ai de mim, que não mereci senão angústias e tormentos, nas estradas ásperas da existência, em vista dos meus crimes inomináveis na juventude!...

"Resta-me, contudo, a esperança no amor do Cordeiro de Deus, cuja misericórdia veio a este mundo arrebatar-nos da humilhação e do pecado...

"Avizinhando-me do túmulo, rogo ao Senhor que não me desampare... Além do sepulcro, sinto que esplende a luz dos seus ensinamentos, num Reino de Paz Misericordiosa e Compassiva! Certamente, lá me esperam a filha idolatrada e os amigos inesquecíveis. A terra florescente da Campânia, pressinto-o, guardará em breve o meu corpo combalido, mas, além das forças exaustas da vida material, espero encontrar a verdade consoladora da nossa sobrevivência! Receberei de boa vontade o julgamento mais severo, do meu passado delituoso, e, renunciando a todos os sentimentos pessoais, hei de aceitar plenamente os desígnios de Jesus na sua justiça equânime e misericordiosa!..."

O ancião de Minturnes falava comovido, com o olhar lúcido, fixo no Alto, como se estivesse diante de um plenário celeste, com a serenidade da sua fé robusta e ardente.

Chegando ao termo das confidências dolorosas, observou que Célia tinha os olhos rasos de lágrimas, a ponto de não poder falar de pronto, tal a comoção que lhe estrangulava a voz no imo do peito dolorido.

– Por que choras minha filha – ajuntou com brandura –, se a minha pobre história de velho não te pode interessar diretamente o coração?

A filha de Helvídio não respondeu, dominada pela emoção do momento, mas o ancião continuava surpreso e melancólico:

– Acaso terás também uma história amargurada quanto a minha? Apesar da fé ardente que pressinto em teu espírito, não se justifica tamanha sensibilidade espiritual na tua idade. Dize, filha, se tens o coração igualmente tocado por uma úlcera dolorosa... Se as dores te pesam na alma desiludida, recorda a palavra do Mestre, quando exortava em Cafarnaum: "Vinde a mim todos vós que trazeis no íntimo os tormentos do mundo e Eu vos aliviarei..." É verdade que não estás à frente do Messias de Deus, porém, ainda aqui, devemos lembrar a lição de Jesus, aceitando o carinho do cireneu que o ajudou a carregar a cruz!... Ele que era a personificação de toda a energia do amor não hesitou em aceitar o amparo de um filho humilde do infortúnio... Também eu sou um mísero pecador, filho das provações mais ásperas e espinhosas, mas, se puderes, lê em meu coração e verás que no meu íntimo palpita, por ti, a afetividade de um pai. Tua presença desperta-me inexplicável e misteriosa simpatia... Confiei ao teu espírito o que diria somente à filhinha adorada, que me precedeu nas sombras do túmulo. Se te sentes sobrecarregada dos pesares do mundo, dize-me algo de tuas dores. Repartirás comigo os teus sofrimentos e a cruz das provas te parecerá mais leve!...

Ouvindo aquelas exortações carinhosas e espontâneas, que não mais escutara desde a morte do avô, cujo nome fora ali pronunciado pelo ancião de Minturnes, como um ponto de referência à sua confiança, Célia, depois de acomodar o pequenino adormecido, sentou-se ao lado do seu benfeitor, com a intimidade de quem o conhecesse de muito tempo, e, com a voz entrecortada de reticências da sua emoção profunda, começou a falar:

– Se me tendes chamado filha, permitireis vos beije as mãos generosas, chamando-vos pai, pelas afinidades mais santas do coração.

"Acabastes de invocar um nome que me obriga a chorar de emoção, no tumulto de recordações também amargas e dolorosas... Confiarei em vós, qual o fiz sempre ao carinhoso avô, que relembrastes agradecido. Também eu venho de Roma, pelos mesmos caminhos ásperos de amargor e sacrifício. Reconhecida à vossa confiança, revelarei igualmente o meu romance infortunoso, quando a mocidade parecia sorrir-me em plena floração primaveril. Abandonada e só, receberei, por certo, da vossa experiência nas estradas da vida o bom conselho que me habilite a fixar-me em qualquer parte, a fim de cumprir a missão de mãe, junto deste pobre inocentinho! Desde Roma, venho experimentando a mais atroz necessidade de me comunicar com um coração afetuoso e amigo, que me possa orientar e esclarecer. Nas minhas caminhadas encontrei por toda parte homens impiedosos, que me envolviam com olhares de corrupção e voluptuosidade... Alguns chegaram a insultar minha castidade, mas roguei insistentemente a Jesus a oportunidade de encontrar um espírito benfazejo e cristão, que me fortalecesse!..."

Sentia-se tomada por inexplicável confiança, enquanto o velhinho de Minturnes a ouvia surpreso, embora a imensa serenidade que lhe transparecia do olhar, a filha de Helvídio Lucius começou a desfiar o seu romance, cheio de lances intensos e comovedores. Confessando-se neta do magnânimo Cneio, o que sensibilizou profundamente o interlocutor, narrou-lhe todos os episódios da sua vida, desde as primeiras contrariedades de menina e moça, na Palestina, e terminando a longa narrativa com a visão do avô, na noite precedente, quando forçada a pernoitar na gruta de Tibério.

Ao concluir, tinha os olhos inchados de chorar, como alguém que muito se demorara em alijar do coração o peso da desventura.

O ancião alisava-lhe os cabelos comovidamente, como se o fizesse a uma filha, após longa ausência repleta de saudades angustiosas, exclamando por fim:

— Minha filha, propondo-me confortar-te, é o teu próprio coração de menina, nos mais belos exemplos de sacrifício e coragem, que me consola!... Para mim, que, muitas vezes, agasalhei o mal e extraviei-me no crime, os sofrimentos da Terra significam a justiça dos destinos humanos, mas, para o teu espírito carinhoso e bom, as provações terrestres constituem um heroísmo do Céu!... Deus te abençoe o coração fustigado pelas tempestades do mundo, antes das florações da primavera. Das alegrias do Reino de Jesus, Cneio Lucius deverá regozijar-se no Senhor pelos teus heroicos feitos... Sinto que a sua alma, enobrecida na prática do bem e da virtude, segue-te os passos como sentinela fidelíssima!...

Depois de longa pausa, em que Marinho pareceu meditar no futuro da graciosa companheira, disse paternalmente:

— Enquanto narravas teus padecimentos íntimos, considerava eu a melhor maneira de ajudar-te neste meu ocaso da vida! Compreendo a tua situação de jovem abandonada e só, no mundo, com o pesado encargo de cuidar de uma criancinha acolhida em tão estranhas circunstâncias. Aconselhar que voltes ao lar, não posso fazê-lo, conhecendo a rigidez dos costumes em determinadas famílias do patriciado. Além disso, a casa paterna considera-te morta para sempre, e a palavra carinhosa de Cneio Lucius só poderia ter valor inestimável para nós, que lhe compreendemos o alcance e a sublime revelação. Ante os seus conceitos, temos de admitir a plena inocência de tua mãe, mas, se regressares a Roma, a aparição desta noite não bastaria para elucidar todos os problemas da situação, mantendo-se as mesmas características de suspeição a teu respeito. E tu sabes que entre a dúvida e a verdade é sempre melhor o sacrifício, pois a verdade é de Jesus e vencerá tão logo a sua misericórdia julgue a vitória oportuna.

"Velho conhecedor dos nossos tempos de decadência e desmantelos morais, sei que, ante a tua juventude, quase todos os homens moços, cheios de materialidade, se curvarão com ignominiosas propostas. A destruição do meu lar será sempre um atestado vivo das misérias morais da nossa época.

"Ponderando as tuas dificuldades, desejo salvar-te o coração de todos os perigos, evitando-te as ciladas dos caminhos insidiosos, entretanto, a enfermidade e a decrepitude não me possibilitam mais a tua defesa... Em Minturnes, quase todos me odeiam gratuitamente, em virtude das ideias que professo. Um cristão sincero, por muito tempo ainda, terá de sofrer a incompreensão e a tortura dos algozes do mundo, e somente não me levam ao sacrifício, nas festas regionais que aqui se efetuam, atenta a minha velhice avançada e dolorosa, de rugas e cicatrizes... Apresentar um velho mísero às feras potentes ou ao exercício dos atletas da devassidão e da impiedade, poderia parecer entranhada covardia, razão pela qual me julgo poupado.

"Não possuo, pois, nenhuma relação de amizade que te possa valer neste transe.

"Lembra-te de que, ainda agora, eu te falei do meu antigo projeto de levar a filha ao Egito, em trajes masculinos, de modo a arrebatá-la deste antro de corrupção e impenitência. Esse gesto de um pai é bem o de um coração amoroso, em franco desespero, quanto ao porvir espiritual desta região da iniquidade.

"Contemplando a tua inerme juventude, carregada de tão nobres sacrifícios, receio pelos teus dias futuros, mas rogo a Jesus que nos esclareça o pensamento!"

Após alguns minutos de recolhimento, a jovem retrucou:

— Mas, meu desvelado amigo, não me considerais vossa própria filha?...

O ancião de Minturnes, no clarão sereno dos grandes olhos, deixou transparecer que entendera a alusão e revidou bondosamente:

— Compreendo, filha, o alcance de tuas palavras, mas, estarás sinceramente decidida a mais esse nobre sacrifício?

— Como não, se em torno de mim surgem as mais temerosas perseguições?

— Sim, tuas ações nobilíssimas dão-me a entender que devo confiar nas tuas resoluções. Pois bem; se teu espírito se sente disposto à luta pelo evangelho, não vacilemos em preparar-te as estradas porvindouras! Ficarás nesta casa pelo tempo que desejares, se bem esteja convicto de que não tardará muito a minha viagem para o Além. Amanhã mesmo entrarás nos teus novos trajes, a fim de facilitar a tua ida para a África, no momento oportuno. Serás *meu filho* aos olhos do mundo, para todos os efeitos. Chamarei amanhã a esta casa o pretor de Minturnes, a fim de que ele cuide da tua situação legal, caso eu venha a falecer. Tenho o dinheiro necessário para que te transportes a Alexandria e, antes de morrer, deixar-te-ei uma carta apresentando-te a Epifânio, como meu sucessor legítimo na sede da nossa comunidade. Lá, tendo empregadas todas as derradeiras economias que consegui retirar de Roma nos tempos idos, é possível que não te criem embaraços para que te entregues a uma vida de repouso espiritual na prece e na meditação, durante os anos que quiseres.

"Epifânio é um espírito enérgico e algo dogmático em suas concepções religiosas, mas tem sido meu amigo e meu irmão por largo período, durante os quais as mesmas aspirações nos uniram nesta vida. Às vezes, costuma ser ríspido nas suas decisões, caracterizando tendências para o sacerdócio organizado, que o Cristianismo deve evitar com todas as suas forças, para não prejudicar o messianismo dos apóstolos do Senhor, mas, se algum dia fores ferida por suas austeras resoluções de chefe, lembra-te de que a humildade é o melhor tesouro da alma, é a chave mestra de todas as virtudes e recorda a suprema lição de Jesus nos braços do madeiro!... Em todas as situações, a humildade pode entrar como elemento básico de solução para todos os problemas!..."

— Sim, meu amigo, sinto-me abandonada e só no mundo e temo o assédio dos homens pervertidos! Jesus me perdoará a decisão de adotar outros trajes aos olhos dos nossos irmãos da Terra, mas, na sua bondade infinita, sabe Ele das necessidades prementes que me compelem a tomar essa insólita atitude. Além do mais, prometo, em nome de Deus, honrar a túnica que vestirei, possivelmente, em Alexandria, a serviço do evangelho... Levarei comigo o filhinho que o Céu me concedeu, e suplicarei a Epifânio me permita velar por ele sob o céu africano, com as bênçãos de Jesus!

— Que o Mestre te abençoe os bons propósitos, filha!... — respondeu o ancião com uma expressão de júbilo sereno.

Ambos se sentiam dominados por intensa alegria íntima, como se fossem duas almas profundamente irmanadas de outros tempos, num reencontro feliz, depois de prolongada ausência.

Os galos de Minturnes já saudavam os primeiros clarões da madrugada. Beijando as mãos do velho benfeitor, com os olhos rasos de lágrimas, a jovem patrícia buscou, desta vez, o repouso noturno com a alma satisfeita, sem as sombrias preocupações para o dia seguinte, agradecendo a Jesus com a oração do seu amor e do seu reconhecimento.

No outro dia, a gente pobre daquele arrabalde de Minturnes ficou sabendo que um filho do ancião chegara de Roma para assistir-lhe os minutos derradeiros.

Aproveitando os trajes antigos, que o seu benfeitor lhe apresentava para resolver a situação, Célia não hesitou em tomar a nova indumentária, por fugir à perseguição irreverente de quantos poderiam abusar da sua fragilidade feminina.

O velho Marinho apresentava-a aos raros vizinhos que se interessavam pela sua saúde, como um filho muito caro, e explicando que ele enviuvara recentemente, trazendo o netinho para iluminar as sombras da sua desolada velhice.

A filha dos patrícios, travestida agora pela força das circunstâncias num garboso rapaz imberbe, ocupava-se carinhosamente de todos os serviços domésticos, buscando servir ao ancião generoso com a mais desvelada solicitude.

Um fato, porém, veio impressionar amargamente o coração sensível de Célia. Fosse pelo trato deficiente que recebera até ali, ou pelas privações suportadas em tantas milhas de caminho, o pequenito começou a definhar, apresentando, em breve, todos os sintomas de morte inevitável.

O ancião empregou, sem resultado, todos os recursos ao seu alcance, para assegurar a vida bruxuleante do inocentinho.

Tocada nas fibras mais sensíveis do seu coração, em virtude das revelações do avô, quanto à personalidade de Ciro, a jovem sentiu no íntimo dorido a repercussão dilatada de todos os padecimentos físicos do pequenino. Desejava amparar-lhe a existência com todas as energias do seu espírito dilacerado, operar um milagre com todas as suas forças afetuosas para arrebatá-lo às garras da morte, mas em vão misturou lágrimas e preces nos seus arrebatamentos emotivos.

Contemplando-lhe a agonia, a criança parecia falar-lhe à alma carinhosa e sensível, com o olhar cintilante e profundo, no qual predominavam as expressões de uma dor estranha e indefinível.

Por fim, após uma noite de insônia dolorosa, Célia rogou a Jesus fizesse cessar, na sua misericórdia, aquele quadro de intensa amargura. Cheia de fé, rogava ao Cordeiro de Deus que reconduzisse o seu bem-amado ao plano espiritual, se esses eram os seus desígnios inescrutáveis. Ela, que tanto o amava e tanto se havia sacrificado para conservar-lhe a luz da vida, estaria conformada com as decisões do Alto, como no dia em que o vira marchar para o sacrifício, exposto à perversidade dos homens impiedosos.

Como se fora ouvida a sua rogativa dolorosa, cheia de lágrimas de fé e esperança na bondade do Senhor, o inocentinho fechou os olhos da carne para sempre, ao desabrochar da alvorada, como se o seu coração fosse uma andorinha celeste que, receosa das invernias do mundo, remontasse célere ao paraíso.

Sobre o corpinho enrijecido, a filha de Helvídio carpiu a sua dor intraduzível, com lágrimas ardentes, experimentando a amargura das suas esperanças desfeitas e dos seus sonhos maternos desmoronados...

Todavia, a palavra sábia e evangélica do ancião de Minturnes ali estava para reerguê-la de todos os abatimentos e, depois da hora angustiada da separação, ela buscou entronizar a saudade no santuário de suas preces humildes e fervorosas.

Sim, seu coração carinhoso sabia que Jesus não desampara, nunca, o espírito das ovelhas tresmalhadas nos abismos do mundo e, refugiando-se na oração, esperou que viessem do Alto todos os recursos espirituais necessários ao seu reconforto. Os vizinhos humildes impressionavam-se, sobremaneira, com aquele rapaz, de cujo semblante delicado irradiava-se uma terna simpatia, de mistura à tristeza inalterável, que tocava a sua personalidade de singulares encantos.

Uma noite serena, quando a alma cariciosa da Natureza se havia plenamente aquietado, Célia recolheu-se depois do serão habitual com o generoso velhinho, que lhe era como um pai devotado pelo coração, sentindo que força estranha lhe atormentava o cérebro exausto e dolorido.

Dentro em pouco, sem se dar conta da surpresa e do aturdimento, viu-se diante de Ciro, que lhe estendia as mãos carinhosas, com um olhar de súplica e reconhecimento intraduzível.

– Célia – começava dizendo suavemente, enquanto ela se concentrava em doce emoção para ouvi-lo –, não renegues o cálice das provações redentoras, quando as mais puras verdades nos felicitam o coração!... Depois de algum tempo na tua companhia, eis-me de novo aqui, onde devo haurir forças novas para recomeçar a luta!... Não entristeças com as circunstâncias penosas da nossa separação pelas sendas escuras do destino. És minha âncora de redenção, por todos os caminhos! Jesus, na infinita extensão de sua misericórdia, permitiu que a tua alma, qual estrela do meu espírito, descesse das amplidões sublimes e radiosas para clarificar meus passos no mundo. Luz da abnegação e do martírio moral, que salva e regenera para sempre!...

"Se as mãos sábias e justas de Deus me fizeram regressar aos planos invisíveis, regozijemo-nos no Senhor, pois todos os sofrimentos são premissas de uma ventura excelsa e imortal! Não te entregues ao desalento, porque, antigamente, Célia, meu espírito se tingiu de luto quase perene, no fausto de um tirano! Enquanto brilhavas no Alto como um astro de amor para o meu coração cruel, decretava eu a miséria e o assassínio! Abusando da autoridade e do poder, da cultura e da confiança alheias, não trepidei em destruir esperanças cariciosas, espalhando o crime, a ruína e a desolação em lares indefesos! Fui quase um réprobo, se não contasse com o teu espírito de renúncia e dedicação ilimitadas! Ao passo que eu descia, degrau a degrau, a escada abominável do crime, no pretérito longínquo e doloroso, teu coração amoroso e leal rogava ao Senhor do Universo a possibilidade do sacrifício!...

"E, sem medir as trevas agressivas e pavorosas que me cercavam, desceste ao cárcere de minhas impenitências!... Espalhaste sobre a minha miséria o aroma sublime da renúncia santificante e eu acordei para os caminhos da regeneração e da piedade! Tomaste-me das mãos, como se o fizesses a uma criança desventurada, e ensinaste-me a erguê-las para o Alto, implorando a proteção e misericórdia divinas! Já de alguns séculos teu Espírito me acompanha com as dedicações santificadas e supremas! É que as almas gêmeas preferem chegar juntas às regiões sublimes da paz e da sabedoria, e, dentro do teu amor desvelado e compassivo, não hesitaste em me estender as mãos dedicadas e generosas, como estrela que renunciasse às belezas do Céu para salvar um verme atolado num pântano, em noite de trevas perenes.

"E acordei, Célia, para as belezas do amor e da luz, e, não contente ainda, por me despertares, me vens auxiliando a resgatar todos os débitos onerosos... Teu espírito, carinhoso e impoluto, não vacilou em sustentar-me, através das estradas pedregosas e tristes que eu havia traçado com a minha ambição terrível e desvairada! Tens sido o ponto de referência para minha alma em todos os seus esforços de paz e regeneração, na reconquista das glórias espirituais. Ao teu influxo pude testemunhar minha fé, no circo do martírio, selando, pela primeira vez, minha convicção em prol da fraternidade e do amor universal! Por ti, desterro de mim o egoísmo e o orgulho, sustentando todas as batalhas íntimas, na certeza da vitória!

"Voltando ao mundo, fui novamente arrebatado dos teus braços materiais, em obediência às provas ríspidas que ainda terei que sustentar por largo tempo! Jesus, porém, que nos abençoa do seu trono de luz e misericórdia, de perdão e bondade infinita, permitirá que eu esteja contigo nos teus testemunhos de fé e humildade, destinados à exaltação espiritual de todos os seres bem-amados que gravitam na órbita dos nossos destinos! E se Deus abençoar minhas esperanças e minhas preces sinceras, voltarei de novo para junto do teu coração, nas lutas ásperas!... Espera e confia sempre!... Na sua magnanimidade indefinível, permite o Senhor possamos voltar dos caminhos benignos do túmulo, para consolar os corações ligados ao nosso e ainda retidos nos tormentos da carne... Somente lá, nas moradas do Senhor, onde a ventura e a concórdia se confundem, poderemos repousar no amor grande e santo, marchando de mãos dadas para os triunfos supremos, sem as inquietações e provas rudes do mundo!..."

Por muito tempo a voz cariciosa de Ciro falou-lhe ao coração, propiciando-lhe ao espírito sensível as mais santas consolações e as mais doces esperanças! No auge do seu deslumbramento espiritual, a jovem cristã experimentou as mais comovedoras alegrias, desejando que aquele minuto glorioso se prolongasse ao infinito...

Quando a palavra do bem-amado parecia finalizar com um brando estacato, em vibrações silenciosas e profundas, Célia rogou-lhe que a acompanhasse em todos os seus lances terrestres, implorando-lhe assistência e proteção em todas as circunstâncias da vida; confiou-lhe seus pesares mais secretos e angustiosas expectativas, quanto à nova situação, mas Ciro parecia sorrir-lhe bondosamente, prometendo-lhe carinho incessante, através de todos os percalços e reafirmando a sua confiança no amparo do Senhor, que não haveria de abandoná-los...

No dia seguinte, ei-la reanimada, deixando transparecer no semblante a serenidade íntima do seu espírito.

O velhinho notou, com alegria, aquela mudança e, como se estivesse em preparativos constantes para a jornada do túmulo, não perdeu o ensejo para esclarecer à jovem sobre os problemas que a esperavam na vida solitária de Alexandria. Com solicitude extrema, dava-lhe notícia de todos os pormenores da vida nova a encetar, fornecendo-lhe o nome de antigos companheiros de fé e dando conta de todos os costumes da comunidade.

Célia, em trajes masculinos, ouvia-lhe a palavra carinhosa e benevolente, com o desejo íntimo de prolongar indefinidamente aquela vida bruxuleante, de modo a nunca mais separar-se daquele coração bondoso e amigo, mas, ao revés de suas mais caras esperanças, o estado do ancião agravou-se repentinamente. Todos os esforços foram baldados para lhe restituir o tônus vital do plano físico e, assistido pela jovem, que tudo fazia por vê-lo restabelecido, o velho Marinho recebeu a visita do pretor da cidade, que, cedendo a instantes pedidos, vinha receber-lhe as derradeiras recomendações.

Apresentando a jovem como filho, o moribundo ordenou que lhe fossem entregues todas as suas parcas economias, antecipando que ele deveria partir para a África, tão logo se verificasse o seu óbito.

– Marinho – interpelou a autoridade, depois das necessárias anotações –, será possível que este jovem participe das tuas superstições?

O generoso velhinho compreendeu o alcance da pergunta e respondeu com desassombro:

– De mim e por mim, não precisareis cogitar das convicções religiosas, aqui de todos conhecidas, desde que entrei nesta casa! Sou cristão e saberei morrer, íntegro, na minha fé!... Quanto a meu filho, que deverá partir para Alexandria, a fim de amparar nossos interesses particulares, tem o espírito livre para escolher a ideia religiosa que mais lhe aprouver.

O pretor olhou com simpatia para o jovem triste e abatido, e exclamou:
– Ainda bem!...

Despedindo-se do moribundo, cujos instantes de vida pareciam prestes a extinguir-se, a autoridade deixava-os ambos com a precisa liberdade para trocarem as derradeiras impressões.

Marinho fez ver, então, à sua pupila, que aquela resposta hábil destinava-se a fazer que o pretor de Minturnes lhe cumprisse a vontade, sem relutâncias, dentro dos dispositivos legais, recomendando-lhe todas as providências que a sua morte exigiria da sua inexperiência. Célia ouvia-lhe as exortações roucas e entrecortadas, extremamente acabrunhada, mas, como em todas as penosas circunstâncias da sua vida, confiava em Jesus.

Após uma agonia excruciante de longas horas, em que a filha de Helvídio viveu momentos de indescritível emoção, o generoso Marinho abandonava o mundo, depois de longa existência, povoada de pesadelos terríveis e dolorosos. Seus olhos se fecharam para sempre, com uma lágrima, ao tombar do dia. Piedosamente, diante de alguns raros assistentes, Célia fechou-lhe as pálpebras, num gesto carinhoso, e, ajoelhando-se, como se quisesse transformar as brisas da tarde em mensageiras dos seus apelos ao Céu, deixou que o coração se diluísse em lágrimas de saudade, suplicando a Jesus recebesse o benfeitor no seu Reino de Maravilhas, concedendo-lhe um recanto de paz, onde a alma exausta lograsse esquecer as tormentas dolorosas da existência material.

Dada a sua qualidade de cristão confesso, o velho de Minturnes teve uma sepultura mais que singela, que a filha do patrício encheu com as flores do seu afeto e mergulhando na sombra de uma soledade quase absoluta.

Dentro de poucos dias, o pretor entregou-lhe a pequena soma que Marinho lhe deixava, um pouco mais que o suficiente para a viagem em demanda da África distante. E, numa radiosa manhã de primavera, carregando no íntimo a sua serenidade triste e inalterável, a moça cristã, depois de uma prece longa e angustiosa sobre os túmulos humildes do pequenino e do ancião, na qual lhes rogava proteção e assistência, tomou o lugar que lhe competia numa galera napolitana que periodicamente recebia passageiros para o Oriente.

Sua figura triste, metida em roupas masculinas, atraía a atenção de quantos lhe faziam companhia eventual no grande cruzeiro pelo Mediterrâneo, mas, profundamente desencantada do mundo, a jovem se mantinha em silêncio quase absoluto.

O desembarque em Alexandria verificou-se sem incidentes dignos de menção. Todavia, seguindo as recomendações do benfeitor, junto dos seus conhecidos da cidade, viera a saber que o monastério ficava a algumas milhas de distância, pelo que houve de tomar um guia até o local do seu recolhimento.

O mosteiro, isolado, distava da cidade dez léguas mais ou menos, em marcha de quase um dia, apesar dos bons cavalos atrelados ao veículo.

A filha de Helvídio defrontou o grande e silencioso edifício na hora crepuscular, empolgada pela visão do casario amplo, entre a vegetação agreste. Sentiu, porém, um singular descanso mental, naquela soledade imponente que parecia acolher todos os corações desolados.

Puxando o cordel que ligava o portão de entrada, ouviu, ao longe, os sons de pesada sineta, cujo ruído estranho parecia despertar um gigante adormecido.

Daí a instantes, os velhos gonzos rangiam pesadamente, deixando entrever um homem trajado com uma túnica cinzento-escura, semblante grave e triste, que interpelava a jovem transformada num rapaz de fisionomia tristonha, nestes termos:

– Irmão, que desejais do nosso retiro de meditação e oração?

– Venho de Minturnes e trago uma carta de meu pai, destinada ao Sr. Aufídio Prisco.

– Aufídio Prisco? – perguntou o porteiro admirado.

– Não é ele, aqui, o vosso superior?

– Referi-vos ao pai Epifânio?

– Isso mesmo.

– Escutai-me – ponderou o irmão porteiro complacente –, sois, porventura, o filho de Marinho, o companheiro que daqui partiu há cerca de dois anos, a fim de vos trazer ao nosso recolhimento?

– É verdade. Meu pai chegou, há muito tempo, aos portos da Itália, onde nos encontramos, todavia, sempre doente, não logrou a ventura de acompanhar-me à soledade das vossas orações.

– Morreu? – revidou o interlocutor extremamente admirado.

– Sim, entregou a alma ao Senhor, há muitos dias.

– Que Deus o tenha em sua santa guarda!

Dito isso, pôs-se a meditar um instante, como se tivesse o pensamento mergulhado em preces fervorosas.

Em seguida, contemplou com muita ternura o jovem humilde e triste, exclamando significativamente:

— Agora que já sei donde vindes e quem sois, eu vos saúdo em nome de nosso Senhor Jesus Cristo!

— Que o Mestre seja louvado — respondeu a filha de Helvídio Lucius, com os seus modos singelos.

— Não haveis de reparar vos tenha recebido com prudência, à primeira vista... Atravessamos uma fase de intensas e amarguradas perseguições, e os servos do Senhor, no estudo do evangelho, devem ser os primeiros a observar se os lobos chegam ao redil com vestes de cordeiro.

— Compreendo...

— Não desejo aborrecer-vos com indagações descabidas, mas pretendeis adotar a vida monástica?

— Sim — respondeu a jovem timidamente —, e, assim procedendo, não só obedeço a uma vocação inata, como satisfaço a uma das maiores aspirações paternas.

— Estais informado das exigências desta casa?

— Sim, meu pai mas revelou antes de morrer.

O irmão porteiro deitou o olhar para todos os lados e, observando que se encontravam a sós, exclamou em voz discreta:

— Se trazeis a esta casa uma vocação pura e sincera, acredito que não tereis dificuldade em observar as nossas disciplinas mais rígidas, contudo, devo esclarecer-vos que pai Epifânio, como diretor desta instituição, é o espírito mais ríspido e arbitrário que já conheci na minha vida! Este retiro de oração é o fruto de uma experiência que ele começou com o vosso digno pai, há mais de cinco lustros.[33] A princípio, tudo ia bem, mas, nos últimos anos, o velho Aufídio Prisco vem abusando largamente da sua autoridade, máxime depois da partida do irmão Marinho para a Itália. Daí para cá, pai Epifânio tornou-se despótico e quase cruel. Aos poucos vai transformando este pouso do Senhor em caserna de disciplina militar, onde ele recebeu a educação dos primeiros anos.

A neta de Cneio Lucius ouvia-o profundamente admirada.

Pela amostra da portaria, seu espírito observador compreendeu, de pronto, que o retiro dos filhos da oração estava igualmente assolado das intrigas mais penosas.

---

[33] N.E.: Vinte e cinco anos.

Todavia, enquanto coordenava as suas considerações íntimas, o irmão Filipe continuava:

— Imaginai que o nosso superior vem transformando a ordem de todos os ensinamentos, criando as mais incríveis extravagâncias religiosas. Em contraposição aos ensinamentos do evangelho, obriga-nos a chamá-lo "pai" ou "mestre", nomes que o próprio Jesus se negou a aceitar na sua missão divina. Além de inventar toda a sorte de trabalhos para os quarenta e dois homens desencantados do mundo, que estacionam aqui, vem aplicando as lições de Jesus à sua maneira. Se bem nada possamos revelar lá fora, a bem do caráter cristão da nossa comunidade, é lastimável observar que todo o recinto está cheio de símbolos que nos recordam as festividades materiais dos deuses cruéis. E nada poderemos dizer em tom de crítica ou de censura, porquanto o pai Epifânio manda em nós como um rei.

A jovem ainda não conseguira manifestar a sua opinião, dada a fluência com que o porteiro discorria, quando lhes chegou o ruído de uns passos fortes que se aproximavam. Filipe calava-se, como quem já estivesse habituado a cenas como aquelas, e, modificando a expressão fisionômica, exclamou com voz abafada:

— É ele!...

Célia, metida nos seus trajes estranhos e pobres, não conseguiu dissimular o espanto.

No limiar de uma porta ampla, surgia a figura de um velho septuagenário, cujos caracteres fisionômicos apresentavam a mais profunda expressão de convencionalismo e orgulhosa severidade. Vestia-se como um sacerdote romano nos grandes dias dos templos politeístas e, apoiado a uma bengala expressiva, passeava por toda parte o olhar fulgurante, como a procurar motivos de irritação e desagrado.

— Filipe! – exclamou ele em tom intempestivo.

— Mestre – exclamou o irmão da portaria com a mais fingida humildade –, apresento-vos o filho de Marinho, que o seu coração de pai não pôde acompanhar até aqui, dada a surpresa da morte, em Minturnes!

Ouvindo aquele esclarecimento inesperado, Epifânio caminhou para o jovem que lhe era inteiramente desconhecido, pronunciando quase secamente a saudação evangélica, como se fora um leão utilizando a legenda de um cordeiro:

— Paz em nome do Senhor!

Célia respondeu, conforme o seu venerando amigo lhe havia ensinado antes da morte, entregando ao superior da comunidade a carta paternal.

Depois de passar rapidamente os olhos pelo pergaminho, Epifânio acentuou com austeridade:

— Marinho deve ter morrido com todo o seu idealismo de cigarra.

E como se houvera pronunciado aquele conceito tão somente para si mesmo, acrescentou com a sua expressão severa, dirigindo-se à jovem:

— Desejas, de fato, permanecer aqui?

— Sim, meu pai — respondeu o suposto rapaz entre tímido e respeitoso. — Continuar as tradições de meu pai foi sempre o meu desejo, desde a infância.

Aquele tom humilde agradou a Epifânio, que lhe falou menos agressivo:

— Sabes, porém, que a nossa organização é constituída de cristãos convertidos, que possam cooperar em nossos esforços não somente com o valor espiritual, mas também com os recursos financeiros imprescindíveis às nossas realizações? Teu pai não te deixou pecúlio algum, após haver baixado ao sepulcro em Minturnes?

— Minha herança cifrou-se, apenas, ao capital indispensável à viagem até Alexandria. Entretanto — acentuou inocentemente —, meu pai revelou-me, há tempos, que a sua pequena fortuna foi empregada aqui, asseverando-me que a administração da casa saberia acolher-me, recordando os seus serviços.

— Ora — revidou Epifânio, evidenciando contrariedade —, fortuna por fortuna, todos os que descansam neste retiro tiveram-na no mundo, trazendo os seus melhores valores para esta casa.

— Mas meu pai — implorou Célia com sincera humildade —, se existem aqui os que descansam, devem existir igualmente os que trabalham. Se não tenho dinheiro, tenho forças para servir a instituição nalguma coisa. Não me negueis a realização de um ideal há tanto tempo acariciado.

O superior parecia comovido, revidando com ênfase:

— Está bem. Farei por ti quanto estiver ao meu alcance.

E mandando Filipe ao interior, em busca de um grande livro de apontamentos, iniciou minucioso interrogatório:

— Seu nome?

— O mesmo de meu pai.

— Onde nasceu?

— Em Roma.
— Onde recebeu o batismo?
— Em Minturnes.

E após as detalhadas inquirições, Epifânio falou-lhe ríspido, investido na sua austera superioridade:

— Atendendo à tua vocação e à memória de um velho companheiro, ficarás conosco, laborando nos serviços da casa. Quero, contudo, esclarecer-te de que, aqui dentro, faço cumprir rigorosamente o evangelho do Senhor, de acordo com a minha vontade, inspirada do Alto. Depois de muitos anos de experiência, reconheci que o pensamento evangélico terá de organizar-se segundo as leis humanas, ou não poderá sobreviver para a mentalidade do futuro. Os cristãos de Roma, como os da Palestina, padecem de uma hipertrofia de liberdade que os leva, instintivamente, à disseminação de todos os absurdos. Aqui, todavia, a disciplina cristã haverá de caracterizar-se pela abdicação total da própria vontade.

A jovem escutava-o serenamente, guardando no íntimo as suas impressões particulares, de quanto lhe era dado observar, enquanto Epifânio a encaminhava ao interior, apresentando-a aos demais companheiros.

Transformada no irmão Marinho, Célia passou a viver a sua vida nova, singular e desconhecida.

O mosteiro vasto, onde se reuniam mais de quatro dezenas de cristãos ricos, desiludidos dos prazeres do mundo, era bem um dos pontos de partida do segundo século para o Catolicismo e para o sacerdócio organizado sobre bases econômicas, eliminatórias de todas as florações do messianismo.

Reparou que ali não mais havia a simplicidade das catacumbas. A simbologia pagã parecia invadir todos os departamentos da casa. Aqueles romanos convertidos não dispensavam as fórmulas de oração dos seus antigos deuses. Por toda parte pendiam cruzes grandes e pequenas, talhadas em mármores ou madeira, esculturadas em moldes diversos. Havia salas de preces em que repousavam imagens de Cristo, de marfim e de cera prateada, dormindo inertes entre verdadeiros tufos de rosas e violetas. O culto exterior do politeísmo parecia redivivo, indestrutível e inelutável. Para a sua manutenção, notava ela a mesma intriga dos padres flamíneos, de Roma, figurando-se-lhe que o evangelho, ali, constituía mero pretexto para galvanizar as crenças mortas.

O espírito formalista de Epifânio buscara dotar o estabelecimento de todas as convenções imprescindíveis.

Um sino anunciava a mudança das meditações, a hora do trabalho, das preces, das refeições, e o tempo destinado ao repouso do espírito.

O sentido de espontaneidade da lição do Senhor no Tiberíades, por conciliar a possibilidade e a necessidade dos crentes, havia desaparecido. A convenção implacável de Epifânio regulamentava todos os serviços.

O mais interessante é que, naqueles monastérios remotos da África e da Ásia, onde se acolhiam os cristãos receosos das perseguições inflexíveis da Metrópole, já existiam as famosas horas do Capítulo, isto é, a reunião íntima de todos os membros da comunidade, para repasto das intrigas e dos pontos de vista individuais.

Célia estranhou que, dentro de um instituto cristão por excelência, pudessem vigorar aberrações como essa que vinha diretamente dos colégios romanos, onde pontificavam sacerdotes flamíneos ou vestais, mas era obrigada a aceitar as ordens superiores, sem deixar transparecer o seu desencanto. Condenasse, embora, tais manifestações nocivas do culto exterior, a filha de Helvídio em breve conquistaria a admiração e confiança de todos, pela retidão do proceder, a evidenciar os mais elevados atos de humildade e compreensão do evangelho. De trato ameníssimo, com o encanto das suas palavras carinhosas e amigas, o irmão Marinho transformava-se no ímã de todas as atenções, edificando os afetos mais puros naquele convívio singular.

Contudo, alguém havia ali que guardava o mais venenoso despeito em face da sua vida pura. Esse alguém era Epifânio, cujo espírito despótico e original se habituara a mandar em todos os corações, com brutalidade e aspereza. A circunstância de nada encontrar no filho do antigo companheiro, que merecesse censura, irritava-lhe o espírito tirânico. Nas horas do Capítulo, observava que as opiniões do irmão Marinho triunfavam sempre, pela sublime compreensão de fraternidade e de amor, de que davam pleno testemunho. A jovem, porém, não obstante estranhar-lhe as atitudes, não podia definir os gestos rudes do superior, dentro da sua candidez espiritual.

Certo dia, na hora consagrada às intrigas e devassas, que antecederam, no Catolicismo, o instituto da confissão auricular, cheio de austeridade e artificialismo, Epifânio fez longa preleção sobre as tentações do mundo, dizendo dos seus caminhos abomináveis e das trevas que inundavam o coração de todos os pecadores, envolvendo todas as coisas da vida na sua condenação e na sua fúria religiosa.

Terminada a palestra fanática, solicitou, ao modo das primeiras assembleias cristãs, que todos os irmãos se pronunciassem sobre a preleção, mas, enquanto todos aprovaram os conceitos irrestritamente, Célia, na sua inocente sinceridade, replicou:

– Mestre Epifânio, vossa palavra é extremamente respeitável para quantos laboram nesta casa, mas peço licença para ponderar que Jesus não deseja a morte do pecador... Suponho justo que nos refugiemos neste retiro, até que passe a onda sanguinária das perseguições aos adeptos do Cordeiro, todavia, amainada a tempestade, acho imprescindível que regressemos ao mundo, mergulhando-nos em suas lutas dolorosas, porque, sem esses campos de sofrimento e trabalho, não poderemos dar o testemunho da nossa fé e da nossa compreensão do amor de Jesus.

O diretor espiritual lançou-lhe um olhar sombrio, ao passo que toda a assembleia parecia satisfeita com a oportunidade daquele esclarecimento.

– No próximo Capítulo prosseguiremos, então, com os mesmos estudos – disse Epifânio em tom quase rude, visivelmente contrariado com o argumento irretorquível, apresentado contra a sua inovação despótica, em detrimento dos ensinamentos evangélicos.

No dia seguinte, o irmão Marinho foi chamado ao gabinete do superior, que lhe dirigiu a palavra nestes termos:

– Marinho, nosso irmão Dioclécio, provedor desta casa há mais de dez anos, encontra-se alquebrado, doente, e eu preciso confiar esse encargo a alguém, cuja noção de responsabilidade me dispense de sindicâncias e cuidados especiais. Dessarte, de amanhã em diante, ficarás com o encargo de ir ao mercado mais próximo, duas vezes por semana, de modo a cuidares convenientemente das pequenas provisões do mosteiro.

A jovem acolheu a recomendação, agradecendo a confiança a ela deferida e, com semelhante providência, a palavra de Epifânio, nos dias do Capítulo, já não seria perturbada pelas suas observações simples e portadoras dos melhores esclarecimentos evangélicos.

O mercado distava três léguas do convento, porquanto estava situado numa grande povoação na estrada de Alexandria. Desse modo, em sua caminhada a pé, sobraçando dois cestos enormes, a filha de Helvídio era obrigada a pernoitar na única estalagem ali existente, visto ter de esperar a parte da manhã seguinte, quando o mercado exibia os seus produtos.

Aquelas jornadas semanais cansavam-na sobremaneira, a princípio, mas, pouco a pouco, foi-se habituando ao novo imperativo de suas obrigações. Aproveitando a solidão dos caminhos para os melhores exercícios espirituais, não só relia velhos pergaminhos que continham os princípios do Evangelho e as narrativas dos Apóstolos, mas exercitava as mais sadias meditações, nas quais deixava o coração evolar-se em preces cariciosas ao Senhor.

No mosteiro, todos os irmãos respeitavam-na. Por seus atos e palavras, ela centralizava os afetos gerais, que lhe cercavam o espírito de consideração e de amor desvelado...

Três anos passaram, sem que um só dia desse prova de desânimo ou de revolta, de indecisão ou de sofrimento, consolidando cada vez mais as suas tradições de virtude irrepreensível.

Na povoação mais próxima, igualmente, onde os serviços do mercado a convocavam ao cumprimento do dever, todos lhe apreciavam os generosos dotes da alma, mormente na hospedaria em que pernoitava duas vezes por semana.

Acontece, porém, que Menênio Túlio, o hospedeiro, tinha uma filha de nome Brunehilda, que sempre reparara nos belos traços fisionômicos do irmão Marinho, tomada de singulares impressões. Em vão se ataviava para lhe provocar a atenção, sempre voltada para os assuntos espirituais, irritando-se, intimamente, com a sua afetuosa indiferença, sempre cordial e fraterna.

Longos meses transcorreram, sem que Brunehilda pudesse desvendar o mistério daquela alma esquiva, cheia de beleza e delicada masculinidade, aos seus olhos, ao passo que o irmão Marinho, dentro de suas elevadas disposições espirituais, nunca chegou a perceber a bastardia dos pensamentos e intenções da jovem, que, tantas vezes, o cumulava de gentilezas cariciosas.

Foi então que Brunehilda, desenganada nos seus propósitos inconfessáveis, passou a relacionar-se com um soldado romano, amigo de seu pai e da família, recém-chegado da capital do Império e cheio de ousadias e atitudes insinuantes.

Em breve, a filha do estalajadeiro inclinava-se para o desfiladeiro da perdição, enquanto o sedutor da sua alma inquieta e versátil se ausentava propositadamente, regressando a Roma, depois de obter o consentimento dos superiores.

Abandonada à sua prova aspérrima, Brunehilda procurou disfarçar os seus angustiosos pensamentos íntimos. Com a alma tomada de inquietações, em face da severidade dos princípios familiares, desejava morrer de modo a eliminar todos os resquícios da falta, desaparecendo para sempre. Faltava-lhe, porém, o ânimo para realizar tão odioso crime.

Dia chegou, contudo, em que não mais pôde ocultar, aos olhos paternos, a realidade.

Recolhendo-se ao leito na véspera de receber o fruto dos seus amores, foi obrigada a cientificar Menênio de quanto ocorria. Tomado de dor selvagem, o coração paterno obrigou a filha a confessar-se plenamente, a fim de poder vingar-se. Brunehilda, contudo, no instante de revelar o nome de quem a infelicitara, sentiu o pavor da situação, dizendo caluniosamente:

– Meu pai, perdoai-me a falta que vos desonra o nome respeitável e impoluto, mas quem me levou a transigir tão penosamente com os sagrados princípios familiares, que nos ensinastes, foi o irmão Marinho com a sua delicadeza capciosa...

Menênio Túlio sentiu o coração abrir-se em chaga viva. Nunca poderia imaginar semelhante coisa. O irmão Marinho consolidara no seu conceito as mais confortadoras esperanças, e ele confiava na sua conduta como confiaria no melhor dos amigos.

Ante a evidência dos fatos, exclamou em voz ríspida:

– Pois bem, minha casa não ficará com essa mancha indelével. Tua prevaricação não desonrará o nome de minha família, porque ninguém saberá que acedeste aos propósitos criminosos do infame! Eu mesmo levarei a criança a Epifânio, a fim de que os seus sequazes considerem a enormidade desse crime! Se tanto for necessário, não desdenharei empunhar a espada em defesa do círculo sagrado da família, mas preferirei humilhá-los, devolvendo ao sedutor o fruto da sua covardia!...

Com efeito, dissimulando a dor imensa do seu coração e do seu lar, Menênio Túlio, no dia seguinte, ao alvorecer, marchou para o mosteiro levando consigo um pequeno cesto, do qual um mísero pequenino era o singular conteúdo.

Chamado à portaria pelo irmão Filipe, quando o Sol ia alto, a fim de atender à insistência do visitante, o superior da comunidade ouviu os impropérios de Menênio com o coração gelado de rancor. Cientificado de todas as confissões de Brunehilda, em relação a Marinho, mestre Epifânio mandou chamá-lo à sua presença, com a brutalidade dos seus costumeiros gestos selvagens.

– Irmão Marinho – exclamou o superior para a filha de Helvídio que o escutava amargurada e surpreendida –, então é assim que demonstras gratidão a esta casa? Onde se encontram as tuas avançadas concepções do evangelho, que não te impediram de praticar tão nefando delito? Recebendo-te no mosteiro e confiando-te uma missão de trabalho neste retiro do Senhor, depositei nos teus esforços uma sagrada confiança de pai. Entretanto, não hesitaste em lançar o nosso nome ao escândalo, enxovalhando uma instituição que nos é sumamente venerável ao espírito!

Observando a infeliz criança, junto do estalajadeiro, que lhe não correspondera à saudação, a jovem interrogou, enquanto Epifânio fez uma pausa:

– Mas de que me acusam?

– Ainda o perguntas? – revidou Menênio Túlio, de faces congestas. – Minha desventurada filha revelou-me a tua ação torpe, não vacilando em levar ao meu lar honesto a lama da tua concupiscência. Estás enganado se supões que minha casa vá acolher o fruto criminoso das tuas desregradas paixões, porque esta miserável criança ficará nesta casa, a fim de que o pai infame resolva sobre o seu destino.

Depois de pronunciar estas palavras acrescidas de impropérios ao suposto conquistador da filha, o estalajadeiro retirou-se ante o pasmo de Célia e de Epifânio, deixando ali a criança mísera em completo abandono.

A jovem compreendeu, num relance, que o mundo espiritual exigia um novo testemunho da sua fé e, enquanto caminhou, quase serenamente, para tomar nos braços o inocentinho, o superior da comunidade a advertia colérico:

– Irmão Marinho, esta casa de Deus não pode tolerar por mais tempo a tua escandalosa presença. Explica-te! Confessa as tuas faltas, a fim de que a minha autoridade possa cuidar das providências oportunas e necessárias!...

Célia, em poucos instantes, mergulhou o pensamento acabrunhado nas meditações indispensáveis, e, valendo-se da mesma fé intangível e cristalina que lhe havia orientado todos os penosos sacrifícios do destino, exclamou com humildade:

— Pai Epifânio, quem comete um ato dessa natureza é indigno do hábito que nos deve aproximar do Cordeiro de Deus! Estou pronto, pois, a aceitar com resignação as penas que a vossa autoridade me impuser!...

— Pois bem — replicou o superior na sua orgulhosa severidade —, deves sair imediatamente do mosteiro, levando contigo essa criança miserável!...

Nesse instante, porém, quase todos os religiosos se haviam aproximado, observando a relevância da cena. Custava-lhes crer na culpabilidade do irmão Marinho, que ali se encontrava humilde, evidenciando a mais consoladora serenidade no brilho calmo dos olhos úmidos.

E, sentindo que todos os companheiros eram simpáticos à sua causa, a filha de Helvídio, com uma inflexão de voz inesquecível, ajoelhou-se diante de Epifânio e pediu:

— Meu pai, não me expulseis desta comunidade para sempre!... Não conheço as regiões que nos rodeiam! Sou ignorante e encontro-me doente! Não me desampareis, considerando a palavra do Divino Mestre, que se afirmava como o recurso de todos os enfermos e desvalidos deste mundo! Se tenho a alma indigna de permanecer neste retiro de Jesus, dai-me a permissão de habitar o casebre abandonado ao pé do horto. Eu vos prometo trabalhar de manhã à noite, no amanho da terra, a fim de esquecer os meus desvios... Pai Epifânio, se não me concederdes essa graça, por mim, concedei-a por este pequenino abandonado, para quem viverei com todas as forças do meu coração!...

Chorava copiosamente ao fazer a dolorosa rogativa. No íntimo, o orgulhoso Aufídio Prisco, que desejava aplicar o evangelho à sua maneira, quis negar, mas, num relance, notou que todos os companheiros da comunidade estavam comovidos e apiedados.

— Não resolverei por mim — clamou exasperado —, todos os membros do mosteiro deverão considerar estranha e descabida a tua solicitação.

Todavia, consultados os companheiros, para quem a jovem caluniada erguia os olhos súplices, houve um movimento geral favorável à filha de Helvídio. Epifânio não conseguiu a desejada recusa e, endereçando aos seus benfeitores um carinhoso olhar de agradecimento, o irmão Marinho abandonou o recinto, erguendo corajosamente a criancinha nos braços e retirando-se para a choupana abandonada, ao pé do imenso horto do mosteiro.

Dessa vez, Célia não se entregou à peregrinação por caminhos ásperos, mas só Deus poderia testificar dos seus imensuráveis sacrifícios. Com inauditas dificuldades, buscou adaptar-se com o pequenino à sua nova vida, à custa dos mais ingentes trabalhos, na sua soledade dolorosa, a cujas angústias alguns irmãos do mosteiro estendiam mãos carinhosas.

Lembrando-se de Ciro, cercava o pequenito de todos os cuidados, esperando que Jesus lhe concedesse forças para o integral cumprimento de suas provações.

Durante o dia, trabalhava exaustivamente no cultivo das hortaliças, aproveitando os crepúsculos para as meditações e os estudos, que pareciam povoados de seres e de vozes carinhosas do Invisível.

Dia houve em que uma pobre mulher do povo passava pelo sítio, a pé, com um filhinho quase agonizante, buscando as estradas de Alexandria à cata de recursos. Era de tarde. Batendo à porta humilde do irmão Marinho, este lhe levantou as fibras da alma abatida, convidando-a às preciosas meditações do evangelho. Solicitado com insistência pela humilde criatura para impor as mãos, qual faziam os Apóstolos de Jesus, sobre o doentinho, tal o ambiente de confiança e de amor que sabia criar com as suas palavras, Célia, entregando-se a esse ato de fé, pela primeira vez, teve a ventura de observar que o pequeno agonizante recuperava o alento e a saúde num sorriso. Então, a mulher do povo prosternou-se ali mesmo, rendendo graças ao Senhor e misturando as suas lágrimas com as do irmão Marinho, que também chorava de comoção e agradecimento.

Desde esse dia, nunca mais a casinhola do horto deixou de receber os pobres e aflitos de todas as categorias sociais, que lá iam rogar as bênçãos de Jesus, por intermédio daquela alma pura e simples, santificada pelos mais acerbos sofrimentos.

V
O caminho expiatório

Enquanto Célia cumpre a sua missão de caridade à luz do evangelho, voltemos a Roma, onde vamos encontrar as nossas antigas personagens.

Dez anos haviam corrido na esteira infinita do tempo, desde que Helvídio Lucius e família haviam experimentado as mais singulares viraviraviraviraviraviraviravoltas do destino.

Apesar de dissimularem as amarguras no meio social em que se agitavam, Fábio Cornélio e família sentiam o coração inquieto e angustiado, desde o dia infausto em que a filha mais moça de Alba Lucínia se ausentara para sempre, pelas injunções dolorosas do seu desditoso destino. Na intimidade comentava-se, às vezes, o que teria sido feito daquela que Roma relembrava tão somente como se fora uma querida morta da família. A esposa de Helvídio, essa, remoía os mais tristes padecimentos morais, desde a manhã fatal em que fora cientificada dos fatos ocorridos com a filhinha.

Nos seus traços fisionômicos, Alba Lucínia não apresentava mais a jovialidade franca e a espontaneidade de sentimentos que sempre deixara transparecer nos dias felizes, em que o seu semblante parecia prolongar, indefinidamente, as linhas graciosas da primeira mocidade. Os tormentos íntimos vincavam-lhe as faces numa expressão de angústia recalcada. Nos olhos tristes parecia vagar um fantasma de desconfiança, que a perseguia por toda parte. Os primeiros cabelos brancos, filhos do seu espírito atormentado, figuravam-lhe na fronte como dolorosa moldura da sua virtude sofredora e desolada. Nunca pudera esquecer a filha idolatrada, que surgia no quadro de sua imaginação afetuosa, errante e aflita sob os signos tenebrosos da maldição doméstica. Por muito que a sustentasse a palavra amiga e carinhosa do esposo, que tudo fazia por manter inflexível a sua fibra corajosa e resoluta, moldada nos princípios rígidos da família romana, a pobre senhora parecia sofrer indefinidamente, como se uma enfermidade misteriosa a conduzisse traiçoeiramente para as sombras do túmulo. De nada valiam as festas da Corte, os espetáculos, os lugares de honra nos teatros ou nos divertimentos públicos.

Helvídio Lucius, se bem fizesse o possível por ocultar as próprias mágoas, buscava levantar, em vão, o ânimo abatido da companheira. Como pai, sentia, muitas vezes, o coração torturado e aflito, mas procurava fugir ao seu próprio íntimo, tentando distrair-se no turbilhão das suas atividades políticas e nas festas sociais, onde comparecia habitualmente, levado pela necessidade de escapar às meditações solitárias, nas quais o coração paterno mantinha os mais acerbos diálogos com a razão preconceituosa do mundo. Assim, sofria intensamente, entre a indecisão e a saudade, a energia e o arrependimento.

Muitas mudanças se haviam operado em Roma, desde o evento fatídico que lhe mergulhara a família em sombras espessas.

Élio Adriano, após muitos anos de injustiça e crueldade, desde que transferira a Corte para Tibur, havia partido para o Além, deixando o Império nas mãos generosas de Antonino, cujo governo se caracterizava pelos feitos de concórdia e de paz, na melhor distribuição de justiça e de tolerância. O novo Imperador, contudo, conservava Fábio Cornélio no rol dos melhores auxiliares da sua administração liberal e sábia. Ao antigo censor agradava, sobremaneira, essa prova da confiança imperial, salientando-se que, na sua velhice decidida e experimentada, mantinha-se em posição de franca ascendência perante os próprios senadores e outros homens de Estado, obrigados a lhe ouvirem as opiniões e pareceres.

Um homem havia que crescera muito na confiança do antigo censor, tornando-se o seu agente ideal em todos os serviços. Era Silano. Satisfeito por cumprir uma recomendação afetuosa do seu velho amigo de outros tempos, Fábio Cornélio fizera do antigo combatente das Gálias um oficial inteligente e culto, a quem prestavam o máximo de honrarias. Silano representava, de algum modo, a sua força de outra época, quando a senectude não se aproximava, obrigando o organismo ao mínimo de aventuras. Para o velho censor, o antigo recomendado de Cneio Lucius era quase um filho, em cuja virilidade poderosa sentia ele o prolongamento das suas energias. Em todas as empresas, ambos se encontravam sempre juntos, para a execução de todas as ordens privadas de César, criando-se entre os seus espíritos a mais elevada atmosfera de afinidade e confiança.

Ao lado das nossas personagens, uma havia que se fechara em profundo enigma. Era Claudia Sabina. Desde a morte de Adriano, fora relegada ao ostracismo social, recolhendo-se de novo ao anonimato da plebe, de onde emergira para as mais altas camadas do Império. De suas aventuras, ficara-lhe a fortuna monetária, que lhe permitia residir onde lhe aprouvesse, com todas as comodidades do tempo. Desgostosa, porém, com o retraimento absoluto das amizades espetaculosas dos bons tempos de prestígio social, adquirira pequena chácara nos arredores de Roma, num modesto subúrbio entre as Vias Salária e Nomentana, onde passou a viver entregue às suas dolorosas recordações.

Não faltavam boatos acerca de suas atividades novas e algumas de suas mais antigas relações chegavam afiançar que a viúva de Lólio Úrbico começava a entregar-se às práticas cristãs, nas catacumbas, esquecendo o passado de loucuras e desvios.

Na verdade, Claudia Sabina tivera os primeiros contatos com a religião do Crucificado, mas sentia o coração assaz intoxicado de ódio para identificar-se com os postulados de amor e singeleza. Decorridos dois lustros,[34] não conseguira saber o resultado real da tragédia que armara na esteira do seu destino. Vivera com a terrível preocupação de reconquistar o homem amado, ainda que para isso tivesse de movimentar todos os bastidores do crime. Seus planos haviam fracassado. Sem o apoio de outros tempos, quando o prestígio do marido lhe propiciava uma turba de aduladores e de servos, nada conseguira, nem mesmo a palavra de Hatéria, que, amparada por Helvídio, retirara-se para o seu sítio de Benevento, onde

---

[34] N.E.: Dez anos.

passou a viver na companhia dos filhos, com a máxima prudência, necessária à própria segurança.

Claudia Sabina encontrara algum conforto para o remorso que lhe mordia a alma, porém, não poderia jamais, a seu ver, conciliar o seu ódio e o seu orgulho inflexíveis com a exemplificação daquele Jesus crucificado e humilde, que prescrevera a humildade e o amor por alicerces de todas as venturas terrenas.

Debalde ouvira os pregadores cristãos das assembleias a que comparecera com a sua curiosidade sôfrega.

As teorias de tolerância e penitência não encontraram eco no seu espírito intoxicado. E, sentindo-se desamparada no íntimo, com as penosas recordações do passado criminoso, a antiga plebeia julgava-se folha solta ao sabor dos ventos impetuosos. De quando em quando, entretanto, assaltava-a o pavor da morte e do Além desconhecido. Desejava uma fé para o coração exausto das paixões do mundo, mas se de um lado estavam os antigos deuses, que lhe não satisfaziam ao raciocínio, do outro estava aquele Jesus imaculado e santo, inacessível aos seus anseios tristes e odiosos. Por vezes, lágrimas amargas aljofravam-lhe os olhos escuros e, contudo, bem percebia que aquelas lágrimas não eram de purificação, mas de desespero irremediável e profundo. Carregando no íntimo o esquife pesado dos sonhos mortos, Claudia Sabina penetrava no crepúsculo da vida, qual náufrago cansado de lutar com as ondas de um mar tormentoso, sem a esperança de um porto, na desesperação do seu orgulho e do seu ódio nefandos.

O ano de 145 corria calmo, com as mesmas recordações amargas dos nossos amigos, quando alguém, nas primeiras horas da manhã de um soberbo dia de primavera, batia à porta de Helvídio com singular insistência.

Era Hatéria, que, em singulares condições de magreza e abatimento, foi levada ao interior da casa e recebida por Alba Lucínia com simpatia e agrado.

A antiga serva parecia extremamente aflita e perturbada, mas expunha com clareza os seus pensamentos. Solicitou à antiga patroa a presença de seu pai e do esposo, a fim de explanar um assunto grave.

A consorte de Helvídio conjeturou que a mulher desejava falar particularmente de algum assunto de ordem material, que a interessasse em Benevento.

Diante de tanta insistência, chamou o velho censor que, desde a morte de Júlia, passara a residir em sua companhia, convidando igualmente o esposo a atender à solicitação de Hatéria, que lhes granjeara, desde o drama de Célia, singular consideração e especial estima.

Com espanto dos três, a serva pedia um compartimento reservado, de modo a tratar livremente do assunto.

Fábio e Helvídio julgaram-na demente, mas a dona da casa os convidou a acompanhá-las, a fim de satisfazer o que julgavam mero capricho.

Reunidos num gracioso cubículo junto do tablino, Hatéria falou nervosamente, com intensa palidez no semblante:

— Venho aqui fazer uma confissão dolorosa e terrível e não sei como deva expor meus crimes de outrora!... Hoje, sou cristã, e perante Jesus preciso esclarecer algo aos que me dispensaram, no passado, uma estima dedicada e sincera...

— Então — perguntou Helvídio, julgando-a sob a influência de uma perturbação mental —, és hoje cristã?

— Sim, meu senhor — respondeu de olhos brilhantes, enigmáticos, como que tomada de resolução extrema —, sou cristã, pela graça do Cordeiro de Deus, que veio a este mundo remir todos os pecadores... Até há pouco, preferiria morrer a vos revelar meus dolorosos segredos. Tencionava baixar ao túmulo com o mistério terrível do meu criminoso passado, mas, de um ano a esta parte, assisto às pregações de um homem justo, que, nos confins de Benevento, anuncia o Reino dos Céus, com Jesus Cristo, induzindo os pecadores à reparação de suas faltas. Desde a primeira vez que ouvi a promessa do evangelho do Senhor, sinto o coração ingrato sob o peso de um grande remorso. Além disso, ensina Jesus que ninguém poderá ir a Ele sem carregar a própria cruz, de modo a segui-lo... Minha cruz é o meu pecado... Hesitei em vir, receosa das consequências desta minha revelação, mas preferi arrostar com todos os efeitos do meu crime, pois, somente assim, pressinto que terei a paz de consciência indispensável ao trabalho do sofrimento que há de regenerar minha alma! Depois da minha confissão, matai-me se quiserdes! Submetei-me ao sacrifício! Ordenai a minha morte!... Isso aliviará, de algum modo, a minha consciência denegrida!... No Alto, aquele Jesus amado, que prometeu auxílio sacrossanto a todos os cultivadores da verdade, levará em conta o meu arrependimento e dará consolo às minhas mágoas, concedendo-me os meios para redimir-me com a sua misericórdia!...

Então, ante a perplexidade dos três, Hatéria começou a desdobrar o drama sinistro da sua vida. Narrou os primeiros encontros com Claudia

Sabina, suas combinações, a vida particular de Lólio Úrbico, o plano sinistro para inutilizar Alba Lucínia no conceito da família e da sociedade romana; a ação de Plotina e o epílogo do trágico projeto, que terminou com o sacrifício de Célia, cuja lembrança lhe embargava a voz numa torrente de lágrimas, recordando a sua bondade, a sua candura, o seu sacrifício... Narrativa longa, dolorosa... Por mais de duas horas, prendeu a atenção de Fábio Cornélio e dos seus, que a escutavam estupefatos.

Ouvindo-a e considerando os pormenores da confissão, Alba Lucínia sentiu o sangue gelar-se-lhe nas veias, tomada de singular angústia. Helvídio tinha o peito opresso, sufocado, tentando em vão dizer uma palavra. Somente o censor, na sua inflexibilidade terrível e orgulhosa, mantinha-se firme, embora evidenciasse o pavor íntimo com uma expressão desesperada a dominar-lhe o rosto.

– Desgraçada! – murmurou Fábio Cornélio com grande esforço – até onde nos conduziste com a tua ambição desprezível e mesquinha!... Criminosa! Bruxa maldita, como não temeste o peso de nossas mãos?

Sua voz, porém, parecia igualmente asfixiada pela mesma emoção que empolgara os filhos.

– Vingar-me-ei de todos!... – gritou o velho censor com a voz estrangulada.

Nesse instante, Hatéria ajoelhou-se a seus pés e murmurou:

– Fazei de mim o que quiserdes! Depois de me haver confessado, a morte será um doce alívio!...

– Pois morrerás, infame criatura – disse o censor desembainhando um punhal, que reluziu à claridade do sol, através de uma janela alta e estreita.

Quando a destra parecia prestes a descer, Alba Lucínia, como que impelida por misteriosa força, deteve o braço paterno, exclamando:

– Para trás, meu pai! Cesse para sempre a tragédia em nossos destinos!... Que adianta mais um crime?

Porém, ao passo que Fábio Cornélio cedia atônito, marmórea palidez se estendia ao rosto da desventurada senhora, que tombou redondamente no tapete, sob o olhar angustiado do marido pressuroso no acudi-la.

Lançando, então, um olhar de fundo desprezo a Hatéria, que auxiliava o tribuno a acomodar a senhora num largo divã, o velho censor acentuou:

— Coragem, Helvídio!... Vou chamar um médico imediatamente. Deixemos esta maldita serpente entregue à sua sorte, mas, hoje mesmo, mandarei eliminar a infame que nos envenenou a vida para sempre!...

Helvídio Lucius desejava falar, mas não sabia se deveria aconselhar ponderação ao sogro impulsivo, ou socorrer a esposa, cujos membros estavam frios e rijos, em consequência do traumatismo moral.

Amparando Alba Lucínia no divã, enquanto Hatéria se dirigiu ao interior para tomar as providências primeiras, Helvídio Lucius viu o sogro ausentar-se, pisando forte.

Por mais que fizesse, o tribuno não conseguiu coordenar ideias para resolver a angustiosa situação. Levada ao leito, Alba Lucínia parecia sob o império de uma força destruidora e absoluta, que não lhe permitia recobrar os sentidos. Sem resultado algum, o médico administrava poções e preconizava unguentos preciosos. Fricções medicamentosas não deram o menor resultado. Apenas movimentos convulsos de pesadelo acusavam a pletora de energias orgânicas. As pálpebras continuavam cerradas e a respiração opressa, como a dos enfermos prestes a entrar em agonia.

Enquanto Helvídio Lucius se desdobrava em cuidados e procurava tranquilizar-se, Fábio Cornélio dirigia-se ao gabinete e, chamando Silano em particular, falou-lhe austero:

— Mais que nunca, preciso hoje da tua dedicação e dos teus serviços!

— Determinai! — exclamou o oficial pressuroso.

— Necessito hoje de uma diligência punitiva, para eliminar uma antiga conspiradora do Império. Há mais de dez anos, observo-lhe as manobras, porém, só agora consegui positivar os seus crimes políticos e resolvi confiar-te mais essa tarefa de singular relevância para minha administração.

— Pois bem — exclamou o rapaz serenamente —, dizei do que se trata e cumprirei vossas ordens com o zelo de sempre!

— Levarás contigo Lídio e Marcos, porquanto necessito auxiliar-te com dois homens de inteira confiança.

E, em voz discreta, indicou ao preposto o nome da vítima, sua residência, condições sociais e tudo quanto pudesse facilitar a execução do sinistro mandado.

Por fim, acentuou com voz cavernosa:

— Mandarei que alguns soldados cerquem a chácara, de modo a prevenir qualquer tentativa de resistência dos fâmulos; e, depois de ordenares

a abertura das veias dessa mulher infame, dirás que a sentença parte de minha autoridade, em nome das novas forças do Império.
— Assim o farei — retrucou o emissário resoluto.
— Trata de agir com a maior prudência. Quanto a mim, volto agora a casa, onde reclamam a minha presença. À tarde, aqui estarei para saber do ocorrido.

Enquanto Silano arrebanhava os auxiliares destinados à empresa, Fábio Cornélio regressava ao lar, onde baldos se faziam todos os recursos médicos para despertar Alba Lucínia do seu torpor estranho. Movimentando todos os servos, Helvídio Lucius tudo fazia para despertar a companheira. Como louco, seu coração diluía-se desoladamente em torrentes de lágrimas, e era improficuamente que recorria às promessas silenciosas aos deuses familiares. Enquanto Hatéria se sentava humildemente à cabeceira da antiga patroa, o tribuno desdobrava-se em esforços inauditos e Fábio Cornélio passeava de um lado para outro, agitado, no interior de um gabinete próximo, ora esperando as melhoras da enferma, ora contando as horas, a fim de conhecer o resultado da comissão sinistra.

Com efeito, à tarde, o emissário do censor, rodeado de soldados e dos dois companheiros de confiança que deveriam penetrar na residência de Claudia, chegara ao aprazível sítio arborizado e florido, onde a antiga plebeia se entregava às suas meditações, no doloroso outono de sua vida.

A viúva de Lólio Úrbico passara o dia entregue a reflexões amargas e angustiosas. Como se uma força misteriosa a dominasse, experimentara as sensações mais tristes e incompreensíveis. Em vão, passeara pelos deliciosos jardins da principesca residência, onde as avenidas graciosas e bem cuidadas se saturavam dos fortes perfumes da primavera. Sentimentos estranhos e intraduzíveis sufocavam-lhe o íntimo, como se o espírito estivesse mergulhado em amaríssimos presságios. Buscou fixar o pensamento em algum ponto de referência sentimental e, todavia, o coração estava indigente de fé, qual deserto adusto.

Foi com a alma imersa em penosos cismares que viu aproximar-se, com grande surpresa, o destacamento de pretorianos.

Tomada de emoção, lembrando-se do que representavam aquelas pequenas expedições de terror, noutros tempos, recebeu no seu gabinete o oficial que a procurava acompanhado de dois homens espadaúdos e atléticos, com os quais trocara significativos olhares.

— Ao que devo a honra de vossa visita? – perguntou depois de sentar-se, dirigindo a Silano um olhar de curiosidade intensa.

— Sois, de fato, a viúva do antigo prefeito Lólio Úrbico?...

— Sim... – replicou a interpelada com displicência.

— Pois bem, eu sou Silano Plautius, e aqui estou por ordem do censor Fábio Cornélio, que, depois de longo processo, expediu a última sentença contra a vossa pessoa, esperando eu que saibais morrer dignamente, dada a vossa condição de conspiradora do Império!...

Claudia ouviu aquelas palavras sentindo que o sangue se lhe gelava no coração. Palidez de alabastro lhe cobria a fronte, enquanto as têmporas batiam aceleradamente. Estendeu precipitadamente as mãos a um móvel próximo, tentando utilizar uma grande campainha, mas Silano deteve-lhe o gesto, exclamando com serenidade:

— É inútil qualquer resistência! A casa está cercada. Encomendai aos deuses os vossos últimos pensamentos!...

A esse tempo, obedecendo aos sinais convencionais, Lídio e Marcos, dois gigantes, avançavam para Claudia Sabina, que mal se levantara cambaleante... Enquanto o primeiro a amordaçou impiedosamente, o segundo avançou, cortando-lhe os pulsos com uma lâmina acerada...

Claudia, todavia, sentindo o horror da situação irremediável, entregava-se aos verdugos sem resistência, endereçando, porém, a Silano um olhar inesquecível.

Fosse, contudo, pelo pavor daquele minuto inolvidável, ou em vista de qualquer emoção irresistível e profunda, o sangue da desventurada não vazava das veias abertas. Dir-se-ia que abrasadora emoção sacudia todas as suas forças psíquicas, contrariando as leis comuns das energias orgânicas.

Ante o fato insólito e raramente observado nas sentenças daquela natureza, e observando o olhar angustioso e insistente que a vítima lhe dirigia, como a suplicar-lhe que a ouvisse, o oficial ordenou que Lídio sustasse o amordaçamento, a fim de que a condenada pudesse fazer as suas recomendações e morresse tranquila.

Aliviada do arrocho, Claudia Sabina exclamou em voz soturna:

— Silano Plautius, meu sangue se recusa a vazar, antes que te confesse todas as peripécias da minha vida! Afasta os teus homens deste gabinete e nada temas de uma mulher indefesa e moribunda!...

Altamente impressionado, o filho adotivo de Cneio Lucius ordenou aos companheiros se retirassem para uma sala próxima, enquanto Claudia, a sós com ele, atirou-se-lhe aos pés, com as veias gotejantes, dizendo amargamente:

– Silano, perdoa o coração miserável que te deu a vida!... Sou tua mãe desgraçada e criminosa, e não quero morrer sem te pedir que me vingues! Fábio Cornélio é um monstro. Odeio-o! Meu passado está cheio de sombras espessas!... Mas quem te fez hoje um matricida é mandatário de muitos crimes!

O pobre rapaz contemplava a vítima, tomado de doloroso espanto. Uma brancura de neve subira-lhe ao rosto, denunciando comoções íntimas, todavia, se os olhos refletiam ansiedade acabrunhante, os lábios continuavam mudos, enquanto a viúva de Lólio Úrbico lhe beijava os pés, desfeita em pranto.

Então, era ali que estava o mistério do seu nascimento e da sua vida? Dolorosa emoção dominou-o e Silano prorrompeu em soluços, que lhe rebentavam do peito saturado de pesares. Desde a morte de Cneio, vinha alimentando o desejo de esclarecer o mistério do seu nascimento. Muitas vezes projetou constituir família e sentia-se desarmado perante os preconceitos sociais, pensando no futuro da prole. Em determinadas ocasiões, experimentava o desejo de abrir o pequeno medalhão que o venerando protetor lhe confiara nas vascas da morte e, contudo, um receio atroz da verdade paralisava-lhe os propósitos.

Enquanto as mais penosas reflexões lhe obumbravam o raciocínio, Claudia, de joelhos, contava-lhe, detalhe por detalhe, a história dolorosa da sua vida. Estarrecido ante aquelas verdades pronunciadas por uma voz que se abeirava do túmulo, Silano inteirava-se das suas primeiras aventuras amorosas, do seu encontro com Helvídio Lucius, nos tumultos aventurosos da vida mundana, da sua incerteza quanto à paternidade legítima e da resolução de confiá-lo a Cneio, onde sabia existir a mais carinhosa dedicação pelo nome de Helvídio, circunstância que garantiria ao enjeitado um ditoso porvir; dos golpes da sorte posterior desposando um homem de Estado; de suas combinações com Fábio Cornélio, em tempos idos, para a execução de sentenças iníquas no seio da sociedade romana, omitindo, porém, o drama terrível da sua vida em relação a Alba Lucínia. Sentindo que a iminência da morte agravava o ódio pelo censor, que a determinara, e por sua família, Claudia Sabina, dando curso aos derradeiros desvios da sua alma, deixou transparecer que a morte de Lólio Úrbico, misteriosa e inesperada, fora obra de Fábio Cornélio e seus sequazes, ávidos de sangue, a fim de acarretarem a sua ruína.

Nos últimos instantes, levada pelo negrume do seu ódio tigrino, não vacilara em arquitetar o derradeiro castelo de calúnias e mentiras, para levar a desolação à família detestada.

Aquelas terríveis confidências soavam aos ouvidos do oficial como um clamor de vinganças que reivindicassem desforços supremos. Todavia, em consciência, não lhe bastavam apenas as emoções para identificar a verdade. Necessitava de alguma coisa que lhe falasse à razão.

Como se Claudia Sabina lhe adivinhasse os pensamentos, foi logo ao encontro das suas vacilações silenciosas:

– Silano, meu filho, Cneio Lucius não te confiou um pequeno medalhão, que envolvi nas tuas roupinhas de enjeitado?

– Sim – disse o rapaz extremamente perturbado –, trago comigo essa lembrança...

– Nunca o abriste?

– Nunca...

Nesse instante, porém, o emissário de Fábio revolveu a bolsa que trazia sempre consigo, retirando o pequeno medalhão que a condenada contemplou ansiosamente.

– Aí dentro, meu filho – disse ela –, escrevi um dia as seguintes palavras: Filhinho, eu te confio à generosidade alheia com a bênção dos deuses. Claudia Sabina.

Silano Plautius abriu o medalhão nervosamente, conferindo, uma por uma, todas as palavras.

Foi aí que uma emoção violenta lhe abalou todas as faculdades. Acentuou-se a brancura de mármore que se lhe estampara na fronte. O olhar inquieto e triste tomou uma expressão vítrea, de pavor e assombro. As lágrimas secaram como se um sentimento lhe aflorasse na alma. Claudia Sabina, sentindo-se nos derradeiros instantes, contemplava, ansiosa, aquelas transformações súbitas.

Como se houvera sentido a mais radical de todas as metamorfoses, o rapaz inclinou-se para a vítima e gritou aterrado:

– Mãe!... minha mãe!...

Nas suas expressões havia um misto de sentimentos indefiníveis e profundos; elas se lhe escapavam do peito como um grito de saciedade afetuosa, depois de muitos anos de inquietação e de desgosto.

Recebendo aquela suprema e doce manifestação de carinho na hora extrema, a condenada, com a voz a extinguir-se, falou:

– Meu filho, perdoa-me o passado vil e tenebroso!... Os deuses me castigam fazendo-me perecer às mãos daquele a quem dei a vida!... Meu filho, meu filho, apesar de tudo, amo essas mãos que me trazem a morte!...

O pupilo de Cneio Lucius inclinara-se sobre o tapete manchado de sangue. Num gesto supremo, que evidenciava a sua angústia e o esquecimento do abandono materno, para considerar somente o destino doloroso que o conduzira ao matricídio, tomou nas mãos a cabeça exânime da condenada, cujo olhar parecia, agora, rejubilar-se com os pensamentos enigmáticos e criminosos de sua alma.

Verificou-se, então, um fenômeno interessante. Como se houvera satisfeito cabalmente o último desejo, o organismo espiritual de Claudia Sabina abandonava o corpo terrestre. Satisfeita a sua vontade psíquica, o sangue começou a jorrar em borbotões intensos e rubros, dos pulsos abertos...

Sentindo-se nos braços do oficial, que a encarava alucinado, voltou a dizer em voz entrecortada:

– Assim... meu filho... sinto... que me... perdoas!... Vinga-me!... Fábio... Cornélio... deve morrer...

Os soluços da agonia não lhe permitiram continuar, mas os olhos enviavam a Silano as mais singulares mensagens, que o rapaz interpretava como apelos supremos de desforra e vingança.

Quando um palor de cera lhe cobriu a fronte contraída num ricto de pavor angustiado, o mensageiro do censor abriu as portas, apresentando-se aos companheiros com a fisionomia transtornada.

Seu olhar fixo e terrível parecia de um louco. No íntimo, as mais fortes perturbações mentais premiam-lhe o espírito desolado. Sentia-se o mais ínfimo e o mais desgraçado dos seres. Apenas com uma palavra de ordem, colocou-se a caminho, de volta ao centro urbano, enquanto os servos e dedicados de Claudia lhe amortalharam o cadáver, entre lágrimas.

Baldadamente, Lídio e Marcos, bem como outros pretorianos amigos, lhe chamavam a atenção para esse ou aquele detalhe da empreitada, porquanto Silano Plautius mantinha um silêncio inflexível e sombrio.

A ideia de que Fábio Cornélio lhe conhecia o passado doloroso, não vacilando em fazê-lo assassino de sua mãe, bem como as histórias caluniosas de Claudia Sabina, na extrema hora, a respeito do censor e do seu procedimento no passado, provocaram-lhe uma perturbação cerebral intraduzível. O pensamento de que, para o resto dos seus dias, devia considerar-se um matricida, atormentava-o, sugerindo-lhe os mais horríveis projetos de vingança. Dominado por sentimentos inferiores, acariciava um punhal que descansava nas armaduras, antegozando o instante em que se sentisse vingado de todos os ultrajes experimentados na vida.

Era noitinha quando penetrou no imponente edifício onde Fábio Cornélio o esperava, num gabinete soberbo e amplamente iluminado.

O velho censor recebeu-o com visível interesse e, buscando isolar-se dos presentes, inquiriu-o num canto da sala:

— Então, que novas me trazes? Tudo bem?

Silano fitava-o de olhos gázeos, presa das mais atrozes perturbações.

— Mas que é isso? — insistia o censor extremamente conturbado. — Estás enfermo?!... Que teria acontecido?...

Fábio Cornélio não pôde prosseguir, porque, sem dizer palavra, qual um alucinado em crise extrema, o oficial desembainhou, rápido, o punhal, cravando-o no peito do censor, que caiu redondamente, gritando por socorro.

Silano Plautius contemplava a sua vítima com a fácies terrível dos dementes, sem dar o mínimo sinal de responsabilidade... Na sua indiferença, via o sangue do velho político escapar-se a jorros pela ferida entre a garganta e a omoplata, enquanto o ferido, nos estertores da morte, lhe dirigia um olhar terrível... Foi nesse instante que os numerosos guardas rodearam o antigo protegido de Cneio Lucius, eliminando-lhe igualmente a vida em rápidos segundos. Debalde, o oficial tentou resistir aos pretorianos e a outros amigos do assassinado, porque, em poucos minutos, estava reduzido a frangalhos pelos golpes de espada, com que pagava a afronta ao Estado, com a perpetração do seu crime.

A notícia correu a cidade celeremente.

Assistido pelos amigos mais dedicados, Helvídio Lucius precisou invocar todas as forças para não fraquejar sob golpes tão rudes.

Dada a situação delicada em que se encontrava a esposa, providenciou para que os despojos sangrentos fossem levados à residência, com especial cuidado, a fim de que o quadro sinistro e doloroso não agravasse a moléstia de Alba Lucínia, na hipótese de suas melhoras, após a síncope prolongada.

Um correio rápido foi despachado para Cápua, chamando Caius Fabricius e sua mulher a Roma, imediatamente.

Entre as preocupações mais acerbas e impossibilitado de comunicar o peso que lhe oprimia o coração a qualquer amigo, dadas as penosas circunstâncias familiares em jogo, o filho de Cneio vertia lágrimas dolorosas ao lado da esposa entre a vida e a morte, enquanto Márcia assumia a direção de todos os protocolos sociais, em sua residência, para atender a quantos visitavam os despojos dos dois desaparecidos.

Alba Lucínia despertara e, contudo, vagava-lhe no olhar uma expressão de alheamento do mundo. Pronunciava palavras ininteligíveis, que Helvídio Lucius daria a vida para compreender. Percebia-se que ela perdera a razão para sempre. Além disso, as síncopes renovavam-se periodicamente, como se as células cerebrais, à pressão de uma força incoercível, rebentassem, vagarosamente, uma por uma...

Obedecendo aos imperativos da situação, o tribuno expediu ordens para que os funerais do sogro e do irmão adotivo se efetuassem com a celeridade possível, tanto assim, que, antes de uma semana, chegavam, da Campânia, Helvídia e o esposo, sem alcançarem as cerimônias fúnebres e penetrando no lar paterno tão somente para se ajoelharem à cabeceira de Alba Lucínia que, desde a véspera, entrara em dolorosa agonia...

A presença dos filhos constituiu para o tribuno um suave consolo, mas, ao seu espírito dilacerado, figurava-se não haver consolação bastante, no mundo, para o coração humilhado e ferido.

Tocado nas fibras mais sensíveis, via agonizar a esposa lentamente, como se um sicário invisível lhe houvesse cravado no coração acerado punhal. Diante da morte, cessavam todos os seus poderes, todas as suas dedicações carinhosas. Submerso num oceano de lágrimas, guardando entre as suas as mãos frias da companheira, Helvídio Lucius não abandonou o aposento, nem mesmo para atender ao apelo dos filhos recém-chegados. Pressentindo que a morte lhe arrebataria em breve a esposa idolatrada, conservava-se à sua cabeceira, dominado pelas meditações mais atrozes.

De quando em quando, emergia do abismo de suas reflexões, exclamando amargamente, como se guardasse a convicção de que era ouvido pela agonizante:

— Lucínia, pois também tu me abandonas? Desperta, ilumina de novo a minha soledade!... Se te ofendi alguma vez, perdoa-me. Mais não fiz que te amar muito!... Vamos. Atende. Eu vencerei a morte para te guardar em meus braços! Lutarei contra todos! Junto de ti, terei forças para viver, reparando os erros do passado, mas que farei sozinho e abandonado se partires para o mistério? Deuses do céu! Não bastariam as ruínas do meu lar, os destroços de minha felicidade doméstica para me redimir aos vossos olhos? Tende compaixão do meu ser desventurado! Que fiz para pagar tão pesado tributo?...

E contemplando o céu, como se estivesse vislumbrando os numes que presidem aos destinos humanos, apontava a esposa agonizante, redizendo em voz abafada e dolorida:

— Deuses do bem, conservai-lhe a vida!...

Entretanto, como se as suas rogativas morressem apagadas diante de uma esfinge, Alba Lucínia desprendia-se do mundo com uma lágrima silenciosa, ao amanhecer, enquanto os clarões rubros do sol tingiam as primeiras nuvens do céu romano, ao caricioso despontar da aurora.

Percebendo-lhe o derradeiro suspiro, Helvídio Lucius ensimesmou-se numa tristeza indizível. Nos olhos, agora secos e esquisitos, perpassava uma expressão de revolta contra todas as divindades, a seu ver insensíveis aos seus padecimentos e apelos desesperados. A residência do tribuno cobria-se, então, de crepes negros, enquanto a sua silhueta agoniada permanecia junto à urna magnífica que encerrava os despojos da companheira, qual sentinela que se houvera petrificado em desespero.

Enérgico e impassível, respondia aos apelos afetuosos dos amigos com monossílabos amargos, enquanto Caius, Helvídia e a bondosa Márcia faziam as honras da casa.

Após uma semana de homenagens da sociedade romana, efetuou-se o funeral da inditosa senhora, que tombara, qual ave ferida, no seu profundo amor materno, enquanto o marido, curtindo a mais angustiosa soledade, se sentira desamparado e ferido para sempre.

Amargurada e silenciosa, Hatéria permanecera na casa, até o instante em que os carros mortuários acompanharam Alba Lucínia às sombras do sepulcro.

Impressionada com as tragédias que a sua revelação havia desfechado dentro daquele lar outrora tão feliz, sentiu-se humilhada no mais íntimo do coração. Muitas vezes, nas horas terríveis da agonia da ex-patroa, dirigira o olhar súplice ao tribuno, a fim de verificar se lhe perdoara, de modo a tranquilizar a consciência abatida. Helvídio Lucius parecia não vê-la, indiferente à sua presença e a sua vida...

Experimentando sinistro remorso, Hatéria abandonou a casa de Helvídio, onde se sentia como verme asqueroso, tal o negrume dos seus tristes pensamentos na dolorosa noite caída sobre a casa do tribuno, após o funeral.

Fazia frio. As sombras noturnas eram espessas, tão impenetráveis quanto as angústias que lhe gelavam o coração... A permanência ali, porém, depois do enterro, não mais era possível, em vista das amarguradas emoções que lhe vibravam na alma.

A velha criada saiu, então, demandando o Trastevere, onde possuía antigas relações de amizade. Interessante é que, no percurso pelas ruas estreitas, seguira trajeto idêntico ao da jovem Célia, quando compelida a abandonar o lar paterno... Depois de muito caminhar, deteve-se perto da ponte Fabricius, temendo prosseguir. Era quase meia-noite e as proximidades da Ilha do Tibre estavam desertas. Quis retroceder, premida por uma força inexplicável, como se pressentisse algum perigo iminente, quando dois homens mascarados se aproximaram, quais massas escuras que se movessem rápidas entre as pesadas sombras da noite. Tentou gritar, mas era tarde. Um deles atirava-se rápido a ela, amordaçando-a fortemente.

— Lucano — dizia baixinho o desconhecido a envolver-lhe o rosto com uma toalha grossa —, apalpa-a depressa! Urge terminar o serviço!...

— Ora essa — dizia o companheiro decepcionado —, trata-se de uma velha desprezível!

— Não desanimes! — prosseguiu o outro. — Palpita-me que é boa presa. Vamos! Essas velhas costumam trazer o dinheiro oculto no seio, quando são perigosas e avarentas!...

O bandido que tinha as mãos livres levou-as ao tórax da velha criada de Helvídio Lucius, sentindo que o seu coração batia acelerado. De fato, era ali que Hatéria guardava, numa bolsa reforçada, todo o cabedal sonante das suas economias. Encontrando-lhe o pequeno tesouro, ambos os malfeitores esboçaram um sorriso de satisfação e, obedecendo a um sinal do companheiro, Lucano bateu fortemente na cabeça da vítima amordaçada, com uma pequena bengala de ferro, exclamando com voz sumida, quando percebeu que ela desmaiara:

— Assim, sempre é melhor! Amanhã não poderá relatar a proeza aos vizinhos, para que as autoridades nos venham incomodar.

Em seguida, arrastaram a vítima atordoada pelos golpes rijos, atirando-a sem piedade nas águas pesadas do rio que rolava silenciosamente. Hatéria teve assim os seus últimos instantes, como a expiar o torpe delito do passado culposo.

Todavia, após examinarmos a derradeira provação da velha cúmplice de Claudia Sabina, voltemos a seguir Helvídio Lucius na sua pesada noite de sofrimentos íntimos.

Somente no dia imediato ao funeral da mulher, conseguiu o tribuno reunir os filhos num gabinete privado, confidenciando-lhes as tristes revelações que desfecharam nos terríveis acontecimentos, aniquiladores da sua ventura para todo o sempre.

Terminada a impressionante narrativa, Caius Fabricius contou à esposa e ao sogro o encontro com Célia, dez anos antes, quando se dirigia à Campânia, chamado por interesses urgentes. Jamais aludira ao fato, considerando o voto formal de se lembrarem da jovem tão somente como de uma morta sempre querida. Nunca esquecera aquele quadro triste, da cunhada abandonada na solidão da noite, junto à montanha de Terracina, e muita vez recriminou-se por se haver mantido indiferente e surdo aos seus apelos.

Helvídia e seu pai ouviam-no tomados de mágoa e assombro.

Somente aí, no exame de todos os sacrifícios da filhinha, ponderando os seus tormentos morais para isentar a família dos golpes da desventura e da calúnia, o filho de Cneio Lucius conseguiu despertar o resquício da sua sensibilidade, para apegar-se de novo à vida. A narrativa do genro vinha indicar que Célia vivia em qualquer parte. Lembrou-se da esposa e pôs-se a pensar que, se Alba Lucínia ainda estivesse na Terra, sentiria imenso júbilo se pudesse abraçar de novo a filha desprezada. Certamente, do Céu, a companheira querida haveria de lhe orientar os passos, abençoaria o seu esforço. E um dia, quando a providência dos deuses permitisse, a alma da esposa lhe guiaria o coração ulcerado até à filha, para que pudesse morrer beijando-lhe as mãos.

Mergulhado nessas cogitações angustiosas, com uma serenidade triste a clarear seus passos, Helvídio Lucius conseguiu chorar de maneira a aliviar a íntima aflição. Suas lágrimas, agora que Helvídia as enxugava com carinho, eram como essas chuvas benéficas que lavam o céu, após o fragor da tempestade.

Então, como se o animasse uma esperança nova, o tribuno converteu todas as dores na preocupação de reencontrar a filhinha expulsa do lar, fosse onde fosse, para alívio da consciência. Desejava morrer para reunir-se à companheira bem-amada, mas quisera levar-lhe também a certeza de que Célia reaparecera, e que, de joelhos, havia suplicado o perdão da filha, a quem não pudera compreender. Com esse propósito, encaminhou-se à Campânia com os filhos, de regresso a Cápua, e, depois de alguns dias de repouso, dispensando a companhia de qualquer servo, a fim de entregar-se sozinho às investigações necessárias, partiu para o Lácio, apesar de todas as súplicas de Helvídia para que aceitasse, ao menos, a companhia do genro.

Triste e só, o velho tribuno perambulou inutilmente por todas as cidades próximas de Terracina, estacionando longo tempo junto à gruta de Tibério, a evocar as penosas recordações do genro. A despeito de todos os esforços, foi em vão que viajou a Itália inteira.

Assim que, decorrido um ano da morte de Lucínia, regressou a Roma, abatido e desolado como nunca.

Sentindo-se profundamente desamparado, era qual árvore frondosa, singularmente insulada na planície extensa da vida. Enquanto mantinha a seu lado as outras companheiras, podia suportar os furacões violentos que desciam dos montes, mas, destruídos os troncos próximos, cuja presença o fortalecia, era agora incapaz de resistir aos ventos mais leves dos vales obscuros da dor e do destino.

Recolhido ao gabinete, recebia tão somente a visita dos amigos mais íntimos, cuja palavra não trouxesse ao seu espírito atormentado qualquer lembrança do passado infortunoso.

Um dia, porém, um escravo veio anunciar antigo camarada de infância, Rufio Propércio, cuja história amarga dos últimos tempos ele bem conhecia. Apesar das suas próprias lutas, conhecera-lhe todas as desgraças e infortúnios.

Helvídio Lucius mandou-o entrar, sofregamente, como irmão de dores e martírios íntimos.

Trocadas as primeiras impressões, Rufio Propércio advertiu:

— Caro Helvídio, depois de tão longa separação, surpreende-te a minha fortaleza moral ante as hecatombes dolorosas da existência. Devo explicar-te o porquê da minha resignação e serenidade. É que, hoje, abandonei nossas crenças inexpressivas para apegar-me a Jesus Cristo, o Filho de Deus Vivo!...

— Será possível?! — exclamou o tribuno interessado.

— Sim, hoje compreendo melhor a vida e os sofrimentos neste mundo. Somente nos tesouros do ensino cristão encontrei a força indispensável à compreensão da dor e do destino. Só Jesus, com a sua lição de piedade e misericórdia, pode salvar-nos do abismo de nossas angústias profundas para uma vida melhor, que não comporta os enganos e desilusões amargas da Terra...

E enquanto Helvídio Lucius o ouvia, assombrado por encontrar um amigo íntimo estabilizado na fé ardente e pura, entre os escombros da época, Propércio acrescentava:

— Já que te sentes igualmente ferido pelo destino, por que não frequentar conosco as reuniões cristãs, onde eu te poderia acompanhar? É bem possível que encontres no evangelho a paz almejada e a energia imprescindível para triunfar de todos os tormentos da vida.

Ouvindo o carinhoso convite do amigo de infância, o tribuno lembrou-se instintivamente da filha, das suas convicções. Sim, fora o Cristianismo que lhe dera tamanhas forças para o sofrimento e para o sacrifício. Além disso, recordou as figuras de Nestório e Ciro, que haviam caminhado para a morte sem um gemido, sem uma queixa.

Como que cedendo a uma súbita resolução, respondeu resoluto:

— Aceito o convite. Onde é a reunião?

— Numa casa humilde, junto à Porta Ápia.

— Pois bem, irei contigo.

Rufio despediu-se, prometendo buscá-lo à noitinha, enquanto ele passou o resto do dia em cogitações graves e profundas.

À hora convencionada, demandaram o local das assembleias humildes, onde, pela primeira vez, Helvídio Lucius ouviu a leitura do evangelho e os comentários singelos dos cristãos. A princípio, estranhou aquele Jesus que perdoava e amava a todos, com o mesmo carinho e a mesma dedicação. Mas, no curso de numerosas reuniões, entendeu melhor o evangelho e, apesar de não lhe sentir as lições inteiramente, admirava o Profeta simples e amoroso, que abençoava os pobres e os aflitos do mundo, prometendo um Reino de Luz e de Amor, para além das ingratas competições da Terra.

Seu esforço na aquisição da fé seguia o curso comum, quando um pregador famoso surgiu, um dia, naquele núcleo de gente simples e bondosa. Tratava-se de um homem ainda novo, inteligente e culto, de nome Saulo Antônio, que fizera da existência um sacrossanto apostolado, no trabalho da evangelização.

Sua palavra inflamada e vibrante sobre os *Atos dos Apóstolos*, logo após a partida do Cordeiro para as regiões da luz, impressionara o tribuno profundamente. Pela primeira vez, escutava um intelectual, quase sábio, a exaltar as virtudes dos seguidores do Cristo, fazendo comparações extraordinárias entre o evangelho e as teorias do tempo, que ele se habituara a considerar como notas de evolução inexcedíveis.

Terminada a preleção inspirada e brilhante, Helvídio acercou-se do orador, exclamando com sinceridade:

— Meu amigo, trago-lhe meus votos para que a sua palavra iluminada continue a clarear os caminhos da Terra! Desejava, porém, ouvi-lo sobre uma dúvida que me nasceu há tempos no coração.

E enquanto o pregador lhe acolhia as palavras com profunda simpatia, continuava:

— Não duvido dos atos dos Apóstolos de Jesus, mas estranho que, de há muito tempo para cá, não haja mais, na Terra organizações privilegiadas como a dos antigos seguidores do Cristo, que possam aliviar nossas dores e esclarecer-nos o coração nos sofrimentos!...

— Meu irmão — replicou o orador sem se perturbar —, antes de recorrermos aos intermediários, urge prepararmos o coração para sentir a inspiração direta do Cordeiro. A sua objeção, porém, é muito justificável. Contudo, cumpre-me esclarecer que as vocações apostólicas não morreram para o mundo. Em toda a parte elas florescem sob as bênçãos de Deus, que nunca se cansou de enviar até nós os mensageiros de sua misericórdia infinita.

E depois de ligeira pausa, como se desejasse transmitir uma impressão fiel de suas reminiscências mais íntimas, Saulo Antônio acrescentou convictamente:

— Faz alguns anos, era eu inimigo acérrimo do Cristianismo e dos seus divinos postulados, todavia, bastou a contribuição de um verdadeiro discípulo de Jesus, para que meus olhos se aclarassem, buscando o verdadeiro caminho... Ainda hoje, lá está ele, franzino e humilde como uma flor do Céu, inaclimável entre as urzes da Terra... Trata-se do irmão Marinho, que, nos arredores de Alexandria, constitui uma bênção de Jesus, permanente e divina, para todas as criaturas... Imagem do bem, personificação da perfeita caridade evangélica, vi-o curar leprosos e paralíticos, restituir esperanças e fé aos mais tristes e mais empedernidos! Ao seu tugúrio paupérrimo acorrem multidões de aflitos e desamparados, que o venerável apóstolo do Cordeiro reanima e consola com as lições profundas de amor e de humildade! Depois de peregrinar pelas sendas mais escuras, tive a dita de encontrar a sua palavra carinhosa e benevolente, que me despertou para Jesus, dos negrores do meu destino!...

Sentindo-lhe a profunda sinceridade, Helvídio Lucius interrogou ansioso:

— E esse homem extraordinário recebe a todos indistintamente?...

— Todas as criaturas lhe merecem atenção e amor.

— Pois, meu amigo – revidou o tribuno no seu íntimo desconsolo –, não obstante minha posição financeira e a consideração pública que desfruto em Roma, trago o coração acabrunhado e doente, como nunca... As lições do evangelho têm sustentado, de algum modo, meu espírito abatido. Contudo, sinto necessidade de um remédio espiritual que, suavizando-me as dores íntimas, me leve a compreender melhor os divinos exemplos do Cordeiro... Suas referências chegam a propósito, pois irei a Alexandria buscar a consolação desse apóstolo, mesmo porque, uma viagem ao Egito, nas atuais circunstâncias da minha vida, far-me-á grande bem ao coração...

No dia seguinte, o filho de Cneio Lucius deu as primeiras providências para efetuar a excursão com a presteza possível.

E antes que a galera largasse de Óstia, começou a concentrar as suas esperanças naquele irmão Marinho, cujas virtudes famosas eram veneradas em todas as comunidades cristãs e havido por emissário de Jesus, destinado a sustentar no mundo as tradições divinas dos tempos apostólicos.

VI
No horto de Célia

Nos arredores de Alexandria, a filha de Helvídio havia granjeado a melhor e merecida fama de amor e bondade.

Transferida para aquela região de gente pobre e humilde, convertera todas as recordações mais queridas, bem como as suas dores mais íntimas, em hinos de caridade pura, que se evolavam ao Céu entre as bênçãos de todos os sofredores infelizes.

O sofrimento e a saudade como que lhe modelaram as feições angélicas porque, no semblante calmo, esbatia-se um traço indefinível de visão celestial... A vida de ascetismo, de abnegação e renúncia dera-lhe uma nova fácies que deixava transparecer nos olhos, serenos e brilhantes, a pureza indefinível dos que se encontram prestes a atingir as claridades radiosas de outra vida.

Havia muito, começara a entisicar e, contudo, não abandonara a faina apostolar junto dos sofredores. De tarde, lia o Evangelho, ao ar livre, para quantos lhe buscavam o amparo espiritual, explicando os ensinos de Jesus e de seus divinos seguidores, fazendo parecer, nesses momentos, que uma força divina dela se apossava. A voz, habitualmente débil, ganhava tonalidades diferentes, como se as cordas vocais vibrassem ao sopro de uma divina inspiração.

Conservava-se no mesmo tugúrio, ao pé do horto, cujos trabalhos rudes nunca deixaram de lhe merecer atenção e carinho. Todos os irmãos do mosteiro, exceto Epifânio, buscavam-lhe agora a convivência, acatando-lhe as elucidações evangélicas e cooperando nos seus esforços.

A jovem romana, transformada em irmão carinhoso dos infelizes, guardava as mesmas disposições íntimas de sempre, cheia de fé e esperança no Senhor de bondade e sabedoria.

O pequeno enjeitado de Brunehilda, depois de lhe suavizar a soledade, por alguns anos, com os seus carinhos e sorrisos, havia falecido, deixando-a triste e abatida mais que nunca. Impressionada com o acontecimento, Célia deprecara fervorosamente e, uma noite, quando se entregava à solidão de suas preces e meditações, divisou a seu lado o vulto de Cneio Lucius, contemplando-a com infinita ternura.

— Filha querida, não te magoe essa nova separação do ser idolatrado! Prossegue na tua fé, cumprindo a missão divina que o Senhor houve por bem deferir à tua alma sensível e generosa! Depois de perfumar, por alguns anos, a tua senda terrena, o espírito de Ciro volve de novo ao Além para saturar-se de forças novas! Não desanimes pela saudade que te punge o coração sensibilíssimo, pois, nossa alma semeia o amor na Terra para vê-lo florir nos Céus, onde não chegam as tristes inquietações do mundo!... Além do mais, Ciro tem necessidade dessas provações, que lhe hão de temperar a vontade e o sentimento para os gloriosos feitos do seu porvir espiritual!...

Nessa altura, a amorável entidade deteve-se como que intencionalmente, a fim de observar o efeito de suas palavras.

Desfeita em lágrimas, a jovem falou mentalmente, como se palestrasse com o avô no ádito do coração:

— Não duvido de que todas as dores nos são enviadas por Jesus, a fim de aprendermos o caminho da redenção divina, mas qual a razão dessas vidas temporárias de Ciro na Terra? Se ele tem chegado a viver no ambiente humano, ainda necessitado das experiências terrestres, por que vem a morte decepando as nossas esperanças?

— Sim – replicou a entidade amorosamente –, são as leis da prova que regem os nossos destinos.

— Mas Ciro, há algum tempo, não chegou a morrer pelo Divino Mestre no martírio e no sacrifício?

— Filha, entre os mártires do Cristianismo, há os que se desprendem do mundo em missão sacrossanta e os que morrem para os mais penosos resgates... Ciro é do número destes últimos... Em séculos anteriores, foi um déspota cruel, exterminando esperanças e envenenando corações... Mergulhado depois na luta expiatória, renegou as dores santificantes e enveredou pela senda ignominiosa do suicídio. É justo, pois, que agora aprecie os benefícios da luta e da vida, na dificuldade de os readquirir para a sua redenção espiritual, ansiosamente colimada. As experiências fracassadas hão de valorizar o seu futuro de realizações e esforços nobilíssimos. Em face da dor e do trabalho, no porvir que se aproxima, seu coração amará todos os detalhes da luta redentora. Saberá prezar no trabalho ingente e doloroso os recursos sagrados da sua elevação para Deus, reconhecendo a grandeza do esforço, da renúncia e do sacrifício!...

Confortada com os esclarecimentos do mentor espiritual, logo entreviu outra entidade, de semblante nobre e triste, a contemplá-la num misto de alegria e amargura.

Estranhando a visão, sentiu que a palavra carinhosa do avô esclarecia:

— Não te surpreendas nem te assustes! Tua mãe, hoje no plano espiritual, aqui vem comigo, trazer-te o coração bondoso e agradecido!...

Dolorosas emoções lhe vibraram no íntimo, por força daquelas revelações inesperadas. As lágrimas se fizeram mais doridas e copiosas. Duvidava da própria vidência, lembrando o passado com os seus espinhos e sombras desoladoras. Mas, anjo ou sombra, o Espírito Alba Lucínia, como que submerso num véu de tristeza impenetrável, aproximou-se e lhe beijou as mãos.

Célia desejava que aquela entidade triste e benfazeja lhe dissesse algo ao coração. A sombra materna, porém, continuava muda e consternada. Contudo, sentiu que, na mão direita que a sombra osculara, persistia uma sensação indefinível, como se, com o seu beijo, Alba Lucínia trouxesse também uma lágrima ardente e dolorida.

Ante o choque inesperado, a jovem romana notou que ambas as entidades escapavam novamente ao seu olhar.

Nessa noite, meditou sobre o passado, mais que em outros dias, entregando a Jesus as suas preocupações e as suas mágoas, rogando ao Senhor lhe fortificasse o espírito, a fim de compreender e cumprir integralmente os santos desígnios da sua vontade divina.

No dia imediato ao de suas tristes reflexões concernentes ao passado doloroso, grande multidão buscava-lhe os fraternos serviços. Eram velhinhos desolados à cata de uma palavra consoladora e amiga, mulheres das povoações mais próximas, que lhe traziam os filhinhos enfermos, sem falar das muitas pessoas procedentes de Alexandria, em busca de lenitivo espiritual para os dissabores da vida.

À medida que as cercanias do mosteiro se enchiam de viaturas, seu vulto franzino e melancólico desdobrava-se em esforços inauditos para consolar e esclarecer a todos.

De vez em quando, um acesso de tosse sobrevinha, provocando a piedade alheia; ela, porém, transformando a sua fragilidade em energia espiritual inquebrantável, parecia não sentir o aniquilamento do corpo, de modo a manter sempre acesa a luz da sua missão de caridade e de amor.

De tarde, invariavelmente, procedia às leituras evangélicas, ouvidas pelos visitantes numerosos e pela gente simples do povo.

Foi aí, aos lampejos do crepúsculo, que seus olhos atentaram numa viatura elegante e nobre, de cujo interior saltava Helvídio Lucius, que o seu coração filial identificou imediatamente. O antigo tribuno, encontrando a pequena assembleia ao ar livre, procurava acomodar-se como pode, enquanto nos traços fisionômicos do irmão Marinho surgiam os sinais da emoção que lhe vibrava na alma... Entretanto, sua palavra prosseguia sempre, saturada de intensa ternura, em minudente comentário à parábola do Senhor. O irmão dos infortunados e dos doentes falava das pregações do Tiberíades, como se houvesse conhecido a Jesus de Nazaré, tal a fidelidade e a amorosa vibração da sua palavra.

Enlevado na contemplação do maravilhoso quadro, o filho de Cneio Lucius fixou o famoso missionário, tomado de surpresa estranha! Aquela voz, aquele perfil lembrando um mármore precioso, burilado pelas lágrimas e sofrimentos da vida, não lhe recordavam a própria filha? Se aquele irmão Marinho vestisse a indumentária feminina, raciocinava o tribuno vivamente interessado, seria a imagem perfeita da filhinha que ele vinha buscando por toda a parte, sem consolação e sem esperança. Assim conjeturando, seguia-lhe a palavra, cheio de surpresa cariciosa.

Ninguém ainda lhe falara do evangelho com aquela clareza e simplicidade, com aquela unção de amor e firmeza, que, instintivamente, lhe penetravam o coração, propiciando-lhe um brando consolo. Fizera a viagem de Óstia a Alexandria, abatido e enfermo. Seu estado orgânico chegara a despertar o interesse de alguns amigos romanos, a ponto de insistirem pelo seu imediato regresso à metrópole. Profundo cansaço transparecia-lhe dos olhos desalentados, de uma tristeza inalterável e de um penoso desencanto da vida. Todavia, ouvindo aquele apóstolo extraordinário, cheio de benevolência e brandura, experimentava no imo um alívio salutar. A brisa vespertina afagava-lhe levemente o rosto, com os derradeiros reflexos do sol a diluir-se em nuvens distantes. A seu lado, concentrada, a multidão dos pobres, dos enfermos, dos desventurados da sorte, em preces fervorosas, como se esperassem todas as felicidades do Céu para os seus dias tristes.

A poucos passos, a figura esbelta e delicada do irmão dos infortunados e aflitos, que lhe falava ao coração com maravilhosa suavidade.

A Helvídio Lucius pareceu-lhe que fora transportado a um país misterioso, cheio de figuras apostólicas e sentia-se, entre aqueles crentes anônimos, na posse de um bem-estar indizível.

Desde a dolorosa desencarnação da companheira, tinha o espírito mergulhado num véu de amarguras atrozes. Nunca mais desfrutara tranquilidade íntima, sob o peso de suas angústias pungentes. Entretanto, os ensinamentos do irmão Marinho, suas considerações e suas preces proporcionavam-lhe intraduzível esperança. Figurou-se-lhe que bastava aquele instante breve para que pudesse reerguer a confiança num futuro espiritual, pleno de realidades divinas. Sem poder explicar a causa da sua emotividade, começou a chorar silenciosamente, como se somente naquele instante houvesse afeiçoado, de fato, o coração às belezas imensas do Cristianismo. Terminadas as interpretações e as preces do dia, enquanto a multidão se retirava comovida, Célia deixava-se ficar no mesmo ponto, sem saber que norma adotar naquelas circunstâncias. No íntimo, contudo, agradecia a Deus a graça sublime de surpreender o espírito paterno tocado de suas luzes divinas, suplicando ao Senhor permitisse ao seu coração filial receber a necessária inspiração dos seus augustos mensageiros.

Na quase imobilidade de suas conjeturas, naquele momento grave do seu destino, foi despertada pela voz de Helvídio Lucius que se aproximava, exclamando:

— Irmão Marinho, sou um pecador desencantado do mundo, que vem até aqui atraído por vossas virtudes sacrossantas! Venho de longe e bastou um momento de contato com a vossa palavra e ensinamentos para que me reconfortasse um pouco, experimentando mais fé e mais esperança. Desejava falar-vos... A noite, contudo, não tarda e temo aborrecer-vos...

A humildade dolorida daquelas palavras dera à jovem cristã uma ideia perfeita de todos os tormentos que haviam aniquilado o coração paterno.

Helvídio Lucius já não apresentava aquele porte ereto e firme que o caracterizava como legítimo cidadão do Império e da sua época. Os lábios tranquilos, de outrora, ajustavam-se num ricto de tristeza e angústia indefiníveis. Os cabelos estavam completamente brancos, como se um inverno implacável e rijo lhe houvesse despejado na cabeça um punhado de neve indestrutível. Os olhos, aqueles olhos que tantas vezes lhe patentearam uma energia impulsiva e orgulhosa, eram agora melancólicos, espraiando-se com humildade sincera por toda parte, ou dirigindo-se com expressões súplices para o Alto, como se de há muito estivessem mergulhados nas mais comovedoras rogativas.

Célia compreendeu que uma tempestade dolorosa e inflexível havia desabado sobre a alma paterna, para que se pudesse realizar aquela metamorfose.

– Meu amigo – murmurou de olhos úmidos –, rogo a Deus que se não dissipem as vossas impressões primeiras e é em seu nome que vos ofereço a minha choupana humilde! Se vos apraz, ficai comigo, pois terei grande júbilo com a vossa presença generosa!...

Helvídio Lucius aceitou o delicado oferecimento, enxugando uma lágrima.

E foi com enorme surpresa que reparou no casebre onde vivia, confortado, o irmão dos infelizes.

Em poucos instantes o irmão Marinho arranjou-lhe um leito humilde e limpo, obrigando-o a repousar. Guardando na alma uma alegria santa, a jovem se movia de um lado para outro e não tardou levasse ao tribuno surpreso um caldo substancioso e um copo de leite puro, que lhe confortaram o organismo. Depois, foram os remédios caseiros manipulados por ela mesma, com satisfação intraduzível.

A noite caíra de todo com o seu cortejo de sombras, quando o irmão Marinho se assentou à frente do hóspede, encantado e comovido com tantas provas de carinhoso desvelo.

Falaram então de Jesus, do evangelho, casando harmônicas as opiniões e os conceitos acerca do Cordeiro de Deus e da exemplificação de sua vida.

De vez em quando, o tribuno contemplava o interlocutor, com o mais acentuado interesse, guardando a impressão de que o conhecera alhures.

Por fim, dentro do profundo bem-estar que sentia renascer-lhe no íntimo, Helvídio Lucius ponderou:

– Cheguei ao Cristianismo qual um náufrago, após as mais ásperas derrotas do mundo! Sinto que o Divino Mestre endereçou à minha alma todos os apelos suaves da sua misericórdia, no entanto, eu estava surdo e cego, no âmbito de lamentáveis desvarios. Foi preciso que uma hecatombe desabasse em meu lar e sobre o meu destino, para que, no fragor da tempestade destruidora, conseguisse romper as muralhas que me separavam da nítida compreensão dos novos ideais florescentes para a mentalidade e o coração do mundo.

"Jamais confiei a alguém os episódios pungentes da minha vida, mas sinto que vós, apóstolo de Jesus e seguidor do Mestre na exemplificação do bem, podereis compreender minha existência, ajudando-me a raciocinar evangelicamente, para que cumpra os meus deveres nestes últimos dias de atividade terrena. Nunca, em parte alguma, deixei de experimentar uma tal ou qual dúvida que me desconsola; aqui, porém, sem saber o porquê, experimento uma tranqüilidade desconhecida. Julgo dever confiar em vós, como em mim mesmo!...

"Há muito, sinto necessidade de um conforto direto, e somente a vós confio as minhas chagas, na expectativa de um auxílio carinhoso e fraterno!..."

– Se isso vos faz bem, meu amigo – exclamou a jovem, enxugando uma lágrima discreta –, podeis confiar no meu coração, que rogará ao Senhor pela vossa paz espiritual em todos os transes da vida!...

E enquanto o irmão Marinho lhe acariciava a cabeça encanecida prematuramente, atormentado por dolorosas recordações, Helvídio Lucius, sem saber explicar o motivo de sua confiança, começava a contar-lhe o penoso romance da sua existência. De vez em quando, a voz tornava-se abafada por uma que outra lembrança ou episódio. A cada pausa o interlocutor, comovido, respondia ao seu estado de alma com esta ou aquela advertência, traindo as próprias reminiscências. O tribuno surpreendia-se com isso, mas atribuía o fato às faculdades divinatórias, presumíveis no apóstolo do amor e da caridade pura, que tinha à sua frente.

Depois de longas horas de confidência, em que ambos choravam silenciosamente, Helvídio concluía:

— Aí tem, irmão Marinho, minha história amargurada e triste... De todas as tragédias lembradas, guardo profundo remorso, mas o que mais me acabrunha é lembrar que fui um pai injusto e cruel. Um pouco mais de calma e um pouco menos de orgulho, e chegaria à verdade, afastando os gênios sinistros que pesavam sobre o meu lar e o meu destino!... Relembrando esses acontecimentos, ainda hoje me sinto transportado ao dia terrível em que expulsei do coração a filha querida. Desde que me certifiquei da sua inocência, procuro-a, ansioso, por toda parte; parece-me, contudo, que Deus, punindo meus atos condenáveis, entregou-me aos supremos martírios morais, para que eu compreendesse a extensão da falta. É por isso, irmão, que me sinto réu da Justiça Divina, sem consolação e sem esperança. Tenho a impressão de que, para reparar meu grande crime, terei de andar como o judeu errante da lenda, sem repouso e sem luz no pensamento. Pela minha exposição sincera e amargurada, compreendeis, agora, que sou um pecador desiludido de todos os remédios do mundo. Por isso, resolvi apelar para a vossa bondade, a fim de me proporcionardes um lenitivo. Vós que tendes iluminado tantas almas, apiedai-vos de mim que sou um náufrago desesperado!

As lágrimas abafavam-lhe a voz.

Célia também o ouvia quase a chorar, sentindo-se tocada em todas as fibras do seu coração de filha meiga e afetuosa.

Desejou revelar-se ao pai, beijar-lhe as mãos encarquilhadas, dizer-lhe do seu júbilo em reencontrá-lo no mesmo caminho que a conduzia para Jesus... Quis afirmar que o amara sempre e olvidara o passado de prantos dolorosos, a fim de poderem ambos elevar-se para o Senhor, na mesma vibração de fé, mas uma força misteriosa e incoercível paralisava-lhe o ímpeto.

Foi assim que murmurou carinhosamente:

— Meu amigo, não vos entregueis de todo ao desânimo e ao abatimento! Jesus é a personificação de toda a misericórdia e há de confortar-vos o coração! Creiamos e esperemos na sua bondade infinita!...

— Mas — obtemperava Helvídio Lucius na sua sinceridade dolorosa — eu sou um pecador que se julga sem perdão e sem esperança!

— Quem não o seria neste mundo, meu amigo?! — exclamou Célia cheia de bondade. — Porventura, não seria destinada a todos os homens a lição da "primeira pedra"? Quem poderá dizer "nunca errei", no oceano de sombras em que vivemos? Deus é o juiz supremo e na sua misericórdia inexaurível não pode cobrar aos filhos um débito inexistente!... Se vossa filha sofreu, houve, em tudo, uma lei de provações, que se cumpriu conforme com a sabedoria divina!...

— No entanto — gemeu o tribuno em voz desalentada —, ela era boa e humilde, carinhosa e justa! Além do mais, sinto que fui impiedoso, pelo que experimento agora as mais rudes acusações da própria consciência!...

E como se quisesse transmitir ao interlocutor a imagem exata das suas reminiscências, o filho de Cneio Lucius acrescentou, enxugando as lágrimas:

— Se a vísseis, irmão, no dia fatídico e doloroso, concordaríeis, certo, em que minha desventurada Célia era qual ovelha imaculada a caminhar para o sacrifício. Não poderei esquecer o seu olhar pungente, ao afastar-se do aprisco doméstico, ao segregar-se do santuário da família, honrado sempre pela sua alma de menina com os atos mais nobres de trabalho e renúncia! Recordando esses fatos, vejo-me qual tirano que, depois de se abandonar a toda sorte de crimes, andasse pelo mundo mendigando a própria justiça dos homens, de modo a experimentar o desejado alívio da consciência!

Ouvindo-lhe as palavras, a jovem chorava copiosamente, dando curso às suas próprias reminiscências, eivadas de dor e de amargura.

— Sim, irmão — continuou o tribuno angustiado —, sei que chorais pelas desventuras alheias; sinto que as minhas provas tocaram igualmente o vosso coração. Dizei-me!... que deverei fazer para encontrar, de novo, a filha bem-amada? Será que também ela tenha buscado o Céu sob o látego das angústias humanas? Que fazer para beijar-lhe, um dia, as mãos, antes da morte?

Essas perguntas dolorosas encontravam tão somente o silêncio da jovem, que chorava comovida. Breve, porém, como tomada de súbita resolução, acentuou:

— Meu amigo, antes de tudo precisamos confiar plenamente em Jesus, observando em todos os nossos sofrimentos a determinação sagrada da sua sabedoria e bondade infinitas! Não desprezemos, porém, o tempo, a lastimar o passado. Deus abençoa os que trabalham e o Mestre prometeu amparo divino a quantos laborem no mundo com perseverança e boa vontade!... Se ainda não reencontrastes a filhinha carinhosa, é necessário dilatar os laços do sangue, a fim de que eles se conjuguem nos laços eternos e luminosos da família espiritual. Deus velará por vós, desde que, para substituir o afeto da filha ausente, busqueis estender o coração a todos os desamparados da sorte... Há milhares de seres que suplicam uma esmola de amor aos semelhantes! Debalde mostram os braços nus aos que passam, felizes, pelos caminhos floridos de esperanças mundanas.

"Conheço Roma e o turbilhão de suas misérias angustiosas. Ao lado das residências nobres das Carinas, dos edifícios soberbos do Palatino e dos bairros aristocráticos, há os leprosos da Suburra, os cegos do Velabro, os órfãos da Via Nomentana, as famílias indigentes do Trastevere, as negras misérias do Esquilino!... Estendei vosso braço às filhas dos pais anônimos, ou dos lares desprotegidos da fortuna!... Abracemo-nos com os miseráveis, repartamos nosso pão para mitigar a fome alheia! Trabalhemos pelos pobres e pelos desgraçados, pois a caridade material, tão fácil de ser praticada, nos levará ao conhecimento da caridade moral que nos transformará em verdadeiros discípulos do Cordeiro. Amemos muito!... Todos os apóstolos do Senhor são unânimes em declarar que o bem cobre a multidão de nossos pecados! Toda vez que nos desprendemos dos bens deste mundo, adquirimos tesouros do Alto, inacessíveis ao egoísmo e à ambição que devoram as energias terrestres. Convertei o supérfluo de vossas possibilidades financeiras em pão para os desgraçados. Vesti os nus, protegei os orfãozinhos! Todo o bem que fizermos ao desamparado constitui moeda de luz que o Senhor da seara entesoura para nossa alma. Um dia nos reuniremos na verdadeira pátria espiritual, onde as primaveras do amor são infindáveis. Lá, ninguém nos perguntará pelo que fomos no mundo, mas seremos inquiridos sobre as lágrimas que enxugamos e as boas ou más ações que praticamos na estância terrena."

E, de olhos fixos, como a vislumbrar paisagens celestes, prosseguiu:

– Sim, há um Reino de Luz onde o Senhor nos espera os corações! Façamos por merecer-lhe as graças divinas. Os que praticam o bem são colaboradores de Deus no infinito caminho da vida... Lá, não mais choraremos em noite escura, como acontece na Terra. Um dia perene banhará a fronte de todos os que amaram e sofreram nas estradas espinhosas do mundo. Harmonias sagradas vibrarão nos Espíritos eleitos que conquistarem essas moradas cariciosas!... Ah! que não faremos nós para alcançar esses jardins de delícia, onde repousaremos nas realizações divinas do Cordeiro de Deus?! Mas, para penetrar essas maravilhas, temos de início o trabalho de aperfeiçoamento interior, iluminando a consciência com a exemplificação do Divino Mestre!

Havia no olhar do irmão Marinho um clarão sublimado, como se os olhos mortais estivessem descansando nesse país da luz, formoso e fulgurante, que as suas promessas evangélicas descreviam. Lágrimas serenas deslizavam-lhe dos olhos calmos, selando a verdade das suas palavras.

Helvídio Lucius chorava sensibilizado, sentindo que as sagradas emoções da jovem lhe invadiam igualmente o coração, num divino contágio.

– Irmão Marinho – disse a custo –, pressinto a realidade luminosa dos vossos conceitos e por isso trabalharei indefesamente, a fim de obter a precisa paz de consciência e poder meditar na morte, com a beleza de vossas concepções. Praticarei o bem, doravante, sob todos os aspectos e por todos os meios ao meu alcance, e espero que Jesus se apiede de mim.

– Certo, o Divino Mestre nos ajudará – concluiu a jovem, acariciando-lhe os cabelos brancos.

A noite ia adiantada e Célia, deixando o coração paterno banhado de consoladoras esperanças, recolheu-se a um mísero cubículo, onde, desfeita em pranto, rogou a Cneio Lucius a esclarecesse naquele transe difícil, em que o afeto filial se apossava de suas fibras mais sensíveis.

Sorrindo piedoso e calmo, o Espírito do velhinho correspondeu-lhe às súplicas, dizendo do seu intenso agradecimento a Deus, por ver o filho entre as luzes cristãs, mas advertindo que a revelação da sua identidade filial era, naquelas circunstâncias, inaproveitável e extemporânea, e encarecendo aos seus olhos a delicadeza da situação e as realizações do porvir.

Fortalecida e encorajada, Célia preparou a primeira refeição da manhã, que o tribuno ingeriu, sentindo um novo sabor e experimentando as melhores disposições para enfrentar de novo a vida.

Sabendo da sua antiga predileção pelo ambiente rural, o irmão Marinho levou-o a visitar o horto extenso, onde, à custa de seus esforços e trabalhos ingentes, o mosteiro de Epifânio possuía um verdadeiro parque de produção sadia e sem preço.

Nos grandes talhões da terra, elevavam-se árvores frutíferas, cultivadas com esmero, salientando-se as seções de legumes e a zona bem cuidada onde se alinhavam animais domésticos. Sob as ramagens frondosas descansavam cabras mansas, a confundirem-se com as ovelhas de lã clara e macia. Além, pastavam jumentas tranquilas e, de quando em quando, nuvens de pombos passavam alto em revoada alegre. Entre as verduras, brincavam os fios móveis de um grande regato e, em tudo, observava Helvídio Lucius cuidadosa limpeza, convidando o homem à vida bucólica, simples e generosa.

De espaço a espaço, encontravam um velhinho humilde ou uma criança sadia, que o irmão Marinho saudava com um gesto de ternura e bondade.

Fundamente impressionado com o que via, o filho de Cneio Lucius disse comovidamente:

— Este horto maravilhoso dá-me a impressão de um quadro bíblico! Entre estas árvores respiro o ar balsâmico, como se o campo aqui me falasse mais intimamente à alma! Esclarecei-me! Quais os vossos elementos de trabalho? Quanto pagais aos trabalhadores dedicados, que devem ser os vossos auxiliares?...

— Nada pago, meu bom amigo, cultivo este horto há muito tempo e é daqui que se abastece o mosteiro, do qual tenho sido modesto jardineiro. Não tenho empregados. Meus auxiliares são antigos moradores da vizinhança, que me ajudam graciosamente, quando podem dispor de alguma folga. Os demais são crianças da minha modesta escola, fundada há mais de um lustro[35] para satisfazer as necessidades da infância desvalida dos povoados mais próximos!...

— Que segredo haverá nestas paragens – exclamou Helvídio, respirando a longos haustos –, para que a terra se mostre tão dadivosa e exuberante?!

— Não sei – disse o irmão dos pobres com singeleza –, aqui tão somente amamos muito a terra! Nossas árvores frutíferas nunca são cortadas, para que recebamos as suas dádivas e as suas flores. Os cordeiros nos dão a lã preciosa, as cabras e as jumentas o leite nutritivo, mas não os deixamos matar nunca. As laranjeiras e oliveiras são as nossas melhores amigas. Às vezes, é à sua sombra que fazemos nossas preces, nos dias de repouso. Somos, aqui, uma grande família. E os nossos laços de afeto são extensivos à Natureza.

Fornecendo as explicações que Helvídio aceitava atenciosamente, enumerava fatos e descrevia episódios de sua observação e experiência

---

[35] N.E.: Cinco anos.

próprias, imprimindo em cada palavra o cunho de amor e simplicidade do seu espírito.

– Um dia – explicou com um sorriso infantil – observamos que os cabritos mais idosos gostavam de perseguir os cordeirinhos mansos e pequeninos. Então, as crianças da escola, recordando que Jesus tudo obtinha pela brandura do ensinamento, resolveram auxiliar-me na criação das ovelhas e das cabras, construindo para isso um só redil... Ainda pequenos, uns e outros, filhos de mães diferentes, eram reunidos em todos os lugares e, com o amparo dos meninos, levados às nossas preces e aulas ao ar livre. As crianças sempre acreditaram que as lições de Jesus deviam sensibilizar os próprios animais e eu as tenho deixado alimentar essa convicção encantadora e suave. O resultado foi que os cabritos brigões desapareceram. Desde então, o redil foi um ninho de harmonia. Crescendo juntos, comendo a mesma relva e sentindo sempre a mesma companhia, uns e outros eliminaram as instintivas aversões!... Por mim, observando essas lições de cada instante, fico a pensar como será feliz a coletividade humana quando todos os homens compreenderem e praticarem o evangelho!...

O tribuno ouviu a historieta na sua radiosa simplicidade com lágrimas nos olhos.

Fixando o interlocutor, Helvidio Lucius exclamou, deixando transparecer um brilho novo no olhar:

– Irmão Marinho, estou compreendendo, agora, a exuberância da terra e a maravilha da paisagem. Todos esses feitos são um milagre do devotamento com que vindes consagrando todas as energias à terra benfazeja! Tendes amado muito e isso é essencial. Por muitos anos, fui também homem do campo, mas, até pouco tempo, venho explorando o solo apenas com o interesse comercial. Agora compreendo que, doravante, devo amar também a terra, se algum dia regressar à lavoura. Hoje entendo que tudo no mundo é amor e tudo exige amor.

A jovem ouvia as considerações paternas, enlevada nas suas esperanças.

Três dias ali ficou Helvídio Lucius, a edificar-se naquela paz inalterável. Horas de tranquilidade suave, em que todas as amarguras terrestres como por encanto se lhe aquietavam no íntimo do coração entristecido.

Por vezes, Célia teve ímpetos de lhe comunicar as carinhosas emoções do seu coração filial e, contudo, estranha força parecia cortar-lhe a vontade, dando-lhe a entender que ainda era prematura qualquer revelação.

Por fim, ao despedir-se, mais fortalecido e confortado, o tribuno falou:

– Irmão Marinho, parto com o espírito tocado de novas disposições e de outras energias para enfrentar a luta e as tristes expiações que me competem na Terra!... Rogai a Deus por mim, pedi a Jesus que eu tenha o ensejo e a força de pôr em prática os vossos conselhos. Volto a Roma com a ideia do bem a cantar-me na alma. Seguirei vossas sugestões em todos os passos e, nesse escopo, é bem possível que o Senhor satisfaça as minhas justas aspirações paternas. Logo que possa, regressarei para abraçar-vos!... Jamais poderei esquecer o bem que me fizestes!

Ela tomou-lhe, então, a destra e beijou-a de olhos úmidos, enquanto o tribuno considerou, comovido, aquele gesto de humildade.

Ansiosamente, deteve-se a contemplar o carro que o transportava, de volta a Alexandria, até que ele se sumisse ao longe, numa nuvem de pó.

Fechando-se, então, no seu cubículo, abriu uma pequena caixa de madeira, trazida de Minturnes, na qual guardava a túnica com que saíra de casa no dia inolvidável do seu exílio. Entre as poucas peças, repousava a pérola que o pai lhe trouxera da Fócida, única joia que lhe ficara, depois de totalmente espoliada pela criminosa ambição de Hatéria. E revirava nas mãos, entre lágrimas, os objetos antigos e simples de suas cariciosas lembranças.

Elevando-se em prece a Deus, rogou não lhe faltassem as energias indispensáveis ao cumprimento integral de sua missão.

Quanto a Helvídio Lucius, de regresso, sentia-se como que banhado numa corrente de pensamentos novos.

O irmão Marinho, a seus olhos, era um símbolo perfeito dos dias apostólicos, quando os seguidores de Jesus operavam no mundo em seu nome.

Desembarcando em Nápoles, dirigiu-se para Cápua, onde foi recebido pelos filhos com excepcionais demonstrações de carinho.

Caius e a esposa exultaram com as suas melhoras físicas e espirituais, apenas estranhando que regressasse do Egito com tantas ideias de caridade e beneficência.

Depois de esclarecê-los, quanto ao irmão Marinho e à fascinação que ele exercera no seu espírito, Helvídio Lucius acentuou:

— Filhos, sinto que não poderei viver muito tempo e quero morrer de conformidade com a doutrina que abracei de coração. Voltarei agora a Roma e tratarei de preparar o porvir espiritual, conforme as minhas novas concepções. Espero que não me contrariem os últimos desejos. Dividirei nossos bens e a terça parte ser-lhes-á entregue em tempo oportuno. O restante, buscarei movimentar de acordo com a minha crença nova. Conto com o auxílio de ambos, neste particular.

No íntimo, Caius e Helvídia atribuíram a súbita transformação paterna a sortilégio dos cristãos, que, a seu ver, teriam abusado da sua situação de fraqueza e abatimento, em face dos muitos abalos morais. Nada obstante, com a generosidade que a caracterizava, a esposa de Fabricius acentuou:

— Meu pai, não ouso discutir vossos pontos de fé, pois, acima de qualquer controvérsia religiosa, estão o nosso amor e o vosso bem-estar! Procedei como melhor vos prover. Financeiramente, não deveis preocupar-vos com o nosso futuro. Caius é trabalhador e eu não tenho grandes pretensões. Além do mais, os deuses velarão sempre por nós, como o têm feito até agora. Portanto, podereis agir, sempre confiante em nosso afeto e acatamento às vossas decisões.

Helvídio Lucius abraçou a filha, em sinal de júbilo pela sua compreensão, enquanto Caius, num sorriso, esboçou o seu assentimento.

Voltando a Roma dos seus dias de triunfo e mocidade, o orgulhoso patrício estava radicalmente transformado. Seu primeiro ato de verdadeira conversão a Jesus foi libertar todos os escravos da sua casa, providenciando solicitamente pelo futuro deles.

Afrontando os perigos da situação política, não fez mistério de suas convicções religiosas, exaltava as virtudes do Cristianismo nas esferas mais aristocráticas. Os amigos, porém, o ouviam penalizados. Para os de sua esfera social, Helvídio Lucius padecia as mais evidentes perturbações mentais, provenientes da tragédia dolorosa que lhe enchera o lar de um luto perpétuo e angustioso. O tribuno, todavia, como se prescindisse de todas as honrarias exigidas pelos de sua condição, parecia inacessível aos conceitos alheios e, com assombro de todas as suas relações, dispôs da maioria dos bens patrimoniais em obras piedosas, com as quais os órfãos e as viúvas se beneficiavam. Seus companheiros humildes da Porta Ápia se regozijaram com o ardor evangélico de que dava, agora, pleno testemunho, auxiliando-lhes os esforços e defendendo-os publicamente. Não mais se entregou aos ócios sociais, porquanto, às vezes, pela manhã, era visto no Esquilino ou na Suburra, no Trastevere ou no Velabro, buscando informações dessa ou daquela família de indigentes. Não só isso. Visitou os descendentes de Hatéria, procurou-a no intuito de perdoar-lhe, mas não encontrou sequer notícias, pois ninguém conhecia o trágico fim da velhinha, ocorrido no mesmo sentido oculto por ela utilizado para a prática do mal. O tribuno, todavia, aproveitou a estada em Benevento para ensinar aos membros daquela família, que se considerava integrada na sua tutela, os métodos seguidos pelo irmão Marinho no trato carinhoso da terra. Em seguida, ei-lo na herdade de Caius Fabricius, onde assumiu voluntariamente a direção de numerosos serviços rurais, utilizando aqueles processos que jamais poderia esquecer, tornando-se amado como um pai pelos que recebiam, de boa vontade, suas ideias novas e interessantes.

Todavia, depois de tantos e benéficos labores, o antigo tribuno adoeceu, sobressaltando o coração dos filhos e dos amigos.

Assim esteve um mês, combalido e padecente, quando um dia, melancólico e trêmulo, chamou a filha e lhe disse com a maior ternura:

– Helvídia, sinto que meus dias neste mundo estão contados e desejava rever o irmão Marinho, antes de morrer.

Ela lhe fez sentir a inconveniência da viagem, mas o tribuno insistia com tanto empenho que acabou anuindo, com a condição de fazer-se acompanhar pelo genro. Helvídio Lucius recusou, porém, alegando não desejar interromper o ritmo doméstico. Resolveram, então, que seguisse acompanhado por dois servos de confiança, na previsão de qualquer eventualidade.

Sentindo-se melhor com a consoladora perspectiva de voltar a Alexandria e rever os sítios onde lograra tanto conforto para o espírito abatido, o tribuno preparou-se convenientemente, não obstante os temores da filha, que lhe beijou as mãos enternecida, de coração pressago, quando o viu partir.

Helvídio Lucius estreitou-a nos braços com um olhar intraduzível, contemplando em seguida a paisagem rural, melancolicamente, como se quisesse guardar na retina um quadro precioso, observado pela última vez.

Caius e sua mulher, a seu turno, não conseguiram ocultar as lágrimas afetuosas.

Com o espírito de resolução que o caracterizava, o filho de Cneio Lucius não se deu conta dos temores e inquietações dos filhos, partindo serenamente, seguido pelos dois servos de Caius Fabricius, que o não abandonavam um só instante.

Contudo, antes que a embarcação aproasse a Alexandria, ele começou a sentir a recrudescência do seu mal orgânico. À noite, não conseguia forrar-se à dispneia inflexível e, durante o dia, sentia-se tomado de profunda fraqueza.

Fazia mais de um ano que conhecera de perto o irmão Marinho. Um ano mais, de trabalhos incessantes ao serviço da caridade evangélica. E Helvídio Lucius, que se deixara fascinar pelo espírito carinhoso do irmão dos infortunados e humildes, não queria morrer sem lhe demonstrar que aproveitara as lições sublimes. Não sabia explicar a simpatia infinita que o monge lhe despertara. Sabia, tão somente, que o amava com arroubos paternais. Assim, vibrando de júbilo por haver aplicado os seus ensinamentos com dedicação e destemor, aguardava ansioso o instante de revê-lo e cientificá-lo de todos os seus feitos, que, embora tardios, lhe haviam acalmado extraordinariamente o coração.

De Alexandria ao mosteiro, viajou numa liteira especial, com o conforto possível. Ainda assim, chegou ao destino grandemente combalido.

O irmão Marinho, por sua vez, estava vivendo os derradeiros dias do seu apostolado. Os olhos se lhe haviam tornado mais fundos e, no rosto, pairava uma expressão dolorosa e resignada, como se tivesse absoluta certeza do próximo fim.

O reencontro de ambos foi uma cena comovedora e tocante, porque Célia também esperava ansiosa o coração paterno, crente de que, em breve, partiria ao encontro dos entes queridos que a precederam nas sombras do sepulcro. Havia meses, interrompera as prédicas porque todos os esforços físicos lhe produziam hemoptises.[36] Todavia, os estudos evangélicos continuavam sempre. Os irmãos do mosteiro se incumbiram de prosseguir na tarefa sagrada, e os velhos e as crianças substituíam-na nos serviços do horto, onde as árvores se cobriam de flores novamente. Foi debalde que Epifânio, então tocado pelos atos de sacrifício e humildade daquela alma generosa, tentou levá-la para um aposento confortável e lavado de sol, no interior do mosteiro, a fim

---

[36] N.E.: Expectoração de sangue proveniente dos pulmões, traqueia e brônquios, mais comumente observável na tuberculose pulmonar.

de lhe atenuar os padecimentos. Ela preferiu a casinhola singela do horto, fazendo questão de ficar no insulamento das suas meditações e das suas preces, convicta de que o pai voltaria e desejando revelar-se-lhe, antes de morrer.

Era quase noite fechada quando o patrício lhe bateu à porta, atormentado por singulares padecimentos.

Recebeu-o com intenso júbilo, e, embora fraquíssima, providenciou a acomodação imediata dos servos em singela dependência distante, logo voltando ao interior, onde Helvídio a esperava aflito, dado o agravo súbito de todos os seus males.

Inutilmente, lhe trouxe a jovem os recursos da sua medicina caseira, porque, de hora a hora, o tribuno experimentava a dispneia, cada vez mais intensa, enquanto o coração lhe pulsava em ritmo precipitoso...

A noite ia adiantada quando Helvídio Lucius, fazendo a filha sentar-se junto dele, murmurou com dificuldade:

– Irmão Marinho... não cuides mais do meu corpo... Tenho a impressão de estar vivendo os últimos instantes... Guardava o secreto desejo de morrer aqui, ouvindo as vossas preces, que me ensinaram a amar a Jesus... com mais carinho...

Célia começou a chorar amargamente, percebendo a realidade dolorosa.

– Chorais?!... sereis sempre o irmão... dos infelizes e desditosos... Não me esqueçais nas vossas orações...

E, lançando à filha um olhar inolvidável e triste, continuava na voz reticenciosa da agonia:

– Quis voltar para dizer-vos que procurei pôr em prática as vossas lições sublimes. Sei que outrora fui um perverso, um orgulhoso... Fui pecador, irmão, vivia longe da luz e... da verdade. Mas... desde que me fui daqui, tenho procurado proceder conforme me ensinastes... Dispus da maior parte dos bens em favor dos pobres e dos mais desfavorecidos da sorte... Procurei proteger as famílias desventuradas do Trastevere, busquei os órfãos e as viúvas do Esquilino... Proclamei minha crença nova entre todos os amigos que me ridicularizaram... Doei uma casa aos companheiros de fé, que se reúnem perto da Porta Ápia... Busquei todos os meus inimigos e lhes pedi perdão para poder repousar o pensamento atormentado... Permanecendo muitos meses na herdade de meus filhos, ensinei o Cristianismo aos escravos, dando-lhes notícias do vosso horto, onde a terra recebe a mais elevada cooperação de amor... Então, via que todos trabalhavam como me ensinastes... Em cada moeda que oferecia aos desgraçados, eu vos via abençoando o meu gesto e a minha compreensão... Não tenho coragem de me dirigir a Jesus... Sinto-me fraco e pequenino diante da sua grandeza... Pensava assim em vós, que conheceis a dolorosa história da minha vida... Pedireis por mim ao Divino Mestre, pois as vossas orações devem ser ouvidas no Céu...

Fizera uma pausa na exposição dolorosa, enquanto a jovem se mantivera em silêncio, orando com lágrimas.

Sentando-se a custo, porém, o patrício tomou-lhe a destra e, fixando-lhe os olhos percucientes, continuou em voz entrecortada a revelar as suas derradeiras esperanças e desejos:

— Irmão Marinho, tudo fiz com a mesma aspiração paterna de encontrar minha filha no plano material... Buscando os pobres e desamparados da sorte, muitas vezes julguei encontrá-la, restituída ao meu coração... Desde que me fiz adepto do Senhor, creio firmemente na outra vida... Creio que encontrarei além do sepulcro todos os afetos que me antecederam no túmulo e quisera levar à minha companheira a certeza de haver reparado os erros do passado doloroso... Minha esposa foi sempre ponderada e generosa e eu desejava levar-lhe a notícia... de haver reparado os impulsos doutros tempos, quando não sentia Jesus no coração...

E como se desejasse mostrar o seu último desencanto, o moribundo concluía, depois de uma pausa:

— Entretanto... Irmão... o Senhor não me considerou digno dessa alegria... Esperarei, então, o seu breve julgamento, com o mesmo remorso e com o mesmo arrependimento...

Ante aquele ato de humildade suprema e de suprema esperança no Senhor Jesus, o irmão Marinho levantou-se e, fitando-o de olhos úmidos e brilhantes, exclamou:

— Vossa filha aqui está, esperando a vossa vinda!... Haveis de reconhecer que Jesus ouviu as nossas súplicas!...

Helvídio despedia um olhar penetrante, cheio de amargura e de incredulidade, enquanto, pelas faces pálidas, lhe escorria copioso o suor da agonia.

— Esperai! – disse a jovem num gesto carinhoso.

E volvendo rápida ao interior, desfez-se do burel, e vestiu a velha túnica com que se ausentara do lar no momento crítico do seu doloroso destino, colocando ao peito a pérola da Fócida que o pai lhe ofertara na véspera do trágico acontecimento. E dando aos cabelos o seu penteado antigo, penetrava no quarto ansiosamente, enquanto o moribundo verificava a sua metamorfose, assomado de espanto.

— Meu pai! Meu pai!... – murmurou enlaçando-lhe o busto, com ternura, como se naquele instante conseguisse realizar todas as esperanças da sua vida.

Todavia, Helvídio Lucius, com a fronte empastada de álgido suor, não teve forças para exteriorizar a alegria íntima, colhido de surpresa e assombro indefiníveis. Quis abraçar-se à filha idolatrada, beijar-lhe as mãos e pedir-lhe perdão, na sua alegria suprema. Desejava ter voz para dizer o júbilo que lhe dominava o coração paterno, inquirindo-a e expondo-lhe os seus sofrimentos inenarráveis. A alegria intensa havia rompido, porém, as suas derradeiras possibilidades verbais. Apenas os olhos, percucientes e lúcidos, refletiam-lhe o estado da alma, dando conta da sua emoção indescritível. Lágrimas silenciosas começavam a rolar-lhe pelas faces descarnadas, enquanto Célia o osculava, murmurando ternamente:

— Meu pai, do seu Reino de Misericórdia, Jesus ouviu as nossas preces! Eis-me aqui. Sou vossa filha!... Nunca deixei de vos amar!...

E como se quisesse identificar-se por todos os modos aos olhos paternais, no instante supremo, acrescentava:

— Não me reconheceis? Vede esta túnica! É a mesma com que sai de casa no dia doloroso... Vedes esta pérola? É a mesma que me destes na véspera de nossas provações rudes... Louvado seja o Senhor que nos reúne aqui, nesta hora de dor e de verdade. Perdoai-me se fui obrigada a adotar uma indumentária diferente, a fim de enfrentar a minha nova vida! Precisei desses recursos para defender-me das tentações e furtar-me à concupiscência dos homens inferiores!... Desde que sai do lar, tenho empregado o tempo em honrar o vosso nome... Que desejais vos diga ainda, por demonstrar minha afeição e meu amor?...

No entanto, Helvídio Lucius sentia que misteriosa força o arrebatava do corpo; uma sensação desconhecida lhe vibrava no íntimo, envolvia-o numa atmosfera glacial.

Ainda tentou falar, mas as cordas vocais estavam hirtas. A língua paralisara na boca intumescida. Todavia, atestando os profundos sentimentos que lhe vibravam no coração, vertia copiosas lágrimas, envolvendo a filha adorada num olhar amoroso e indefinível. Esboçou um gesto supremo, desejando levar as mãos de Célia aos lábios, mas foi ela quem, adivinhando-lhe a intenção, tomou-lhe as mãos inertes, frias, e osculou-as longamente. Depois, beijou-lhe a fronte, tomada de imensa ternura!...

Ajoelhando-se em seguida, rogou ao Senhor, em voz alta, recebesse o espírito generoso do pai, no seu Reino de Amor e de Bondade Infinita!...

Com lágrimas de afeto e de agradecimento ao Altíssimo, cerrou-lhe as pálpebras no derradeiro sono, observando que a fisionomia do tribuno estava, agora, nimbada de paz e serenidade.

Por instantes permaneceu genuflexa e viu que o ambiente se enchera de numerosas entidades desencarnadas, entre as quais se destacavam os perfis de sua mãe e do avô, que ali permaneciam de semblante calmo e radiante, estendendo-lhe os braços generosos.

Figurou-se-lhe que todos os amigos do tribuno estavam presentes no instante extremo, a fim de lhe escoltar a alma regenerada, aos luminosos páramos do Cordeiro de Deus.

Aos primeiros clarões da aurora, deu as necessárias providências, solicitando a presença dos servos do morto, que acorreram pressurosos ao chamado.

Novamente reintegrada no seu hábito de monge, Célia encaminhou-se ao mosteiro e comunicou o fato à autoridade superior, rogando providências.

Todos, inclusive o próprio Epifânio, auxiliaram o irmão Marinho na solução do assunto.

Os serviçais de Caius Fabricius explicaram, porém, que seus patrões, em Cápua, estavam certos de que o viajante não poderia resistir aos percalços da viagem mais que penosa, e os haviam esclarecido sobre as personalidades a quem se deveriam dirigir em Alexandria, para que os despojos voltassem à Campânia, caso o tribuno falecesse.

E assim, de manhã bem cedo, um grupo de quatro homens, inclusive os dois servos indicados, transportavam o cadáver de Helvídio Lucius para a cidade próxima.

Encostada à porta da sua choupana e ante o olhar dos irmãos do mosteiro que a acompanhavam, Célia contemplou a liteira fúnebre até que desaparecesse ao longe, entre nuvens de pó.

Quando o grupo desapareceu nas derradeiras curvas da estrada, Célia sentiu-se só e abandonada, como nunca. A revivescência da afeição paterna, em tais circunstâncias, lhe havia trazido amargurosa tristeza. Jamais a agrura do mundo se apossara tão fortemente de sua alma. Buscou o refúgio da prece e, todavia, figurou-se-lhe que as mais pesadas sombras lhe haviam invadido o ser. Não tinha desesperado o coração, nem o senso do infortúnio lhe consentia queixumes e lamentações. Mas uma saudade singular dos seus mortos bem--amados enchia-lhe, agora, o coração de um como filtro misterioso de indiferentismo para o mundo. Começou a fixar o pensamento em Jesus, mas, em breve, as rosas de sangue começaram a brotar de sua boca, num fluxo contínuo.

Alguns irmãos amigos acercavam-se, enquanto Epifânio, tocado no mais fundo do coração, mandava transferi-la para o mosteiro com a maior solicitude.

De nada valeram, porém, os recursos médicos e as supremas dedicações da extrema hora.

As hemoptises se prolongavam, assustadoramente, sem ensejarem qualquer esperança.

Na sua velhice cheia de unção e arrependimento, o superior tudo envidava para restituir a saúde ao jovem monge, cujas virtudes se impuseram como símbolo de amor e de trabalho...

Dois dias se passaram, de aflição infinita.

Durante aquelas horas torturantes, Epifânio deu ordem para que as visitas fossem recebidas. Pela primeira vez, as portas do convento se abriram para os populares e os velhinhos das redondezas se aproximaram do irmão Marinho, cheios de lágrimas sinceras.

Um a um, acercaram-se da jovem, beijando-lhe as mãos trêmulas e descarnadas.

– Irmão Marinho – dizia um deles –, tu não deverias morrer!... Se partires agora, quem ensinará o bom caminho às nossas filhas?

– E quem ensinará o evangelho aos nossos netos? – clamava um outro, disfarçando as lágrimas.

Todavia, a jovem, de olhar firme e sereno, exclamava com bondade:

– Ninguém morre, meus irmãos! Não nos prometeu Jesus a vida eterna?...

Para cada qual, tinha um olhar de ternura e a luz cariciosa de um sorriso.

Na noite imediata agravaram-se de maneira atroz os seus padecimentos.

Compreendendo que o fim se aproximava, o velho Epifânio perguntou-lhe algo, quanto aos seus últimos desejos, e ela, erguendo para o superior o olhar sereno, disse apenas:

— Meu pai, rogo que me perdoeis se alguma vez vos ofendi por atos ou por palavras!... Orai por mim, para que Deus tenha compaixão de minha alma... e se é permitido pedir-vos alguma coisa... desejo ver as crianças da escola, antes de morrer...

Epifânio ocultou as lágrimas, levando as mãos ao rosto, e, antes do amanhecer, três irmãos saíram pelos povoados mais próximos, a fim de reunir os pequeninos, por satisfazer os últimos desejos da agonizante.

Depois do meio-dia, todas as crianças da escola penetraram o quarto respeitosas.

O irmão Marinho, recostado nas almofadas, enviava-lhes um sorriso bom e compassivo, embora o peito lhe arfasse penosamente.

Num gesto extremo chamou-as a si, inquirindo a cada uma sobre os estudos, o trabalho, a escola...

Os meninos, mal percebendo a hora dolorosa, sentiam-se à vontade, enquanto Célia lhes sorria.

— Irmão Marinho — dizia um pequenote de olhos graves —, todos nós, lá em casa, temos pedido a Deus pelas vossas melhoras!

— Obrigado, meu filho!... — dizia a enferma, fazendo o possível por dissimular os sofrimentos.

Em seguida, era uma pequenina interessante no seu vestidinho pobre, a balbuciar em tom discreto:

— Irmão Marinho, pai Epifânio não deixou que eu plantasse a roseira ao pé do redil e me repreendeu asperamente.

— Que tem isso, filhinha?... Pai Epifânio tem razão... o redil não é lugar das flores... Plantarás a roseira nova perto da janela. Lá ela receberá mais Sol... E tu darás ao pai Epifânio a primeira flor...

— Olha, irmão — repetia outro pequenito de cabelos despenteados —, as ovelhas esta noite nos deram dois novos cordeirinhos.

— Tratarás deles, meu filho!... — dizia a jovem com dificuldade.

— Irmão — exclamava outro menino —, tenho rogado a Jesus que te devolva a saúde preciosa!

— Meu filho... — dizia ainda a agonizante —, nós não devemos pedir ao Senhor isso ou aquilo, e sim a compreensão de sua vontade que é soberana e justa...

Em face da inquietude infantil que a rodeava, exclamou, desejando concentrar as derradeiras energias para a prece:

— Filhinhos... cantem... para mim!...

Entre as crianças deu-se ligeiro tumulto, quanto à escolha do hino a ser cantado.

Foi, então, que uma pequenita lembrou que o Sol se preparava para mergulhar no horizonte, fazendo sentir aos companheiros que, nessa hora, o irmão Marinho preferia sempre o "Hino do Entardecer", ensinado a todos com carinho fraternal.

Então, todos, de mãos dadas, rodearam o leito, no qual a jovem exausta oferecia a Deus os seus derradeiros pensamentos, enquanto todos os irmãos da comunidade observaram, chorando, à distância, a cena comovedora e dolorosa.

Mais alguns minutos e elevaram-se aos Céus as notas cristalinas do cântico singelo:

Louvado sejas, Jesus!
Na aurora cheia de orvalho,
Que traz o dia, o trabalho,
Em que andamos a aprender.
Louvado sejas, Senhor!
Pela luz das horas calmas,
Que adormenta as nossas almas
No instante do entardecer...

O campo repousa em preces,
O céu formoso cintila,
E a nossa crença tranquila
Repousa no teu amor;
É a hora da tua bênção
Nas luzes da Natureza,
Que nos conduz à beleza
Do plano consolador.

É nesta hora divina,
Que o teu amor grande e augusto
Dá paz à mente do justo,
Alívio e conforto à dor!

*Amado Mestre abençoa
A nossa prece singela,
Faze luz sobre a procela
Do coração pecador!*

*Vem a nós! Do céu ditoso,
Ampara a nossa esperança,
Temos sede de bonança,
De amor, de vida e de luz!
Na tarde feita de calma,
Sentimos que és nosso abrigo,
Queremos viver contigo,
Vem até nós, meu Jesus!...*

Célia ouvia o hino das crianças, em seus últimos acordes. Pareceu-lhe que a sala humilde estava povoada de artistas inimitáveis. Eram todos jovens graciosos e crianças risonhas, que empunhavam flautas e harpas siderais, alaúdes e instrumentos divinos. Desejou contemplar os meninos da sua escola humilde e falar-lhes, mais uma vez, da sua alegria infinda, mas, ao mesmo tempo, sentiu-se rodeada de seres carinhosos que, sorridentes, lhe estendiam os braços. Ali estavam seus pais, o venerando avô, Nestório, Hatéria, Lésio Munácio e a figura encantadora de Ciro, como que envolta num peplo de neve translúcida... A um gesto da amorável entidade Cneio Lucius, Ciro avançava estendendo-lhe os braços. Era o gesto de carinho que o seu coração esperara toda a vida!... Quis falar da sua felicidade e gratidão ao Senhor dos mundos, mas sentia-se exausta, como se chegasse de uma luta extenuante.

Guardando-lhe a fronte nas mãos, sob a música do carinho, Ciro lhe dizia de olhos úmidos:

– Ouve, Célia! Este é um dos sublimes cantos de amor, que te consagram na Terra!

Ela não viu que as crianças ansiosas lhe cobriam de lágrimas as mãos imóveis e alvas, abraçando ternamente o seu cadáver de neve... A um só tempo, todos os irmãos do mosteiro se lançaram comovidos para os seus despojos, ao passo que, no plano invisível, um grupo de entidades amigas e carinhosas conduzia, numa onda de luz e perfumes, aos páramos do Infinito, aquela alma ditosa de mártir.

VII
Nas esferas espirituais

Prestando as derradeiras homenagens ao irmão Marinho, os religiosos do mosteiro conheceram a verdade dolorosa. Só então, certificaram-se de que o caluniado irmão dos pobres e da infância desvalida era uma virgem cristã, que exemplificava, entre eles, as mais elevadas virtudes evangélicas.

Diante do fato imprevisto e passada a comoção do espanto, todos os monges, inclusive Epifânio, se prosternavam humildes, banhados no pranto da compunção e do arrependimento.

Inutilmente buscaram investigar a origem e antecedentes da jovem mártir, não só para conservarem da sua pessoa e dos seus feitos imorredoura lembrança, a fim de poderem, mais tarde, justificar a sua exemplificação santificante.

Cheio de amargura, o velho superior da comunidade reclamou a presença de Menênio Túlio e da filha, para que se esclarecesse a pérfida calúnia, mas, ante o cadáver da virgem cristã e recordando a sua humildade, Brunehilda perdeu a razão para sempre.

Nunca mais a figura de Célia foi olvidada pelos religiosos, pelos crentes, pelos desventurados e pelos aflitos. Convertida em símbolo de amor e piedade, sua memória centralizou, nos arredores de Alexandria, os votos e rogativas das almas fervorosas e sinceras.

Acompanhando nossas principais personagens à vida do além-túmulo, antes de iniciarem novas lutas remissoras, vamos encontrá-las em grupos dispersos, conforme o seu estado consciencial, às vésperas de regressarem, convocadas ao esforço coletivo nos sagrados institutos da família.

À exceção de Célia, chamada a um mundo superior, onde lhe foi concedida a tarefa de velar pela evolução dos seus entes bem-amados, os demais permaneciam nas esferas mais próximas da Terra, regiões de trabalho e de luta, buscando cada qual armazenar energias novas para subsequentes esforços no plano material.

De todo o grupo, as personalidades de Claudia Sabina, Lólio Úrbico, Fábio Cornélio e Silano Plautius eram as que se conservavam nas regiões mais rasas e mais sombrias, atento o doloroso estado de consciência que as caracterizava.

Em esferas mais elevadas, Helvídio Lucius junto de quantos lhe foram familiares, inclusive Ciro, repousavam do trabalho, esforçando-se, em conjunto, por fixar as bases espirituais, asseguradoras de êxito futuro.

Algumas personagens, como Nestório e Policarpo, faziam grandes excursões pelos arredores sombrios do planeta, cooperando com os mensageiros de Jesus, que pregavam a Boa-Nova aos espíritos desalentados e sofredores, levando a efeito o mais sadio aprendizado evangélico para as lutas do futuro nos ambientes terrenos, onde prosseguiriam, mais tarde, no abençoado labor de redenção do passado culposo.

A vida cariciosa do plano espiritual constituía, para todos, um conforto suave.

Continuamente, os grandes portadores das determinações divinas ensinavam aí as verdades do Mestre, enchendo os corações de paz e de esperança.

As almas afins, reunidas em grupos familiares, sabem apreciar, fora das vibrações pesadas do mundo físico, os bens supremos da verdade e da paz, sob os laços sublimes do amor e da sabedoria.

Examinadas as disposições felizes dessas duas esferas, cuja intimidade encantadora não poderemos descrever aos leitores humanos, vamos encontrar o agrupamento de Cneio Lucius na região de repouso em que todas as nossas personagens se encontravam, embaladas na carícia suave de numerosos afetos dos séculos longínquos.

Tudo era uma carinhosa esperança nos corações e um generoso propósito nas almas.

Os nobres projetos, com vistas ao porvir, sucediam-se uns aos outros.

No grupo em que a tranquilidade se estampava no espírito de todos os componentes, esperava-se Júlia Spinther que, em companhia de Nestório, descera aos ambientes inferiores do orbe terrestre, tentando acordar, com o seu amor, os sentimentos entorpecidos do companheiro, que se mantinha nas mesmas atitudes de ódio e vingança.

– É inútil – dizia Cneio Lucius bondosamente, dirigindo-se aos filhos e aos amigos –, é inútil mantermos propósitos de vindita depois das lutas terrestres, pois a reencarnação, nesse caso, soluciona todos os problemas! Na minha última ida a Roma, tive ocasião de ver o imperador Élio Adriano no corpo miserável do filhinho de uma escrava. Desde essa hora, tenho ponderado bastante os nossos deveres e a necessidade de recebermos com o maior amor a vontade divina.

– Sim – exclamava Lésio Munácio, então presente –, nas minhas excursões evangélicas pelas zonas inferiores, tenho encontrado antigos nobres de nossa época, que suplicam a Deus uma nova oportunidade na Terra, sem escolherem as condições do futuro aprendizado!

– O conhecimento no Espaço – aventava Helvídio Lucius – parece que nos enche o coração de profunda dedicação pelo sofrimento. Em face da grandeza divina e reconhecendo, aqui, a nossa insignificância, sentimo-nos capazes de todas as tarefas de redenção, porquanto, agora, aos nossos olhos, os maiores feitos da Terra são ações humildes e pequeninas.

– Grande é a misericórdia de Jesus – dizia Cneio – que nos concedeu os patrimônios da vida eterna.

Enquanto a conversação ia animada com o concurso de Alba Lucínia e da sua antiga serva, regressavam Nestório e Júlia Spinther da sua excursão de amor e de fraternidade.

A velha matrona trazia o semblante desolado, fornecendo aos companheiros o testemunho de sua desilusão e de suas lágrimas.

– Então, minha mãe – exclamou Lucínia, abraçando-a, ao mesmo tempo que usava a linguagem amiga e carinhosa da Terra –, conseguiste alguma coisa?!...

– Por enquanto, filhinha – retrucava Júlia Spinther, enxugando as lágrimas –, todos os meus esforços resultam inúteis. Infelizmente, Fábio não trabalha, intimamente, por adquirir a suprema compreensão das grandes leis da vida. Encarcerado nos seus pensamentos tristes, não cede, absolutamente, às minhas súplicas!...

— Entretanto — elucidava Nestório aos companheiros, que lhe ouviam a palavra com interesse —, Policarpo já se prepara, junto de quantos o acompanham na luta, para a próxima reencarnação coletiva. A nossa não poderá tardar muito. O único obstáculo que parece retardar nossa marcha é a ausência de uma compreensão perfeita daquele inolvidável ensinamento de Jesus, quanto ao perdão de setenta vezes sete vezes.

— Bastaria perdoarmos para que o Senhor nos permitisse voltar ao trabalho santificante? — perguntou Cneio Lucius intencionalmente.

— Sim — esclarecia Nestório na sua fé —, o perdão sincero é uma grande conquista da alma.

Nesse comenos, Cneio Lucius preparava os filhos, que se entreolhavam com alguma tristeza, pela dificuldade que tinham em esquecer os atos de Lólio Úrbico e de Claudia Sabina.

— De minha parte — dizia Júlia Spinther resignada —, não tenho coisa alguma a perdoar aos outros. Desde a minha desencarnação roguei insistentemente a Jesus que me fizesse esquecer todas as expressões de orgulho e amor-próprio.

— Muito bem, minha irmã — advertia Cneio com um sorriso sereno —, um coração feminino é inacessível aos sentimentos de ódio e represália.

E como percebera que os presentes relembravam, no íntimo, os atos de Claudia, em face de sua alusão generalizada, acrescentou com bondade:

— A mulher que odeia é uma dolorosa exceção no caminho da vida, pois Deus confiou às almas femininas o seu ministério mais santo, no seio da Criação infinita!

Todos compreenderam os seus generosos pensamentos e louvavam as suas ideias fraternais, quando Hatéria murmurou:

— Tenho suplicado ao Senhor dos mundos que me faça digna de viver junto de Cneio Lucius nos meus próximos trabalhos.

— Ora, filha — retrucou o ancião com um sorriso —, bem sei que nada valho, mas terei imenso júbilo se te puder ser útil alguma vez... Apenas te recomendo que, de futuro, deves temer o dinheiro como o pior inimigo da nossa tranquilidade.

Todos sorriram a essa alusão e a palestra continuou animada.

Algum tempo se passou, ainda, enquanto os corações das nossas personagens se retemperaram nas ideias do amor e do bem, da fraternidade e da luz, esperando as novas lutas.

Um dia, porém, um mensageiro das alturas veio convocar o grupo de Cneio Lucius a comparecer perante os numes tutelares que lhe presidiam os destinos, de modo a efetuar-se a livre escolha das provações futuras.

Examinados os projetos de esforço, com a livre cooperação de todos os que se achavam em condições evolutivas, imprescindíveis ao ato de resolução e de escolha, na esfera da responsabilidade individual, o grupo de Cneio Lucius continuava aguardando as determinações superiores para regressar à Terra.

De vez em quando, observavam-se, entre as nossas personagens, pequeninas impressões como estas:

— Uma das situações que mais receio — exclamava Helvídio Lucius — é a vida em comum com Lólio Úrbico, pois temo que ele reincida nas tendências inferiores da sua personalidade!

— Convencê-lo-emos pela dedicação e pelo amor — esclarecia Alba Lucínia. — Tenho suplicado a Jesus que nos conceda forças para tanto e estarei constantemente ao teu lado, a fim de podermos transfundir os seus sentimentos em fraternidade e afeição espiritual.

— Sim, meus filhos — ponderava o experiente e generoso Cneio Lucius —, precisamos amar muito! Somente com a renúncia sincera poderemos alcançar o Reino de Luz, prometido pelo Salvador. Entre todos os que ficarão sob a nossa responsabilidade, no porvir, uma alma existe, credora da nossa compaixão mais profunda!...

E como Helvídio e a companheira silenciassem, adivinhando-lhe os pensamentos, o ancião continuou:

— Refiro-me a Claudia Sabina, que ainda tem o coração como um deserto árido. As últimas visitas que lhe fiz, na região das sombras, deixaram-me envolto num véu de amargura!... Remorsos terríveis transformaram-lhe o mundo psíquico num caos de angustiosas perturbações! Em pura perda lhe tenho falado de Deus e de sua inesgotável misericórdia, porquanto, na caligem de seus pensamentos, não consegue perceber as nossas advertências consoladoras.

Alba Lucínia e o companheiro ouviram-no comovidos e, todavia, abstiveram-se de comentar o doloroso assunto.

Hatéria, entretanto, que lhe bebia avidamente as palavras, objetou, deixando entrever os amargos receios que lhe povoavam a mente:

— Meu generoso protetor, já fui notificada de que o meu roteiro de lutas se verificará em linhas paralelas ao de Claudia Sabina, em vista de meus erros imperdoáveis. Contudo, suplico o vosso amparo, apesar das novas energias que me felicitam a alma. Claudia é autoritária e insinuante e, se hoje se encontra acabrunhada e ensandecida, em virtude dos sofrimentos no plano invisível, não duvido de que, novamente na Terra, procure retomar a sua feição de orgulho e mandonismo.

— Filha — ponderava o ancião com um leve sorriso —, Jesus velará por nós, concedendo-nos a força precisa para o desempenho dos nossos deveres mais sagrados.

Júlia Spinther acompanhava as impressões de todos com amoroso interesse e exclamava, por vezes:

— Eu tudo daria por cultivar em nosso meio, no porvir que se aproxima, a paz perpétua e a harmonia duradoura. Repararei minhas faltas do passado, buscando compreender a essência do Cristianismo, para cuja luz eterna hei de conduzir o coração de Fábio, com o amparo do Cordeiro de Deus, que ouvirá minhas sinceras rogativas!...

A vida do grupo do venerando Cneio Lucius decorria, assim, em expectativas promissoras para o futuro. Cada qual, erguendo muito alto o coração, buscava apreender, cada vez mais e melhor, os ensinamentos de Jesus, de modo a recordar a sua claridade sublime entre as sombras espessas da Terra.

Os grupos afins de Policarpo e de Lésio Munácio já haviam regressado aos labores do mundo, quando as nossas personagens foram chamadas à determinação superior, a fim de baixarem aos tormentos e lutas purificadoras do ambiente terrestre.

Tomados de veneração e de esperança, acomodavam-se perante os executores da Justiça Divina, enquanto ao seu lado estacionava quase uma centena de companheiros, incluindo escravos, serviçais e amigos de outrora.

No recinto espiritual, de beleza maravilhosa, intraduzível na pobre linguagem humana, havia a cariciosa vibração de uma prece coletiva, que se escapava de todos os peitos, plenos de receio e de esperança.

— Irmãos — começou dizendo um mentor divino, a cuja responsabilidade estava afeta a direção daquele amistoso conclave —, breve estareis de novo na Terra, onde sereis convocados a praticar os divinos ensinamentos adquiridos no plano espiritual!... Agradeçamos à misericórdia do Senhor, que nos concede as preciosas oportunidades do trabalho a favor de nossa própria redenção, em marcha incessante para o amor e para a sabedoria. Vós que partis, amai a luta redentora, como se deve amar uma alvorada divina! Aqui, sob a luz da bondade infinita do Cordeiro de Deus, a alma egressa do mundo pode descansar de suas profundas mágoas. Os corações ulcerados se retemperam junto à fonte inesgotável do consolo evangélico, mas, acima de nossas frontes, há um Reino de Amor Perene e de Paz Inolvidável, que necessitamos conquistar com os mais altos valores da consciência! Adquiristes aqui os mais elevados conhecimentos, em matéria de sabedoria e amor; experimentastes o bafejo de sublimes consolações, como somente poderá senti-las o Espírito liberto das sombras e angústias materiais; observastes a beleza e a ventura que aguardam, no Infinito, as almas redimidas, todavia, é necessário regressardes à carne, a fim de poderdes experimentar o valor do vosso aprendizado! É na Terra, escola dolorosa e bendita da alma, que se desdobra o campo imenso de nossas realizações. Os erros de outrora devem ser reparados lá mesmo, entre as suas sombras cruciantes e espessas!... Enquanto se reparam, na sua superfície, os desvios das épocas remotas, faz-se mister aplicar nas suas estradas sombrias os ensinamentos recebidos do Alto, em virtude do acréscimo de misericórdia de Jesus, que não nos desampara. Na Terra está o aprendizado melhor, e aqui vigora o exame elevado e justo. Lá é a sementeira, aqui a colheita. Voltai novamente aos carreiros terrestres e reparai o passado doloroso!... Abraçai os vossos inimigos de ontem, para vos aproximardes dos vossos benfeitores no porvir! Fechai as portas da exaltação no mundo e sede surdos às ambições! Edificai o Reino de Jesus no imo, porque, um dia, a morte vos arrebatará de novo às angústias e mentiras humanas, para as análises proveitosas. A exemplificação de Jesus é o modelo de todos os corações. Não vos queixeis da orientação precisa, porque, em toda parte do mundo, como em todas as ideias religiosas e doutrinas filosóficas, há uma atalaia de Deus esclarecendo a consciência das criaturas! O mundo tem as suas lágrimas penosas e as suas lutas incruentas. Nas suas sendas de espinhos torturantes se congregam todos os fantasmas dos sofrimentos e das tentações, e sereis compelidos a positivar os vossos valores intrínsecos. Amai, porém, a luta como se os seus benefícios fossem os de um pão espiritual, imprescindível e precioso!... Depois de todas as conquistas que o plano terrestre vos possa proporcionar, sereis, então, promovidos aos mundos de regeneração e de paz, onde preparareis o coração e a inteligência para os Reinos da luz e da bem-aventurança supremas!...

A palavra sábia e inspirada do esclarecido mentor do Alto era ouvida com singular atenção.

Em dado instante, porém, sua voz esclareceu, depois de uma pausa:

– Agora, irmãos bem-amados, encontrareis aqui os adversários de ontem, para a conciliação e para os trabalhos futuros. Escolhestes e delineastes o mapa de vossas provas, porquanto já possuís a noção de responsabilidade e a precisa educação psíquica, para colaborar nesse esforço dos vossos guias!... Nossos irmãos infelizes, entretanto, ainda não possuem essas condições evolutivas e serão compelidos a aceitar as decisões daqueles gênios tutelares, que lhes acompanham a trajetória na trama dos destinos humanos... E esses gênios do bem deliberaram que eles vivam convosco, que aprendam nos vossos atos, que vibrem nas vossas experiências do futuro! Os executores dessas elevadas resoluções os trouxeram a todos, a fim de se processar a decisão final com o vosso concurso, nesta assembleia de divinos ensinamentos. Tendes, pois, o direito de escolher, entre eles, os companheiros do porvir, sem vos esquecerdes de que, nestes momentos, pode o nosso coração dar as melhores provas de compreensão daquele "amai-vos uns aos outros", da lição do Evangelho, onde repousa a base da nossa suprema evolução para os planos divinos!...

Nossas personagens entreolharam-se ansiosas.

A esse tempo, contudo, algumas entidades penetravam no recinto. Atrás dos vultos nobres de alguns Espíritos caridosos e amigos, vinham Claudia Sabina, Fábio Cornélio, Silano Plautius, Lólio Úrbico e, um pouco distantes, numerosos servos de outrora, comparsas dos mesmos erros e das mesmas ilusões dos nossos amigos, como, por exemplo, Pausânias, Plotina, Quinto Bíbulo, Pompônio Gratus, Lídio, Marcos e outros, enquanto o recinto se povoava de suas vibrações estranhas, saturadas de amargura indefinível.

A maior parte demonstrava surpresa amarga e dolorosa.

Quase todos se conservavam cabisbaixos e tristes, fazendo ouvir, de quando em quando, soluços penosos.

Observando a triste impressão dos filhos e sentindo que ambos se encontravam sob as tenazes de uma indecisão angustiosa, Cneio Lucius suplicava ao Senhor que o inspirasse quanto à melhor maneira de sacrificar-se pelos filhos bem-amados, conciliando o seu afeto com as próprias necessidades deles, em face do futuro.

Então, viu-se que o generoso velhinho levantava-se com desassombro e serenidade e, caminhando para a desolada Claudia Sabina, que não ousara erguer os olhos saturados de lágrimas, falar-lhe com infinita brandura:

— Já que a misericórdia de Jesus Cristo me faculta a escolha dos que viverão comigo, considerar-te-ei, minha irmã, desde já como filha, a quem devo consagrar uma afeição duradoura e divina!...

E, abraçando-a generosamente, concluía:

— De futuro permanecerás no meu lar, a fim de transfundirmos o ódio e a vingança em fraternidade sublime e sacrossanta! Comerás do nosso pão, participarás das minhas alegrias e das minhas dores, serás irmã de meus filhos!...

Claudia Sabina soluçava, sensibilizada pelo amor daquela alma devotada e generosa.

Hatéria, levantando-se, caminhou até Cneio Lucius e lhe beijou as mãos, que, naquele instante, estavam luminosas e translúcidas.

A esse tempo, Júlia Spinther amparava o coração desolado do companheiro, abraçando Silano Plautius e prometendo-lhe o seu auxílio devotado e amigo, no curso das lutas planetárias.

Foi aí que Helvídio Lucius e Alba Lucínia se levantaram e, dirigindo-se a Lólio Úrbico, que se ajoelhara como oprimido por um tormento implacável, estenderam-lhe os braços fraternos, prometendo-lhe amor e dedicação.

Continuando a mesma obra de solidariedade e devotamento, todos chamaram a si esse ou aquele antigo servo, bem como os comparsas de seus feitos passados, a fim de associá-los aos seus esforços no futuro.

Terminada essa tarefa bendita, o mentor da reunião perguntou serenamente:

— Todos estais certos de haver suficientemente perdoado?

Torturante silêncio... No íntimo, as nossas personagens experimentavam, ainda, certas dificuldades para esquecer o passado. Helvídio Lucius não olvidara as perseguições de Lólio Úrbico; Alba Lucínia não esquecera as ações de Claudia Sabina, e Fábio Cornélio, por sua vez, apesar dos sofrimentos, não se sentia capaz de perdoar o crime de Silano.

A indecisão era geral, mas uma luz branda e misericordiosa começou a verter do Alto, atingindo em cheio todos os corações. Sem exceção de um só, todos os membros do grupo de Cneio Lucius começaram a chorar, possuídos de emoção indefinível.

A um só tempo, divisaram no Alto a figura sublime de Célia, que lhes acenava cheia de ternura e de carinho.

Movidos, então, por um doce mistério, deram guarida a um perdão sincero e puro, sentindo-se reciprocamente tocados de profunda piedade.

Como se as substâncias do ambiente fossem sensíveis ao estado íntimo dos presentes, uma claridade doce e branda começava a fazer-se em torno, enquanto a maioria das nossas personagens chorava enternecida.

Entremostrando um sorriso suave, o mentor exclamou:

– Graças à misericórdia do Altíssimo, sinto que todos regressais aos planos terrestres com uma vibração nova, que vos edifica o coração e a consciência nas mais formosas expressões de espiritualidade! Que as bênçãos do Senhor encham de luz e de paz os vossos caminhos no porvir!... Sede felizes! Todos os segredos da ventura estão no amor e no trabalho da consciência redimida!... Esquecei o passado umbroso e dolorido e atirai-vos à luta remissora, com heroísmo e humildade... Sinto que estais irmanados pela mesma vibração de piedade e faço votos a Deus para que compreendais, em todas as circunstâncias, que somos irmãos pelas mesmas fraquezas e pelas mesmas quedas, a caminho da redenção suprema, nas lutas do Infinito!...

Em face da palavra carinhosa e sábia do mensageiro divino que os dirigia, os nossos amigos sentiam-se confortados por uma nova luz, que lhes esclarecia o imo com a mais bela compreensão da existência real.

A visão de Célia havia desaparecido, mas, como se a sua grande alma estivesse assistindo à cena comovedora através das luminosas cortinas do Ilimitado, ouviu-se em vibrações cariciosas, provindas do Alto, um hino maravilhoso, cantado por centenas de vozes infantis, derramando em todos os corações a coragem e o amor, a consolação e a esperança... As estrofes harmoniosas atravessavam o recinto e elevavam-se para as Alturas em notas melodiosas, subindo para o sólio de Jesus, qual um incenso divino! Era um brado de fé e de incitamento, que fazia nascer nas almas dos presentes as mais piedosas lágrimas.

Em seguida, sob as preces dos carinhosos amigos e benfeitores espirituais, que ficavam no plano invisível, todos os membros do grupo de

Cneio Lucius abandonavam o recinto, reunidos numa caravana fraterna, em direção às esferas mais inferiores que envolvem o planeta terrestre.

Nessa hora, havia entre todos o bom desejo de consolidar uma paz íntima, antes de recomeçar a luta.

Foi então que Claudia Sabina, num gesto espontâneo, aproximou-se de Alba Lucínia e exclamou com angustiada expressão:

– Não me atrevo a chamar-vos irmã, pois fui outrora o impiedoso verdugo de vosso coração sensível e bondoso!... Mas por quem sois, pelos sentimentos generosos que vos exornam a alma, perdoai-me mais uma vez. Fui o algoz e vós a vítima, todavia, bem vedes aqui a minha ruína dolorosa. Dai-me o vosso perdão para que eu sinta a claridade do meu novo dia!...

Cneio Lucius contemplou a nora, com evidente ansiedade, como a implorar-lhe clemência.

Alba Lucínia compreendeu a gravidade daquele instante e, vencendo as hesitações que lhe turbavam o espírito, murmurou comovida:

– Estais perdoada... Deus me auxiliará a esquecer o passado, para que a genuína fraternidade se faça entre nós, nas lutas do futuro!...

Júlia Spinther fitou a filha, deixando transparecer o júbilo que lhe ia no coração, em vista do seu gesto generoso, ao mesmo tempo que Cneio Lucius envolvia a companheira de Helvídio num olhar caricioso de satisfação e de profundo reconhecimento.

Enquanto a maioria das personagens trocava ideias sobre o porvir, surgia, ao longe, a atmosfera do planeta terrestre, envolta num turbilhão de sombras espessas.

Alguém falou com voz melancólica e imponente, do seio da caravana:

– Eis a nossa escola milenária!...

Decididos na sua fé, olhos para o Alto, implorando a misericórdia divina, guiados todos eles pelas forças esclarecidas do bem, que os envolviam, penetraram a atmosfera planetária, habilitados a uma compreensão cada vez mais elevada e mais nobre, dos valores eficientes do trabalho e da luta.

Apenas Nestório se conservava em oração junto dos fluidos terrenos, notando-se-lhe os olhos mareados de lágrimas, na comoção daquela hora cheia de apreensões e de esperanças.

– Senhor – exclamava o antigo escravo, evocando amargurosas lembranças –, novamente na Terra, escola abençoada de nossas almas, contamos com a vossa misericordiosa complacência, a fim de cumprirmos todos os nossos deveres, a caminho do arrependimento e da reparação. Auxiliai-nos na luta! Somente os séculos de trabalho e dor poderão anular os séculos de egoísmo, orgulho e ambição, que nos conduziram à iniquidade!... Perdoai-nos, Jesus! Dignai-vos abençoar nossas aspirações sinceras e humildes!... Ensinai-nos a amar o planeta com as suas paisagens procelosas, a fim de podermos encontrar, nas sendas terrestres, a luz da nossa regeneração espiritual, a caminho do vosso Reino de Paz Indestrutível!...

Entre as lágrimas de suas rogativas, Nestório foi o último a imergir na vastidão dos fluidos planetários.

Do Alto, porém, emanava uma claridade branda e compassiva. Toda a caravana sentiu o bafejo divino de uma esperança nova, atirando-se ao ambiente da Terra, tomada de uma coragem redentora. Reconfortados na meditação e na prece, os corações adivinhavam que a luz da Providência Divina seguiria as suas experiências na dor e no trabalho, como uma bênção.

Nota da Editora:

A série *Romances de Emmanuel*, psicografada por Francisco Cândido Xavier, é composta, na sequência, pelos livros: *Há dois mil anos, Cinquenta anos depois, Paulo e Estêvão, Renúncia* e *Ave, Cristo!*. Convidamos o leitor a conhecê-la integralmente.

FEB editora
Livro espírita para um novo mundo
www.febeditora.com.br
@febeditoraoficial
@febeditora

Conselho Editorial:
Carlos Roberto Campetti
Cirne Ferreira de Araújo
Evandro Noleto Bezerra
Geraldo Campetti Sobrinho – Coord. Editorial
Jorge Godinho Barreto Nery – Presidente
Maria de Lourdes Pereira de Oliveira
Miriam Lúcia Herrera Masotti Dusi

Produção Editorial:
Elizabete de Jesus Moreira

Revisão:
Maria Flavia dos Reis
Neryanne Paiva

Capa:
Evelyn Yuri Furuta

Projeto Gráfico e Diagramação:
Rones José Silvano de Lima – instagram.com/bookebooks_designer

Foto de Capa:
www.shutterstock.com/AntonioAbrignani

Normalização Técnica:
Biblioteca de Obras Raras e Documentos Patrimoniais do Livro

Esta edição foi impressa pela Plenaprint Gráfica e Editora Ltda, Guarulhos, SP, com uma tiragem de 3 mil exemplares, todos em formato fechado de 155x230 mm e com mancha de 120x190 mm. Os papéis utilizados foram o Off white bulk 58 g/m² para o miolo e o Cartão 250 g/m² para a capa. O texto principal foi composto em fonte Adobe Garamond Pro 12/15 e os títulos em Adobe Garamond Pro 28/30. Impresso no Brasil. *Presita en Brazilo.*

FSC
www.fsc.org
MISTO
Papel | Apoiando o manejo florestal responsável
FSC® C140275